Paolo E. Balboni
con la collaborazione di Maria Voltolina

Letteratura italiana per stranieri

storia | testi | analisi | attività

EDILINGUA

Collana cultura
italiana

Letteratura italiana per stranieri

storia I testi I analisi I attività

I edizione: marzo 2019
ISBN: 978-88-99358-46-4

© **Copyright edizioni Edilingua**
Sede legale
Via Alberico II, 4 - 00193 Roma
Tel. +39 06 96727307
Fax +39 06 94443138
info@edilingua.it
www.edilingua.it

Deposito e Centro di distribuzione
Via Moroianni, 65 - 12133 Atene
Tel. +30 210 5733900
Fax +30 210 5758903

Impaginazione e progetto grafico: Edilingua
Redazione: A. Bidetti, E. Sartor

Illustrazioni: A. Belli
Registrazioni audio: *Autori Multimediali*, Milano

Paolo E. Balboni è Professore Ordinario di Glottodidattica a Ca' Foscari, Venezia; Presidente del Centro Linguistico di Ateneo, Ca' Foscari; Direttore del Centro di Ricerca sulla Didattica delle Lingue, Ca' Foscari; Presidente della Fédération Internationale des Professeurs de Langues Vivantes (FIPLV); Direttore di riviste e collane scientifiche di linguistica e glottodidattica; autore di numerosi volumi sull'apprendimento/insegnamento dell'italiano come lingua straniera.

Gli autori apprezzerebbero, da parte dei colleghi, eventuali suggerimenti, segnalazioni e commenti sull'opera
(da inviare a redazione@edilingua.it).

Grazie all'adozione di questo libro, Edilingua adotta a distanza dei bambini che vivono in Asia, in Africa e in Sud America. Perché insieme possiamo fare molto! Ulteriori informazioni nella sezione "Chi siamo" del nostro sito.

Stampato su carta priva di acidi, proveniente da foreste controllate.

Che cosa, perché, come, quando: guida al volume

Che cosa è questo libro?

Una storia della letteratura italiana, ma anche dell'arte, della musica, dell'opera, del cinema, della canzone: incominciamo dalle origini, nel 13° secolo (il *Duecento*) per arrivare ai nostri giorni.
Una raccolta di testi, dal Duecento a oggi, con una guida alla lettura e all'analisi letteraria; ci sono molti testi nel volume cartaceo e ce ne sono altri, che puoi scaricare e stampare facilmente perché sono in pdf, nel sito della *Collana cultura italiana* (www.edilingua.it).

Perché è stato scritto questo libro?

Perché la letteratura italiana è parte essenziale e di primo piano della cultura europea, e perché la lingua italiana è nata proprio come lingua letteraria. Per secoli la nostra lingua è stata parlata da pochi intellettuali, artisti, uomini di chiesa, perché il 90% degli italiani parlava lingue locali: i dialetti. È stata proprio la lingua italiana, cioè il toscano usato da Dante, Petrarca e Boccaccio, a tenere insieme l'Italia nei secoli in cui era divisa in tanti Comuni, poi in Signorie e Ducati, e nei secoli in cui era divisa tra dominatori austriaci, francesi, spagnoli.
Uno studente di italiano può capire meglio l'Italia se conosce almeno gli elementi fondamentali della sua letteratura.

Come usare questo libro?

Ci sono 8 "Moduli", legati a periodi storici. All'interno di ogni modulo trovi una presentazione del periodo, alcuni autori con i loro testi, schede di arte, musica e, nel Novecento, anche di cinema e canzone d'autore.
Se vuoi conoscere solo un autore, ad esempio Leopardi (che si trova nel modulo *Ottocento romantico*), è utile che tu legga prima le pagine introduttive sul Romanticismo per capire il contesto storico e culturale in cui lavorava Leopardi. Puoi però decidere di non analizzare tutti i testi di Leopardi che trovi nel libro o online: ogni scheda infatti è autonoma.
L'audio di alcuni testi, segnalati dall'icona 🎧, sono disponibili sia nel CD audio allegato al libro sia nel sito della collana.

Quando puoi leggere questo volume? Con che livello linguistico?

Abbiamo indicato il B2 come livello minimo. Ma se non l'hai ancora concluso, nelle ultime pagine (pag. 237) trovi un aiuto per un aspetto molto importante dell'italiano: le varie forme del passato. Anche se al livello B1 non le usi ancora bene, per poter leggere questo libro devi imparare a riconoscerle, a capire che si tratta di un verbo al passato.

Quali materiali sono disponibili online?

- Testi supplementari. Ulteriori opere, accompagnate sempre da una guida alla lettura e un'analisi letteraria, per conoscere meglio un autore.
- Testi di approfondimento (indice pag. 246). Testi dedicati a coloro che vogliono sapere qualcosa di più sul contesto storico, sui movimenti letterari, sui singoli autori della letteratura italiana.
- Autovalutazione. 8 test, uno per capitolo, destinati esclusivamente agli studenti, affinché possano valutare cosa e quanto ricordano alla fine di ogni modulo.
- 25 tracce audio (indice pag. 248), in cui degli attori professionisti interpretano alcune famose poesie proposte nel volume.

Tutti i materiali possono essere scaricati. I materiali in formato pdf è possibile anche stamparli.

Indice

EDILINGUA

EDILINGUA

EDILINGUA

Palazzo Pubblico, Piazza del Campo, Siena (prima metà del Trecento)

Duecento e Trecento

Latino classico, latino volgare, italiano

Il latino era la lingua dell'Impero Romano ed era parlato in tutta l'Europa romana; lentamente, nelle varie aree, si è modificato, fino a differenziarsi nei vari 'volgari', cioè il latino del *vulgus*, della gente comune.

Il latino classico, o comunque quello della Chiesa, resta vivo nei testi scritti e negli incontri ufficiali, internazionali, ma i volgari diventano la lingua orale di ogni giorno: le lingue neo-latine o romanze in Italia, Spagna, Portogallo, Francia e Romania. Il più antico documento romanzo pervenutoci risale al 14 febbraio dell'842: sono *I Giuramenti di Strasburgo*, firmati a Verdun fra Ludovico il Germanico e Carlo il Calvo, nipoti di Carlo Magno.

Il primo testo conosciuto in italiano medievale è noto come *Indovinello veronese*: si tratta di quattro versi scritti tra la fine dell'VIII secolo e i primi anni del IX da un copista veronese in una lingua fra il latino e il volgare. Il secondo scritto in volgare italiano risale alla prima metà del IX secolo: un'iscrizione in una tomba a Roma. Dopo l'Anno Mille – che per molti doveva essere la fine del mondo – altri testi in italiano si trovano in scritture nei monasteri benedettini.

Il Cristianesimo e le invasioni barbariche

Il Cristianesimo arricchisce la lingua latina, per poterla usare nel trasmettere una nuova cultura e una diversa spiritualità. Ma come ogni religione anche il Cristianesimo si basava su testi scritti e su riti che dovevano essere uguali in ogni chiesa, e quindi il latino 'ecclesiastico', cioè della Chiesa, rimane stabile per mille anni almeno.

1204

La quarta crociata dei Cristiani contro i Turchi. Costantinopoli bruciata dai Cristiani. Venezia e Genova, che trasportano gli europei verso il Medio Oriente, diventano potenze del mare.

1266

I francesi (la famiglia degli Angiò) sconfiggono gli Svevi e conquistano il Sud. Il Maschio Angioino (o Castel Nuovo) di Napoli fu costruito dagli Angiò.

1200

1222

Poco prima del 1200 gli Svevi, re tedeschi, avevano ereditato il Sud Italia dai Normanni. Tra il 1222 e il 1250 Federico II regna in Italia (oltre che in mezza Europa): fonda l'università di Napoli (1224), costruisce palazzi, protegge gli intellettuali e gli studiosi europei, arabi, ebrei, senza interessarsi alla loro appartenenza religiosa.

Nel Medioevo il ruolo della chiesa è fondamentale, non solamente per la trasmissione dei principi cristiani, ma anche come veicolo di diffusione della lingua volgare e conservazione della lingua latina: i *chierici*, cioè i religiosi (sacerdoti, monaci benedettini) conoscevano il latino e garantivano la conservazione e la trasmissione delle opere della tradizione pagana e cristiana trascrivendole ma, allo stesso tempo, predicavano in volgare ai fedeli nelle chiese e nei conventi.

Negli stessi secoli, le invasioni dei popoli 'barbari', di origine principalmente germanica, portano nuove lingue, soprattutto nel nord dell'Impero, dando spazio a nuove lingue da cui derivano le lingue romanze di oggi.

In Italia, ogni regione o gruppo di regioni vicine crea la propria lingua (i 'dialetti') e, solo nel Duecento, il toscano si impone come lingua letteraria, cioè l'italiano.

Il Medioevo in Italia

In Europa, il termine 'Medioevo' indica il periodo tra la caduta dell'Impero Romano d'Occidente, 476 d.C., e la scoperta dell'America, 1492; anche se in Italia il Quattrocento è il secolo dell'Umanesimo, quindi non è certo medievale.

I monasteri erano la struttura sociale più importante d'Italia, a cominciare da quelli fondati da San Benedetto nel VI secolo, cui seguono i monasteri francescani e quelli domenicani nel Duecento. Per la nostra storia è importante sapere che ogni *abbazia*, cioè ogni convento, conservava documenti come contratti, testamenti, donazioni, documenti in cui si garantiva la protezione data all'abbazia da personaggi politici, note delle spese e delle entrate, certificati matrimoniali, ecc.

Il Duecento e il Trecento possono essere considerati un periodo unico: gli stessi fenomeni si sviluppano nel tempo, ma non cambiano sostanzialmente nel corso dei due secoli.

1309
Il Papa lascia Roma e si trasferisce ad Avignone, in Francia. I Papi tornano a Roma solo nel 1377, anche grazie a Santa Caterina da Siena.

1348
Da Costantinopoli arriva la "morte nera", la peste che in 50 anni uccide milioni di europei.

1343
Gli Angiò non riescono più a governare e il Sud passa agli Aragonesi, che arrivano da Barcellona.

1381
Venezia sconfigge i genovesi e diventa padrona del Mediterraneo; è la città più ricca e popolosa d'Europa.

1400

La letteratura religiosa

I poeti che vivono nei ricchi palazzi dei Comuni si ispirano alla letteratura francese del sud, quella scritta in *langue d'oc* (il francese moderno deriva invece dalla *langue d'oil*, parlata al nord). Questi giovani poeti non sono profondamente religiosi, quello che gli interessa di più è godersi la vita e fare affari.

Altri borghesi, ed alcuni aristocratici colti, scrivono invece *cronache*, cioè la storia di quello che avviene nelle loro città, oppure *novelle*, cioè racconti di solito di carattere storico. I due maggiori esempi sono *Il libro dei sette savi di Roma*, un'opera influenzata dalle novelle arabe e orientali, e *Il Novellino*, che ci fa conoscere la vita della Firenze medievale.

Alcuni di questi ricchi borghesi però vanno in crisi e il loro modello è Francesco d'Assisi.

La letteratura religiosa

Nel Duecento nascono nuovi *ordini religiosi*, cioè gruppi di monaci e monache (*frati* gli uomini, *suore* le donne) che seguono una 'regola' di vita. I più importanti ordini mendicanti, che rifiutano la ricchezza e vivono di quello che la gente regala loro, sono i frati minori di San Francesco e i monaci predicatori di San Domenico, come istituti religiosi maschili, e le suore clarisse di Santa Chiara (o Clara), anche lei di Assisi, come istituto religioso femminile.

Questi frati predicano in volgare e scrivono poesie, laudi, testi religiosi che danno vita a una cultura religiosa originale.

Il cantico delle creature

È il più antico testo di grande letteratura nella nostra lingua; è stato scritto da Francesco in più momenti della sua vita, ma pare che la versione diventata pubblica sia del 1226, poco prima della sua morte.

Oggi viene visto come il testo fondatore di una visione ecologica del mondo, di rapporto perfetto tra uomo e natura; ma per Francesco il rapporto era tra uomo e Dio, che ha creato la natura.

Francesco d'Assisi (1181/82-1226) nasce in una famiglia di mercanti e riceve una buona educazione letteraria; come tutti i giovani ricchi del tempo, è innamorato della letteratura della Francia del sud e vuole vivere da eroe; nel 1203-4 pensa anche di partire per la quarta crociata contro i turchi, per la conquista del Santo Sepolcro a Gerusalemme.

A 23 anni entra in crisi e rifiuta la ricchezza per vivere nella povertà assoluta, fondando l'ordine monastico dei 'frati mendicanti', che vivono chiedendo l'elemosina.

Il suo percorso mistico lo porta alla ricerca di Dio e del prossimo, tanto che decide di dedicare tutta la sua vita ai poveri e agli ammalati.

Le opere scritte da Francesco vengono raccontate e si diffondono inizialmente tra le classi povere, grazie all'uso del volgare nella predicazione, ma raggiungono rapidamente tutte le classi sociali. Sono arrivati a noi molti suoi scritti in latino e in volgare, tra cui il *Cantico delle creature* o *Cantico di frate Sole*, che ci mostra il suo modernissimo rapporto con la natura, dove ogni cosa è sacra perché ricorda la gloria di Dio.

Giotto, *Predica agli uccelli* (1290-1295), Basilica superiore di Assisi

Online per te
Online trovi il **Testo 1**, *Il pianto della Madonna* di **Iacopone da Todi**

EDILINGUA

2 Francesco d'Assisi, *Cantico delle creature*

Non facciamo un'analisi testuale di questa prima poesia: ti proponiamo di leggerla solo per vedere come era l'italiano di otto secoli fa. Fai solo una riflessione, a fine lettura: la sensibilità ecologica è proprio una caratteristica del XXI secolo?

Altissimu, onnipotente, bon Signore,
Tue so' le laude, la gloria e l'honore et onne benedictione.
Ad Te solo, Altissimo, se konfàno.
et nullo homo ène dìgnu Te mentovare.

Laudato sie, mi' Signore, cum tucte le Tue creature,
spezialmente messor lo frate Sole,
lo qual è jorno, et allumini noi per lui;
Et ellu è bellu e radiànte cum grande splendore:
de Te, Altissimo, porta significazione.

Laudato si', mi' Signore, per sora Luna e le stelle:
in celu l'ài formate clarìte et pretiose et belle.

Laudatu si', mi' Signore, per frate Vento
et per aere et nubilo et sereno et onne tempo,
per lo quale a le Tue creature dài sustentamento.

Laudati si', mi' Signore, per sor'Aqua,
la quale è multo utile et hùmile et pretiosa et casta.

Laudato si', mi' Signore, per frate Focu,
per lo quale ennallùmini la nocte:
ed ello è bello et jocundo et robustoso et forte.

Laudato si', mi' Signore, per sora nostra madre Terra,
la quale ne sustenta e governa,
et produce diversi fructi con coloriti flori et herba.

Laudato si', mi' Signore, per quelli ke perdonano per lo Tuo amore
e sostengo infirmitate et tribulazione.
Beati quelli ke 'l sosterranno in pace,
ka da Te, Altissimo, sirano incoronati.

Laudato si', mi' Signore, per sora nostra Morte corporale,
da la quale nullu homo vivente
pò skappare:
guai a quelli ke morranno ne le peccata mortali;
beati quelli ke trova ne le Tue sanctissime voluntati
ka la morte secunda no 'l farrà male.

Laudate et benedicete mii
Signore et rengraziate
e serviteli cum grande humiltate.

---

*Altissimo, onnipotente e buon Signore,
tue sono le lodi, la gloria, e l'onore e ogni benedizione.
A Te solo, o Altissimo, si addicono e
nessun uomo è degno di ricordarTi.*

*Sia Tu lodato, o mio Signore, con tutte le creature,
specialmente il fratello sole, il quale ci illumina e Tu ci illumini attraverso lui, e il sole è bello e raggiante e di grande splendore e porta di Te, o Altissimo, il simbolo.*

Sia Tu lodato, o mio Signore, per nostra sorella luna e le stelle, nel cielo le hai create splendenti, preziose e belle.

Sia Tu lodato, o mio Signore, per fratello vento, e per l'aria e le nubi e il sereno e qualsiasi variazione del tempo e per mezzo del quale dai sostentamento alle Tue creature.

Sia Tu lodato, o mio Signore, per nostra sorella acqua, la quale è molto utile e umile e preziosa e casta.

Sia Tu lodato, o mio Signore, per fratello fuoco, per mezzo del quale illumini la notte: ed egli è bello e giocondo e robusto e forte.

Sia Tu lodato, o mio Signore, per nostra sorella madre terra, la quale ci sostenta e governa, e produce molti frutti e i colori dei fiori e dell'erba.

Sia Tu lodato, o mio Signore, per quelli che perdonano per il Tuo amore, e sopportano infermità e tribolazioni. Beati quelli che sopporteranno in pace, perché da Te Altissimo, saranno incoronati.

Sia Tu lodato, o mio Signore, per nostra sorella morte del corpo, dalla quale nessun uomo può scampare. Guai a coloro che morranno nei peccati mortali, beati coloro che morranno secondo la Tua volontà, perché la seconda morte non farà loro alcun male.

Lodate e benedite il mio Signore e ringraziateLo e serviteLo con grande umiltà.

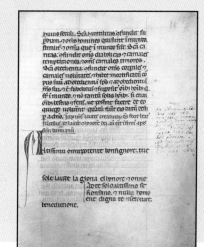

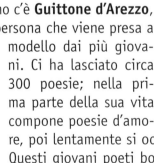

Il dolce stil novo

La nascita della letteratura italiana è posteriore a quella degli altri paesi di lingua romanza (Francia, Provenza, Spagna) che si stavano politicamente costituendo come stati. Gli autori italiani quindi propongono nelle loro opere in volgare sia i modelli letterari delle opere latine, sia quelli che vengono dalla Francia, che in questi secoli domina il Sud e la Sicilia.

La Scuola Siciliana

Con **Federico II**, imperatore tedesco nato e vissuto in Italia, l'Italia meridionale e la Sicilia formano il primo Stato moderno d'Europa. La ricchezza di questo regno è grande e attrae i *trovatori,* i poeti francesi, catalani, spagnoli. La corte è aperta agli scambi commerciali con l'Oriente e con gli arabi; è infatti in questo periodo che avviene la rinascita meridionale e si trascrivono e si traducono codici arabi, greci e latini.

I poeti siciliani sono funzionari di corte che scrivono per loro piacere di argomenti amorosi e si tengono lontano dai contenuti politici. Dalla lirica del sud della Francia (la Provenza) i siciliani prendono il tema del loro lavoro, l'amore eroico, ma mentre la poesia provenzale è molto sensuale, la poesia dei siciliani presenta un amore più astratto, meno erotico.

I poeti siciliani hanno successo in Toscana dove le loro poesie saranno adattate al volgare fiorentino e ispireranno il *dolce stil novo.*

La nascita del sonetto

Giacomo da Lentini (Lentini è una città siciliana) diffonde una nuova forma poetica, il sonetto, che per secoli sarà alla base della poesia italiana.

Un sonetto è costituito da due quartine e da due terzine, quindi da quattordici versi tutti endecasillabi (cioè composti da undici sillabe); il nome deriva dal provenzale *sonet*, cioè suono, melodia.

Lo schema metrico è ABAB ABAB per le due quartine e CDC DCD per le due terzine.

Giacomo da Lentini (1210-1260 circa)

La scuola toscana

Dopo la morte di Federico II, la produzione letteraria italiana tra il Duecento e il Trecento è composta principalmente dalle opere di autori toscani o di regioni vicine.

Fra i primi poeti che si affermano c'è **Guittone d'Arezzo**, che diventa il 'caposcuola', la persona che viene presa a modello dai più giovani. Ci ha lasciato circa 300 poesie; nella prima parte della sua vita compone poesie d'amore, poi lentamente si occupa sempre più di poesia religiosa.

Questi giovani poeti borghesi, spesso funzionari dello stato, adottano i modelli provenzali e quelli siciliani, soprattutto il sonetto. Ma in una realtà sociale come quella del Comune, fatta di famiglie solide, fondata sul matrimonio, diventa difficile comporre poesie sensuali, su un amore 'romantico'. La concezione dell'amore diviene quindi più spirituale, così da poter unire le tematiche letterarie e la realtà cittadina.

Guittone d'Arezzo (1230/35-1293/94)

EDILINGUA

Il "dolce stil novo"

Con quest'espressione si definisce una corrente letteraria formata da un gruppo di poeti che operano in Toscana tra il XIII e il XIV secolo.

Il primo grande personaggio di questo movimento è **Guido Guinizelli**, che sa coinvolgere altri giovani poeti come **Guido Cavalcanti, Cino da Pistoia, Lapo Gianni** e **Dante Alighieri** all'inizio della sua attività letteraria.

Questa corrente letteraria prende il nome di "dolce stil novo" dalle parole che Dante nel canto XXIV del *Purgatorio* (vv. 55-62), fa dire al poeta **Bonagiunta Orbicciani**, quando gli spiega che apprezza molto lo stile degli stilnovisti e avrebbe voluto poter usare anche lui quella lingua e quei temi. Dice Bonagiunta, "fratello, adesso vedo non ho saputo rompere il nodo, il legame che mi ha tenuto legato al Notaio Giacomo da Lentini e a Guittone d'Arezzo, e questo mi ha tenuto lontano dal dolce stil novo che io ascolto". Ecco i versi danteschi:

> *O frate, issa vegg'io", diss'elli, "il nodo*
> *che 'l Notaro e Guittone e me ritenne*
> *di qua dal dolce stil novo ch'i' odo!*

Rispetto alla poesia precedente, alla quale è rimasto legato Bonagiunta Orbicciani, gli stilnovisti si differenziano per la diversità di stile e, come già accennato sopra, per una differente concezione dell'amore.

Il tema di questi giovani poeti è ancora l'amore, ma la donna è vista come l'unica creatura che possa dare felicità anche solo con un saluto o lasciandosi ammirare.

Per i provenzali la donna ideale era la Signora, cioè la moglie del nobile Signore della corte: a lei si dedicavano poesie di lode e di ammirazione; per i siciliani la donna è una figura idealizzata e astratta; la donna degli stilnovisti è una donna che si può incontrare per strada, una donna aristocratica ma viva, inserita nella vita sociale del Comune, che esce in compagnia delle amiche.

L'incontro del poeta con la donna amata fa comparire degli "spiritelli" d'amore che entrano, attraverso gli occhi, nel cuore del poeta, facendolo innamorare in modo tale che solo gli amici poeti potranno consolarlo, aiutandolo a superare la crisi sia psicologica sia fisica prodotta dalla visione della donna perfetta.

L'Italia dei Comuni

L'Anno Mille rappresentò una delle massime forme di terrore collettivo della storia: si credeva che quell'anno sarebbe finito il mondo. Superato quel momento, tornò la fiducia, la popolazione cominciò a crescere, i commerci tra campagna e città e poi tra città e città rifiorirono, e quindi ci fu nuova ricchezza, soprattutto per i mercanti e i bravi artigiani. Questa ripresa dell'ottimismo riguardò molte parti d'Europa; in Italia, fiorì al Centro e al Nord, oltre che in qualche città costiera del Sud.

Le città si ingrandirono e divennero dei piccoli 'stati' che si autogovernavano, di solito attraverso un consiglio delle famiglie più ricche. Il Palazzo 'del popolo' o 'di governo' e la  cattedrale, con il vescovo, divennero due elementi fondamentali delle città, che con forti e grandi mura si difendevano dai Comuni vicini che cercavano di metterle sotto la loro influenza.

Nel Trecento le famiglie principali dei Comuni tendono a usare il Consiglio per i loro fini, e già a fine secolo diventano "Signori", trasformando i comuni in Signorie, di solito con il titolo di 'ducati'.

Alcune città-stato sul mare diventano importantissime per i trasporti nel Mediterraneo e l'Italia ha il monopolio dei commerci con le repubbliche marinare: Venezia, Genova, Pisa ed Amalfi (vicino a Napoli e Salerno).

3 Guido Guinizelli, *Lo vostro bel saluto...*

Guida alla lettura

Vedere la donna amata provoca in Guinizelli un insieme di gioie e di pene d'amore.

L'amore è visto come una potenza distruttrice, entra nell'anima come un fulmine che entra in una torre e distrugge tutto. La bellezza della donna paralizza il cuore del poeta, che rimane come una statua d'ottone (metallo simile al bronzo, ma meno ricco): sembra ancora un uomo, ma non ha più vita.

Se leggerai anche il sonetto di Cavalcanti nella pagina a fronte, vedrai che ci sono molte cose in comune.

Lo vostro bel saluto e 'l gentil sguardo che fate quando v'encontro, m'ancide: Amor m'assale e già non ha riguardo s'elli face peccato over merzede,	*Il vostro saluto e lo sguardo gentile* *che avete quando vi incontro, mi uccidono:* *Amore [visto qui come un dio, come Cupido] mi assale e non* *si preoccupa se mi fa star male oppure mi regala qualcosa,*
ché per mezzo lo cor me lanciò un dardo ched oltre 'n parte lo taglia e divide; palar non posso, che 'n pene io ardo sì come quelli che sua morte vede.	*perché mi ha lanciato una freccia nel cuore,* *e la freccia lo ha tagliato da parte a parte;* *non posso parlare poiché sto bruciando nel dolore,* *come quelli che vedono arrivare la loro morte.*
Per li occhi passa come fa lo trono, che fer' per la finestra de la torre e ciò che dentro trova spezza e fende:	*Amore passa per gli occhi come fa il fulmine* *che arriva attraverso la finestra della torre* *e spezza e distrugge ciò che trova:*
remagno come statua d'ottono, ove vita né spirto non ricorre, se non che la figura d'omo rende.	*rimango come una statua di ottone* *che ha solo l'immagine dell'uomo, non la vita.*

Analisi

a. Abbiamo visto che Giacomo da Lentini ha reso famosa la forma 'sonetto', parola che trovi anche nel glossario a pag. 241.
   - Quanti versi ha un sonetto? ....
   - Questo sonetto rispetta il numero di versi? ◯ sì   ◯ no
   - Qual è lo schema delle rime? (se non ricordi come si trascrive, vai a *rima* nel glossario):
     .... + ... + ... + ...
   - Prova a contare le sillabe di alcuni versi: sono .... e l'ultimo accento cade sulla sillaba numero ....

b. Il poeta bolognese regalò agli stilnovisti una parola chiave, che trovi anche in questo sonetto: *il* .... *sguardo*. Discuti con la classe.

c. Nell'italiano di oggi si dice ancora, parlando di un amore improvviso e fortissimo, che è stato un *un colpo di* ...., proprio come Guinizelli che lo chiama "tuono", e che nel Duecento si diceva ....

EDILINGUA

Guido Cavalcanti, *Voi che per li occhi...*

Guida alla lettura

Questo sonetto, come quello di Guinizelli nella pagina a fronte, descrive la forza distruttrice dell'amore: l'immagine della donna colpisce l'anima del poeta (come la freccia di Guinizelli) e produce su di lui effetti devastanti e mortali. La sua sofferenza è causata dall'amore, che è la sua stessa morte.
Le figure fantasiose sono le allucinazioni della mente del poeta che vede nell'amore solo la distruzione di se stesso.

Voi che per li occhi mi passaste 'l core
e destaste la mente che dormia,
guardate a l'angosciosa vita mia,
che sospirando la distrugge Amore.

È vèn tagliando di sì gran valore,
che' deboletti spiriti van via:
riman figura sol en segnoria
e voce alquanta, che parla dolore.

Questa vertù d'amor che m'ha disfatto
da' vostr'occhi gentil' presta si mosse:
un dardo mi gittò dentro dal fianco.

Sì giunse ritto 'l colpo al primo tratto,
che l'anima tremando si riscosse
veggendo morto 'l cor nel lato manco.

*Voi che attraverso gli occhi avete trapassato il mio cuore e
avete svegliato la mia mente che dormiva,
guardate l'angoscia che domina la mia vita,
perché Amore la distrugge con i suoi sospiri.*

*Amore colpisce con tanta violenza
che gli spiriti vitali vanno via:
rimane solo l'immagine della persona amata,
e mi rimane un po' di voce che parla di dolore.*

*La forza dell'amore che mi ha distrutto
è partita veloce dai vostri occhi gentili,
e mi ha tirato una freccia nel fianco (arrivando al cuore).*

*Il colpo è arrivato così preciso al primo lancio,
che l'anima tremante si è svegliata
vedendo il cuore morto nel lato sinistro (del mio petto).*

Analisi

Nel sonetto compare la parola 'amore', ma non ha sempre lo stesso significato:

a. In un caso il poeta si riferisce al dio dell'amore. Copia qui il verso: ....
....

b. In un altro si riferisce al sentimento: ....

c. Da cosa si può riconoscere l'uno o l'altro? Parlane con la classe.

d. Sottolinea nel testo le parti che mostrano il legame amore/morte.

Riflessione

Confronta i sonetti di Guinizelli e Cavalcanti:

a. I due sonetti hanno la stessa struttura e lo stesso schema di rime?

b. Ci sono molti elementi comuni tra i due sonetti: scrivili qui e poi confronta la tua analisi con quella dei compagni: ....
....

Online per te
Nel sito trovi un testo siciliano, il **Testo 5** online, di **G. da Lentini**: *Io m'agio posto in core...*

Arte e musica nel Duecento

Le chiese romaniche

Verso l'inizio del nuovo millennio, anche ad opera degli ordini monastici e della rinascente economia, si ricomincia a costruire. Tra i primi edifici che si costruiscono ci sono le chiese, spesso accompagnate da un monastero, costituito intorno a un grande chiostro (cioè il cortile di un convento, circondato da un portico con archi e colonne).

L'abbazia di San Mercuriale a Forlì

Basilica di Sant'Ambrogio, Milano, esterno

Lo stile di queste chiese è detto "romanico" perché riprende la logica dei grandi archi rotondi dell'architettura romana: i muri sono fatti di grandi blocchi di pietra, le finestre sono piccole, la struttura è semplice (una grande navata centrale che ne incrocia una più piccola, il transetto, creando quella che vista dall'alto è una forma a croce); le statue sono spesso robuste, quasi schiacciate, e sono usate spesso per sostenere pulpiti da cui parlano i predicatori.

In genere la decorazione è molto ridotta, si preferisce lasciar vedere le linee costruttive, i pilastri e le colonne (i primi sono squadrati, le colonne sono rotonde). Dove c'è influsso bizantino, le superfici sono talvolta ricoperte da mosaici su fondo dorato, che tolgono le figure da ogni spazio e ogni tempo, lasciandole libere di simboleggiare Dio, i santi, ecc.

Entrare in queste chiese, diffuse da nord a sud, e ascoltare un coro di monaci che cantano la musica di questi secoli, quella gregoriana, può farci tornare indietro di mille anni in un attimo.

Basilica di Sant'Ambrogio, Milano, interno

La pittura 'fluida'

Le figure delle sculture romaniche sono molto rigide, le persone sono grosse, non sono eleganti. All'opposto, la pittura del Duecento è più rapida nel cogliere la leggerezza del gotico, che sta diffondendosi in Europa. Il principale pittore di questo secolo è **Cimabue** (1240 circa - 1302), il maestro di Giotto, autore di molti crocifissi come quello di Arezzo.

Un altro tema tipico di questo secolo è dato dai ritratti della Madonna con il Bambino, circondata da angeli, stelle, figure di santi. In tutti i casi, è una pittura coloratissima e si fa molto uso dell'oro.

Il crocifisso di Cimabue ad Arezzo (circa 1270)

L'oreficeria

Nel Duecento la ricchezza aumenta e questo lo si vede anche nel gusto per l'oreficeria. I ricchi borghesi regalano alle loro mogli e figlie bellissime collane, anelli, corone, orecchini, ma per mostrare la loro ricchezza finanziano anche molta oreficeria religiosa.

Nelle tantissime cattedrali e nelle chiese che si costruiscono in questo secolo servono calici, crocefissi e altri oggetti per la celebrazione dei riti religiosi. Le famiglie si mettono in mostra regalando questi oggetti, e spesso lo fanno anche per farsi perdonare dal vescovo peccati molto gravi.

Il Duecento si era aperto con la maggiore delle crociate, la quarta (1204). Gli europei conquistarono i luoghi del Vangelo e da lì arrivarono migliaia di reliquie, cioè oggetti appartenuti a Gesù, agli apostoli, ai santi, e anche parti dei loro corpi. In gran parte si trattava di falsi, ma la fede medievale era forte, e questi oggetti venivano conservati in preziosi reliquari.

Guccio di Mannaia, calice di Assisi (circa 1290)

La musica

Sappiamo che nell'Italia medievale c'erano dei *trovatori*, cioè i cantanti-poeti del Medioevo, che venivano dalla Provenza (il sud della Francia) e dall'area catalana; sotto il loro influsso, nacque una musica di corte, 'leggera', di cui abbiamo molti testi ma non conosciamo il suono.

Conosciamo invece bene la musica sacra: fin da prima dell'anno Mille il canto nelle chiese era quello detto 'gregoriano', che nel Duecento raggiunse il suo splendore. È un canto per voci maschili, cui si aggiunge talvolta un coro di voci bianche, cioè di bambini. In molti canti gregoriani dialogano un solista, il *cantore*, e il coro.

Musica gregoriana

Dante Alighieri

Dante è considerato il più grande poeta del Medioevo europeo. La sua personalità è eccezionale per l'attività civile, letteraria e poetica, la profondità e la ricchezza di interessi e di esperienze, la straordinaria capacità espressiva.

Dante, soprattutto nella sua opera maggiore, la *Commedia*, è la voce della civiltà medievale e riassume tutte le ideologie e le conoscenze del Medioevo. Tuttavia capisce che la società sta cambiando e che serve un profondo rinnovamento. In questo senso rappresenta il passaggio dal Medioevo alla civiltà umanistica.

Dante, il latino, il volgare

Come tutti gli intellettuali e i funzionari pubblici del periodo, Dante è bilingue, e usa perfettamente il latino e il volgare. In latino Dante scrive due opere, *De vulgari eloquentia* e *De Monarchia*, in cui raccoglie il suo pensiero politico, da un lato, e linguistico, dall'altro.

De vulgari eloquentia viene scritto tra il 1303 e il 1305 ed è indirizzato ai colleghi letterati che pensavano che si potesse scrivere di cose 'serie' solo in latino, la lingua usata allora per argomenti culturali alti. Dante analizza i problemi del linguaggio e afferma la pari dignità del volgare e del latino. Inoltre fissa i principi di una lingua letteraria italiana, il volgare illustre, per la prosa e la poesia.

De Monarchia, composto intorno al 1312-13, è un trattato in cui Dante spiega il suo pensiero politico, che è maturato nell'esilio ed è ispirato a ideali di libertà e di pace: l'Impero deve essere la guida dei popoli per la felicità terrena; il Papato deve essere solo guida spirituale per la salvezza delle anime.

Dante è considerato il padre della lingua italiana almeno per tre ragioni:

a. è il primo a riflettere in modo completo sui problemi della lingua volgare di comunicazione e della lingua volgare letteraria, e stabilisce anche delle regole per gli stili del volgare letterario. È, in altre parole, il primo linguista italiano;

b. in un secolo in cui gli argomenti di alta cultura, filosofia, scienza, religione, ecc. sono trattati solo in latino, come abbiamo detto, Dante usa il volgare anche nelle opere più importanti e ricche di conoscenze classiche, come la *Commedia*;

c. il plurilinguismo: mano a mano che passano gli anni e Dante viaggia, in esilio, di città in città, usa sempre più spesso, insieme alle parole toscane, parole delle altre lingue regionali, prese spesso dal volgare parlato; inoltre, crea nuove parole partendo dal latino, dal francese e dal provenzale. In tal modo, il 'volgare toscano' diventa con lui davvero una lingua che va oltre i confini della regione, diventa 'italiano'.

Dante Alighieri (1265-1321)

Dante Alighieri cresce a Firenze in una famiglia di piccola nobiltà. Finiti gli studi a Firenze e a Bologna, si unisce ai giovani poeti stilnovisti e s'innamora di Beatrice (Bice Portinari), che diviene l'ispiratrice di tutta la sua opera poetica. Dopo la morte di Beatrice, nel 1290, si dà alla vita politica e perciò deve iscriversi alla corporazione dei Medici e degli Speziali (farmacisti).

In quegli anni Firenze era turbata dalle lotte fra i Guelfi di parte Nera, appoggiati dal Papa, e quelli di parte Bianca, più autonomi. Nel 1300 Dante, anche se Guelfo Bianco, con altri Priori, che formavano il governo cittadino, decide, al di sopra delle parti, di allontanare da Firenze i capi Neri e Bianchi, fra questi anche l'amico Guido Cavalcanti. Tuttavia, mentre Dante si trova in ambasceria a Roma, Carlo di Valois, mandato da papa Bonifacio VIII, porta i Neri al potere. Dante viene condannato a morte in contumacia, cioè in sua assenza, e prende la via dell'esilio, un lungo esilio sopportato sempre con fermezza e dignità. Dopo aver abbandonato i compagni di partito (compagnia scempia e malvagia), povero e solo, cerca rifugio presso varie corti, in Lunigiana (cioè nella Toscana del nord), a Treviso, a Verona, presso Cangrande della Scala e infine a Ravenna, presso Guido da Polenta, dove muore e dove è sepolto, nel 1321.

Dante e il dolce stil novo

Il giovane Dante è uno dei più brillanti poeti stilnovisti (vedi pag. 14).

La Vita Nuova (1294) è la storia dell'amore di Dante per Beatrice dal primo incontro fino alla morte di lei. L'opera si conclude con la "mirabile visione" di Beatrice in cielo, e lì la troveremo come guida nella *Commedia*. I temi stilnovisti, l'apparizione della donna, la sua bellezza spirituale, l'elevazione dell'animo grazie all'amore sono espressi in un linguaggio delicato e musicale.

La delusione amorosa, la considerazione della difficoltà di amare, affiorano invece in un'altra raccolta di poesie, le *Rime*, tra le quali ci sono alcune poesie, che Dante chiama "rime petrose", dure e aspre come la pietra. Qui Dante ricerca una lingua aspra, dura ("Così nel mio parlar voglio esser aspro") per esprimere insieme amore e odio verso una donna dal cuore duro come la pietra.

La Divina Commedia

La *Commedia* (chiamata *divina* solo in seguito) raccoglie tutto il pensiero filosofico, politico e morale di Dante ed è anche la sintesi di tutto il sapere medievale. Dante la chiama *Com(m)edia* perché è un racconto con un inizio tragico e un lieto fine.

La struttura ha come base la perfezione del numero tre (il numero della Trinità): è divisa in tre Cantiche, *Inferno, Purgatorio* e *Paradiso,* e ogni Cantica è composta di 33 canti (più uno di introduzione in modo che il poema abbia 100 canti), ed è scritta in terzine, strofe di 3 versi.

Come si vede dagli schemi, la Terra è al centro dell'universo; intorno ad essa ruotano nove sfere celesti contenute da una decima, l'Empireo, che è immobile. Dentro la terra si apre la cavità dell'Inferno, provocata dalla caduta di Lucifero, l'angelo ribelle a Dio. Nell'Oceano, dalla parte opposta all'entrata nell'inferno, c'è la montagna del Purgatorio. Dante, che ha perso la sua innocenza nella selva del peccato, viene guidato alla salvezza da Virgilio, il grande poeta latino, e poi, nel Paradiso, da Beatrice.

La *Commedia* è un viaggio-visione in questi tre mondi, pieno di situazioni drammatiche o di incontri affettuosi, e rappresenta il faticoso cammino di un'anima.

La grandezza dell'opera sta nell'intreccio tra gli aspetti politici e religiosi e i caratteri, nel modo in cui in pochi versi Dante presenta la personalità dei personaggi che incontra, e nell'uso della lingua per esprimere tutta la complessità dei sentimenti e delle passioni umane.

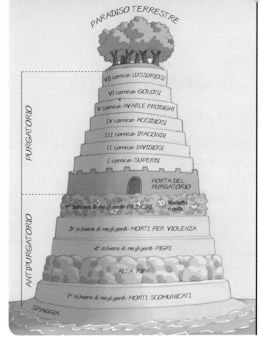

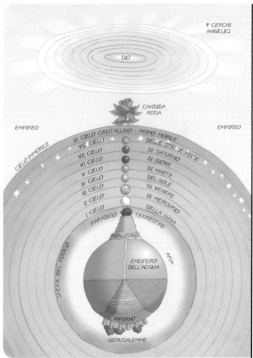

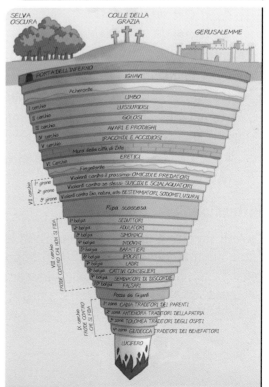

6. *Tanto gentile...*

Guida alla lettura

Questo sonetto, il 'manifesto' della concezione della donna e dell'amore secondo il dolce stil novo, appartiene alla raccolta *Vita nova* (1292).

Beatrice, la donna (dal latino *domina*, padrona, signora) che ha visto passare, è *gentile*, che per gli stilnovisti significa 'di animo nobile'; anche il solo vederla, oltre al saluto dà anche 'salute', dal latino *salus*, 'salvezza'.

Tanto gentile e tanto onesta pare	*La signora del mio cuore appare, si mostra,*
la donna mia quand'ella altrui saluta	*tanto nobile e piena di dignità quando saluta qualcuno,*
ch'ogne lingua devèn tremando muta,	*che ogni lingua trema e diventa muta*
e li occhi no l'ardiscono di guardare.	*e gli occhi non hanno il coraggio di guardarla.*
Ella si va, sentendosi laudare,	*Cammina e ascolta le parole di lode,*
benignamente d'umiltà vestuta;	*la bontà, l'umiltà, sono il suo vestito (ma anche: vestita*
e par che sia una cosa venuta	*in modo modesto, umile) e sembra una creatura venuta*
da cielo in terra a miracol mostrare.	*dal cielo in terra per mostrare qualcosa di straordinario.*
Mostrasi sì piacente a chi la mira,	*Si mostra così bella a chi la guarda,*
che dà per li occhi una dolcezza al core,	*che attraverso gli occhi ispira al cuore una dolcezza*
che 'ntender no la può chi no la prova:	*che può essere capita solo da chi la vive:*
e par che de la sua labbia si mova	*e sembra che dal suo viso arrivi*
uno spirito soave pien d'amore,	*un dolce spirito d'amore*
che va dicendo a l'anima: Sospira.	*che suggerisce all'anima di sospirare nell'attesa.*

Analisi

a. Manca nel testo una descrizione fisica di Beatrice, ma Dante usa degli aggettivi per rappresentare le sue virtù: *gentile,* ....

b. Il ritratto della donna amata può essere fatto in due modi: (1) una specie di quadro, statico, oppure (2) una visione che arriva e va via. Dante sceglie il modo   ◯ 1   ◯ 2

c. Cerchiamo i verbi che danno questa sensazione di visione che passa davanti agli occhi:
   - *Ella si* ...., *sentendosi laudare,*
   - *e par che sia una cosa* ....
   - *e par che de la sua labbia si* .... / *uno spirito*

d. mentre Beatrice avanza, si muove, chi la guarda come rimane?
   - *ogne lingua devèn tremando* ....
   - *li occhi* .... *di guardare*

e. Cerca nel glossario (pag. 241) l'*enjambement*, un gioco stilistico che mette un momento di silenzio tra una parte della frase e la successiva. Vediamo come lo usa Dante:
   - i primi 6 versi sono ◯ conclusi in se stessi   ◯ continuano nel verso successivo
   - cosa succede nei versi 7-8?

Riflessione

Questo sonetto è uno dei più intensi in lode della donna amata. Hai mai provato sensazioni o emozioni simili a quelle di Dante? Oggi le poesie d'amore sono le canzoni, e le descrizioni sono molto più fisiche. Che effetto farebbe una canzone con questo modo "spirituale" di vedere una donna, un'amica, un'amata?

EDILINGUA

Nel mezzo del cammin...

Guida alla lettura

A 35 anni (nel 1300), a metà della vita, Dante è perso nella *Selva oscura*, la vita nel peccato, dalla quale è difficile uscire. È *pien di sonno*, non sonno fisico ma sonno del pensiero, quindi si lascia guidare dalla misericordia di Dio, simboleggiata dal *pianeta*, il sole.
Comincia così la sua discesa nel luogo dove nessuno è entrato vivo, e dove potrà vedere tutto il male del mondo, per iniziare il suo percorso di salvezza.

Nel mezzo del cammin di nostra vita	*A metà del cammino della mia vita*
mi ritrovai per una selva oscura,	*mi trovai in un bosco buio*
ché la diritta via era smarrita.	*perché avevo perduto la via giusta.*
Ahi quanto a dir qual era è cosa dura	*Com'è difficile descrivere*
esta selva selvaggia e aspra e forte	*questo bosco selvaggio, aspro e difficile:*
che nel pensier rinova la paura!	*anche il solo ricordo ne rinnova la paura!*
Tant'è amara che poco è più morte;	*È una paura tanto amara che la morte è di poco*
ma per trattar del ben ch'i' vi trovai,	*peggiore; ma per narrare il bene che vi ho trovato*
dirò de l'altre cose ch'i' v'ho scorte.	*dirò le altre cose che ho visto.*
Io non so ben ridir com'i' v'intrai,	*Non so spiegare come vi entrai,*
tant'era pien di sonno a quel punto	*perché ero addormentato*
che la verace via abbandonai.	*quando avevo lasciato la via giusta.*
Ma poi ch'i' fui al piè d'un colle giunto,	*Ma quando arrivai ai piedi di una collina,*
là dove terminava quella valle	*dove finiva quella valle*
che m'avea di paura il cor compunto,	*che mi aveva impaurito,*
guardai in alto, e vidi le sue spalle	*guardai in alto, e vidi i lati della valle*
vestite già dei raggi del pianeta	*illuminati dal sole*
che mena dritto altrui per ogne calle.	*che guida tutti per ogni strada.*
Allor fu la paura un poco queta,	*Allora si calmò un poco la paura*
che nel lago del cor m'era durata	*che mi era rimasta nel cuore*
la notte ch'i' passai con tanta pieta.	*durante la notte passata con tanto dolore.*
E come quei che con lena affannata,	*E come una persona che, respirando a fatica,*
uscito fuor del pelago a la riva,	*è appena uscito dal mare arrivando alla riva,*
si volge a l'acqua perigliosa e guata,	*e si volta a guardare l'acqua pericolosa,*
così l'animo mio, ch'ancor fuggiva,	*così il mio animo, che ancora fuggiva,*
si volse a retro a rimirar lo passo	*si voltò a guardare il luogo*
che non lasciò già mai persona viva.	*dal quale nessuno è mai uscito vivo.*
Poi ch'ei posato un poco il corpo lasso,	*Dopo aver riposato un poco il corpo stanco,*
ripresi via per la piaggia diserta,	*ripresi il cammino per quella discesa senza vita,*
sì che 'l piè fermo sempre era 'l più basso.	*dove il piede d'appoggio era sempre il più basso.*

Inferno I, 1-30

Analisi

Osserviamo le terzine dantesche

a. Il poema è scritto in terzine, cioè in strofe di .... versi. Le terzine non sono indipendenti l'una dall'altra, perché sono legate dalla ....

b. Usando le lettere maiuscole per indicare le rime (vedi il glossario, se non ricordi come si fa), scrivi lo schema delle rime delle prime 4 strofe: ....

Riflessione

Nei romanzi di fantascienza gli autori danno sempre una spiegazione razionale per le situazioni fantastiche in cui si trovano i protagonisti. Fa lo stesso anche Dante?
Il classico eroe di avventure fantastiche e sovrumane è forte, coraggioso, senza paura. Come si dipinge Dante all'inizio del suo viaggio "fantascientifico"?

Duecento e Trecento

23

8 *Fatti non foste...*

Guida alla lettura

Dopo 20 anni di avventure indimenticabili, l'Ulisse di Omero torna alla sua isoletta, a fare il re tra i pastori e godere una vita in famiglia.

Dante rifiuta questa conclusione 'borghese', tranquilla, e trasforma Ulisse nel simbolo dell'eroe che cerca, cerca, cerca per tutta la vita, pronto a sfidare tutto, compresa la Natura, per conoscere di più.

Quindi Ulisse, stanco di Itaca, chiama i suoi vecchi compagni e li convince a seguirlo in un 'folle volo', una navigazione che li porterà nell'Oceano, dove moriranno guardando la grande montagna del Purgatorio che emerge dalle acque.

Due versi di questo canto sono sempre citati come l'inizio dell'Umanesimo, del mondo nuovo. Copiali qui:

Fatti non foste ....

1 Io e' compagni eravam vecchi e tardi	*Io e i miei compagni eravamo ormai vecchi e lenti*
2 quando venimmo a quella foce stretta	*quando arrivammo allo stretto (di Gibilterra)*
3 dov'Ercule segnò li suoi riguardi	*dove Ercole pose i suoi segnali*
4 acciò che l'uom più oltre non si metta;	*perché nessuno vada nell'Oceano;*
5 da la man destra mi lasciai Sibilia,	*a destra mi lasciai Siviglia,*
6 da l'altra già m'avea lasciata Setta.	*dall'altra parte avevo già lasciato Ceuta.*
7 "O frati", dissi, "che per cento milia	*"Fratelli - dissi - che dopo centomila*
8 perigli siete giunti a l'occidente,	*pericoli siete arrivati ai confini occidentali del mondo,*
9 a questa tanto picciola vigilia	*non rifiutate a questo periodo così breve della vita*
10 d'i nostri sensi ch'è del rimanente	*che ci rimane,*
11 non vogliate negar l'esperïenza,	*la conoscenza del mondo disabitato,*
12 di retro al sol, del mondo sanza gente.	*dietro al sole.*
13 Considerate la vostra semenza:	*Considerate la vostra origine:*
14 fatti non foste a viver come bruti,	*non siete stati creati per vivere come bestie,*
15 ma per seguir virtute e canoscenza".	*ma per seguire virtù e conoscenza".*
16 Li miei compagni fec'io sì aguti,	*Con questo breve discorso resi i miei compagni così desiderosi*
17 con questa orazion picciola, al cammino,	*di continuare il viaggio*
18 che a pena poscia li avrei ritenuti;	*che poi a fatica sarei riuscito a fermarli;*
19 e volta nostra poppa nel mattino,	*e con la poppa (la parte posteriore della barca) ad oriente e*
20 de' remi facemmo ali al folle volo,	*andando verso Occidente, usammo i remi come ali*
21 sempre acquistando dal lato mancino.	*per l'audace viaggio, avanzando sempre verso sinistra.*
22 Tutte le stelle già de l'altro polo	*Ormai si vedevano nella notte tutte le stelle dell'altro polo*
23 vedea la notte, e 'l nostro tanto basso,	*(antartico), e la stella (polare) del nostro polo era così bassa*
24 che non surgea fuor del marin suolo.	*da non emergere dalla superficie marina.*
25 Cinque volte racceso e tante casso	*Per cinque volte si era accesa e altrettante spenta*
26 lo lume era di sotto da la luna,	*la luce della faccia inferiore della luna*
27 poi ch'ntrati eravam ne l'alto passo,	*(erano passati cinque mesi) da quando*
28 quando n'apparve una montagna, bruna	*avevamo iniziato il pericoloso viaggio,*
29 per la distanza, e parvemi alta tanto	*quando ci apparve una montagna, scura*
30 quanto veduta non avea alcuna.	*per la distanza, e mi sembrò più alta di qualsiasi altro monte.*
31 Noi ci allegrammo, e tosto tornò in pianto;	*Noi ci rallegrammo ma presto l'allegria*
32 chè de la nova terra un turbo nacque	*si trasformò in dolore, perché dalla terra*
33 e percosse del legno il primo canto.	*appena vista arrivò una tempesta e*
34 Tre volte il fé girar con tutte l'acque;	*colpì la prua (la parte anteriore della nave. Per tre volte la fece girare con le*
35 a la quarta levar la poppa in suso	*onde; alla quarta la fece sollevare con*
36 e la prora ire in giù, com'altrui piacque,	*la poppa e la inabissò, come parve*
37 infin che 'l mar fu sopra noi richiuso".	*giusto ad altri (a Dio), finché il*
	mare fu richiuso sopra di noi".

Inferno XXVI, 106-142

Anonimo fiorentino,
Il naufragio della nave di Ulisse, circa 1390-1400

Inferno

Dante, nel 1300 (anno del Giubileo), caduto nella "selva del peccato", incontra Virgilio, simbolo della ragione, inviato da Beatrice, e inizia il viaggio nei regni dell'oltretomba, cominciando dall'Inferno. Qui i dannati sono divisi in nove cerchi secondo tre categorie: peccati di incontinenza (incapacità di controllarsi), di bestialità, di malizia (cattiveria d'animo).

Al di fuori vi sono gli "ignavi", i vigliacchi, coloro che non hanno mai preso posizione, tanto disprezzati da Dante, e gli eretici. La pena fisica varia a seconda della colpa, secondo la legge del "contrappasso" cioè per contrasto o per somiglianza. Ma la vera pena, uguale per tutti, è l'eternità della condanna: l'Inferno è dominato dal buio eterno, simbolo della mancanza della luce divina.

La Cantica presenta le figure più drammatiche, ancorate alle loro colpe, alle passioni e ai sentimenti terreni.

Analisi

a. Le indicazioni geografiche di Dante sono sempre indirette. Non dice: "andammo verso ovest" ma si riferisce a due città: Siviglia, sulla costa europea, che rimane sul lato ....; e Ceuta, sulla costa africana, sul lato .... In tal modo solo chi conosceva, da vero enciclopedico medievale, la disposizione delle città occidentali del mondo conosciuto poteva comprendere: era un modo per dare ulteriore segreta magia al suo poema.

b. Dividi in tre sequenze il racconto di Ulisse e per ciascuna trova la frase o il verso che ti sembra riassumerne meglio il significato, quella che più ti colpisce. Scrivi qui di seguito i versi scelti e nello stesso tempo sottolineali nel Canto a pagina 24.
   - Sequenza 1   Verso o frase ....
   - Sequenza 2   Verso o frase ....
   - Sequenza 3   Verso o frase ....
   Ora discuti con i tuoi compagni le ragioni della tua scelta.

c. Dante ricorre spessissimo al magico numero tre: 3 cantiche, ciascuna di 33 canti, ogni sezione dell'aldilà divisa in 9 parti. Qui, alla fine, il 3 indica la sconfitta: verso ....

Riflessione

a. Secondo te, perché il "folle volo" finisce tragicamente?
   ○ per troppa audacia
   ○ per inesperienza
   ○ per la sfida ai limiti imposti da Dio

b. Conosci versioni moderne del personaggio di Ulisse? Se vuoi, cerca online
   - *Ulysses*, scritta nel 1833 da Alfred Tennyson, che si conclude:
     To strive, to seek, to find, and not to yield
     (lottare, cercare, trovare, e non cedere mai)
   - *L'ultimo viaggio*, scritto nel 1904 da Pascoli (vedi pag. 138), che si conclude così:
     Solo mi resta un attimo. Vi prego!
     Ditemi almeno chi sono io! Chi ero!
   Secondo te, sono d'accordo con Dante?

c. Quali aspetti di "modernità" si possono ritrovare nel testo di Dante?
   Discutine con i tuoi compagni.

Online per te

Online trovi un altro sonetto del periodo stilnovista di **Dante**: **Testo 9 online**, *Guido, i' vorrei...* e altri due brani della *Commedia* e due schede su *Purgatorio* e *Paradiso*:
Testo 10 online *L'arrivo in Purgatorio*
Testo 11 online *Come sa di sale...*

Francesco Petrarca

Francesco Petrarca, primo intellettuale dell'Umanesimo

Francesco Petrarca rappresenta un nuovo tipo di intellettuale, lontano dalla politica attiva e difensore della propria libertà intellettuale, che passa nelle varie corti onorato e rispettato e ha una posizione di prestigio grazie alla sua fama.

Tuttavia, sotto questa immagine dignitosa c'è il contrasto tra le ambizioni, il desiderio di gloria, l'amore terreno da un lato e il desiderio di purezza, di pienezza della vita morale dall'altro.

Da qui la "modernità" della sua poesia: una continua analisi interiore delle inquietudini, dei dubbi, dei diversi stati del suo animo, espressi in forma perfetta.

Petrarca può essere considerato il primo umanista, il primo cioè che affronta gli autori classici latini in modo nuovo, senza gli adattamenti e le interpretazioni medievali. Colleziona manoscritti e svolge un grande lavoro critico sui testi e sulla lingua latina. Comincia con lui il lungo colloquio ideale tra gli intellettuali del Trecento e dei secoli successivi e gli autori latini, maestri di vita e di stile.

Come per la lingua latina, il Petrarca nella lirica in volgare compie un continuo lavoro di ricerca di perfezione di lingua e di stile per giungere ad una lingua raffinata ed elegante. Crea così per la poesia un modello linguistico totalmente nuovo.

Petrarca 'politico'

Tranne per qualche incarico diplomatico, Petrarca si tiene lontano dalla politica attiva. Tuttavia nei suoi scritti esprime i suoi ideali politici. Si entusiasma per il tentativo (fallito) di Cola di Rienzo di restaurare la repubblica in Roma, intorno alla metà del secolo. Denuncia aspramente la corruzione della corte papale che si è spostata ad Avignone, in Francia. Influenzato anche dalla lettura dei classici, esalta la missione di Roma e dell'Italia, chiedendo a Comuni e Signorie di porre fine alle guerre tra 'fratelli italiani'.

Le opere

Vari scritti di Petrarca sono in latino. In italiano scrive poesie che raccoglie nel *Canzoniere* e nei *Trionfi* (l'ultima raccolta, meno famosa della prima).

Il *Canzoniere* raccoglie "frammenti dell'anima", la storia di un amore non corrisposto: 366 poesie divise in rime "in vita" e rime "in morte" di madonna Laura. Laura è come una visione, una figura di sogno, il riferimento costante di tutta la poesia petrarchesca.

In realtà, tutta l'opera è un lungo colloquio del poeta con se stesso, un'analisi degli effetti dell'amore sul suo animo: attese e speranze, illusioni, delusioni, angosce, rimpianti, tutto rivissuto sul filo della memoria. E a questo si aggiunge la meditazione sulla precarietà delle cose umane, sulla solitudine, sul contrasto tra le cose terrene e l'ansia religiosa.

La straordinaria abilità artistica e tecnica, la continua ricerca stilistica e la precisa scelta linguistica sono gli strumenti per una poesia musicale, ricca di immagini, metafore, antitesi, analogie, in un linguaggio limpido e raffinato.

L'ammirazione per la perfezione stilistica e linguistica della poesia del Petrarca dà origine, nel Cinquecento in tutta Europa, ad un fenomeno di imitazione, spesso solo formale, detto **petrarchismo**.

Francesco Petrarca (1304-1374)

Petrarca nacque ad Arezzo da un notaio fiorentino, esule perché Guelfo Bianco. Andò poi ad Avignone, allora sede della corte dei papi. Qui, nel 1327, incontrò Laura. Si dedicò presto all'attività letteraria ed ebbe l'appoggio e l'amicizia di intellettuali e di uomini potenti. Viaggiò a lungo in Europa conoscendo molti intellettuali.

Nel 1353 rientrò in Italia, a Parma e Milano, poi a Venezia, accolto con grandi onori. Nel 1370 si ritirò, con la figlia naturale, Francesca, in una casetta (meta ancora oggi di visitatori) sui colli Euganei, ad Arquà.

EDILINGUA

12 *Voi ch'ascoltate...*

Guida alla lettura

È il primo sonetto del *Canzoniere*.
Petrarca si rivolge direttamente ai lettori del *Canzoniere*, con il 'voi' che apre il sonetto, chiedendo di essere capito da loro, se mai hanno provato le pene di un amore non corrisposto. Capisce solo ora, dice, che per anni è stato famoso, ma si vergogna di tutte le fantasie che ha scritto, perché adesso capisce che i piaceri del mondo sono solo un breve sogno.

Francesco Petrarca

Voi ch'ascoltate in rime sparse il suono
di quei sospiri ond'io nudriva 'l core
in sul mio primo giovenile errore,
quand'era in parte altr'uom da quel ch'i' sono,

del vario stile in ch'io piango et ragiono
fra le vane speranze e 'l van dolore,
ove sia chi per prova intende amore,
spero trovar pietà, non che perdono.

Ma ben veggio or sì come al popol tutto
favola fui gran tempo, onde sovente
di me medesmo meco mi vergogno;

et del mio vaneggiar vergogna è 'l frutto,
e 'l pentersi, e 'l conoscer chiaramente
che quanto piace al mondo è breve sogno.

Voi che, nelle tante poesie nate qua e là, ascoltate il suono dei sospiri d'amore di cui io nutrivo il mio cuore al tempo del mio primo errore giovanile (l'amore per Laura), quando ero almeno in parte diverso da quello che sono oggi, se fra voi c'è qualcuno che conosce l'amore, spero di trovare la vostra compassione, spero che perdoniate il modo in cui piango e ragiono, tra le inutili speranze e l'inutile dolore.

Ora vedo bene che per molto tempo sono stato argomento di conversazione per la gente, e per questo spesso dentro di me io mi vergogno di me stesso. La vergogna e il pentimento sono il frutto dell'aver seguito cose inutili, e comprendo con chiarezza che tutto ciò che piace in questo mondo è solo un breve sogno.

Analisi

Gli strumenti usati per dare un ritmo maestoso e lento o esprimere i vari stati d'animo sono soprattutto le allitterazioni, cioè l'uso ripetuto delle stesse consonanti all'inizio delle parole, che danno un effetto di campane che si ripetono nella solitudine della campagna:

a. *Voi ch'ascoltate in rime* .... *il* ....

b. .... *'era in parte altr'uom da* .... *'i' sono*

c. *fra le* .... *speranze e 'l* .... *dolore*

d. *spero trovar* ...., *non che* ....

e. .... *gran tempo, onde sovente*

f. *di* .... *vergogno*

g. *et del mio* .... *è 'l frutto,*

h. *e 'l pentersi, e 'l* ....

Riflessione

"Che quanto piace al mondo è breve sogno", uno dei versi più musicali della letteratura italiana, ci offre una riflessione che è presente nella letteratura universale.
Conosci qualche testo sul tema, nella tua lingua o in altre lingue? Condividi questa informazione con la classe.

27

13 *Solo et pensoso...*

Guida alla lettura

Petrarca racconta che cerca di andare a camminare in luoghi deserti, dove non ci siano altre persone, perché non vuole che vedano la sua disperazione, la sua mancanza di gioia che solo i campi, i fiumi, la natura conoscono. Ma per quanto siano dure e selvagge le strade che percorre, alla fine Amore arriva da lui, gli parla, e Petrarca non può che rispondergli. Contro Amore, in altre parole, non si può combattere e da Amore non ci si può nascondere.

Solo et pensoso i più deserti campi
vo mesurando a passi tardi et lenti,
et gli occhi porto per fuggire intenti
ove vestigio human l'arena stampi.

Altro schermo non trovo che mi scampi
dal manifesto accorger de le genti,
perché negli atti d'alegrezza spenti
di fuor si legge com'io dentro avampi

sì ch'io mi credo omai che monti et piagge
et fiumi et selve sappian di che tempre
sia la mia vita, ch'è celata altrui.

Ma pur sì aspre vie né sì selvagge
cercar non so ch'Amor non venga sempre
ragionando con meco, et io co'llui.

*Solo e pensieroso cammino con passi stanchi e lenti
per i luoghi più solitari
e mi guardo intorno con occhi attenti per evitare i
luoghi dove impronte umane segnino il terreno.*

*Non trovo altro riparo che impedisca alla gente di
accorgersi chiaramente (in modo 'manifesto') di
come mi sento, perché dalle mie azioni senza gioia si
comprende quanto io dentro bruci (d'amore),*

*così che io credo ormai che monti e pianure,
fiumi e boschi sappiano di quale genere sia ormai la
mia vita, (anche se lo tengo) nascosto agli altri.*

*Ma non so cercare percorsi tanto duri e selvaggi
dove Amore non venga sempre
a parlare con me, e io con lui.*

Canzoniere, 35

Analisi

Petrarca sta camminando lentamente, è stanco (nell'anima, più che nel corpo), e riesce a dare il senso di lentezza anche con la lingua e la struttura del suo sonetto:

a. di solito, nei sonetti ogni verso ha un concetto completo; è lo stesso anche qui? È un primo modo per dare lentezza;

b. di solito un concetto è espresso da un nome o da un aggettivo, ma qui Petrarca li 'allunga', mettendone più di uno ogni volta, in modo da rallentare il ritmo:
   - .... *et* .... *i più deserti campi*
   - *vo mesurando a passi* .... *et* .... ,
   - *sì ch'io mi credo omai che* .... *et* ....
   - *et* .... *et* .... *sappian di che tempre*
   - *Ma pur sì* .... *vie né sì* ....

c. Petrarca ci fa passeggiare con lui, lento e stanco, per 13 versi, poi all'ultimo, dopo una frase che dura 3 versi interi, l'ultima frase, brevissima, è un colpo di frusta, velocissimo:
   Ma pur sì aspre vie né sì selvagge
   cercar non so ch'Amor non venga sempre
   ragionando con meco, ...

Riflessione

La solitudine, per Petrarca, è un momento necessario dell'esistenza.
Per te che cosa rappresenta? Ti riconosci nella solitudine del poeta medievale o credi che quella dei ragazzi, dei giovani e dei meno giovani, del 21° secolo sia diversa? O è diverso solo il modo di parlarne? Discutine con la classe.

EDILINGUA

14 *Erano i capei d'oro...*

Guida alla lettura

È uno dei sonetti più famosi del *Canzoniere*, anche per il gioco di parole nel primo verso: i capelli d'oro *ha Laura sparsi* o *a l'aura sparsi*, mossi dall'aria.

Petrarca racconta la storia dell'innamoramento improvviso per Laura: il suo animo è un'esca, cioè una sostanza usata per accendere il fuoco, pronto per l'amore e appena vede Laura il suo cuore prende fuoco. Sono passati anni e, anche se la voce e gli occhi di Laura non sono più belli come allora (o, secondo un'altra lettura, forse è morta), la ferita d'amore nel cuore di Petrarca non smette di bruciare.

Ricostruzione trecentesca dell'incontro tra Petrarca e Laura

Erano i capei d'oro a l'aura sparsi
che 'n mille dolci nodi gli avolgea,
e 'l vago lume oltra misura ardea
di quei begli occhi, ch'or ne son sì scarsi;

e 'l viso di pietosi color' farsi,
non so se vero o falso, mi parea:
i' che l'esca amorosa al petto avea,
qual meraviglia se di sùbito arsi?

Non era l'andar suo cosa mortale,
ma d'angelica forma; et le parole
sonavan altro, che pur voce umana.

Uno spirto celeste, un vivo sole
fu quel ch'i' vidi: et se non fosse or tale,
piaga per allentar d'arco non sana.

Canzoniere, 90

*I capelli biondi color oro erano sciolti al vento,
che li avvolgeva in mille nodi graziosi,
e splendeva la dolce luce di quei begli occhi, che ora ne sono privi
(forse perché Laura è già morta);*

*mi sembrava, non so se fosse realtà o illusione,
che il viso si rivestisse di un colore di dolcezza, gentilezza:
io avevo nel cuore l'esca dell'amore,
c'è da meravigliarsi se subito bruciai d'amore per lei?*

*Il suo passo non era quello di una creatura mortale,
ma quello di uno spirito superiore; le sue parole
avevano un suono diverso da quello di una semplice voce umana.*

*Quello che io vidi fu uno spirito celeste, una luce splendida,
e se anche ora non fosse più bella come allora, (la mia ferita
d'amore non può guarire, così come) la ferita fatta da una freccia
non guarisce solo perché l'arco non è più teso.*

Analisi

Leggendo il sonetto ti sei certamente creato un'immagine mentale di Laura. Assomiglia a quella in alto?

In realtà Petrarca non ha descritto Laura: ha dato molti dettagli, ma il viso lo ricostruisci tu, secondo la tua immaginazione. Ecco quello che sappiamo di Laura:

a. i capelli: ....
b. gli occhi, al primo incontro: ....
c. gli occhi, oggi: ....

d. il colore del viso: ....
e. il suo modo di camminare: ....
f. la sua voce: ....

Secondo te, se avesse descritto con precisione il viso, avrebbe ottenuto lo stesso effetto nella tua immaginazione?

Riflessione

Prova a confrontare il ritratto di Laura con quello di Beatrice (Testo 6): che cos'hanno in comune? In che cosa si differenziano?

Online per te
Tra i materiali online trovi il **Testo 15**, *Zefiro torna...*

Giovanni Boccaccio

Boccaccio è il primo grande narratore della letteratura italiana, il creatore del genere *novella*. Il suo *Decamerone* diventa subito famoso in tutta Europa: è un punto di riferimento per molti narratori, come ad esempio l'inglese Chaucer.

Cultura e Umanesimo del Boccaccio

La formazione culturale di Boccaccio è a Napoli, una delle capitali culturali d'Italia. Ma è a Firenze che conosce Petrarca, che diventa la sua guida.

Come lui, si dedica agli studi umanistici e alla ricerca di codici antichi, ma vuole conoscere anche il mondo greco. Per molti anni la casa di Boccaccio diventa un centro di riferimento per gli intellettuali che cercano di comprendere il mondo classico.

Boccaccio ha prodotto opere di vario genere, in prosa e in versi, soprattutto del periodo napoletano. Tra queste, il *Trattatello in lode di Dante*, una specie di biografia spirituale, ma la sua fama è legata al *Decamerone*.

Il *Decamerone*

Il *Decamerone* (dal greco "dieci giornate"), composto tra il 1349 e il 1351, è una raccolta di cento novelle raccontate durante dieci giorni da alcuni giovani che si sono rifugiati in campagna per sfuggire alla peste di Firenze. L'idea originale è quella di raccogliere le novelle dentro una "cornice" (la peste, la fuga), che lega tra loro le storie.

È un'opera di intrattenimento, ma soprattutto è un quadro della società trecentesca, delle classi sociali

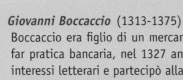

Sandro Botticelli, *Nastagio incontra la donna e il cavaliere nella pineta di Ravenna*, 1483, rappresentazione di una novella del Decameron

(aristocratici, mercanti, artigiani, suore e frati, malavita): una "commedia umana".

Boccaccio descrive con estremo realismo le situazioni, gli ambienti, i personaggi, senza giudizi morali. Questo deriva dalla sua realistica visione della vita: il mondo è guidato da Amore e da Fortuna; ma l'uomo non è vittima: grazie all'intelligenza può sfruttare le occasioni offerte dalla Fortuna.

I temi infatti sono l'*intelligenza,* in tutte le sue forme, unita spesso al gusto dello scherzo a danno degli sciocchi, i non-intelligenti; l'*amore* sensuale, la passione, l'amore infelice, l'amore che ha un lieto fine; la *fortuna* che può modificare delle situazioni e può offrire delle opportunità è uno dei "protagonisti" della raccolta; la *cortesia,* cioè la nobiltà di sentimenti e dignità di comportamento, indipendenti dalle condizioni sociali.

Il *Decamerone* è scritto in una prosa che ha una sintassi latina, ma che rispecchia la realtà attraverso lo stile che passa da elevato a comico, a seconda dei motivi e delle situazioni.

Giovanni Boccaccio (1313-1375)

Boccaccio era figlio di un mercante, che lavorava anche per la potente Banca dei Bardi. Per far pratica bancaria, nel 1327 andò a Napoli, ma presto abbandonò la banca per seguire gli interessi letterari e partecipò alla vita della splendida corte angioina.

Nel 1340, la banca Bardi fallì e Boccaccio ritornò a Firenze, dove ottenne incarichi pubblici che gli permisero di visitare varie corti. Nel 1348, a Firenze visse la tremenda esperienza della peste che colpì tutta Europa e che poi descrisse nel *Decameron*.

Molto importante fu l'amicizia con Petrarca che lo indirizzò verso gli studi umanistici e che, con i suoi consigli, gli impedì più tardi di distruggere, per una crisi religiosa, le sue opere. Boccaccio, grande ammiratore di Dante, fu incaricato dal Comune di Firenze della lettura pubblica della *Commedia*.

EDILINGUA

16 Federigo degli Alberighi

Guida alla lettura

Federigo si innamora di una ricca signora, Giovanna, e spende tutte le sue ricchezze per fare regali, dare feste, farsi vedere da lei, che però non lo incoraggia. Diventato povero, Federigo se ne va in campagna, dove trova da mangiare cacciando con un falco, come era abitudine nel Medioevo. Il suo falco era il migliore del mondo e lui lo amava molto.

Passa il tempo, Giovanna rimane vedova, con un bambino; va in vacanza in una casa in campagna, vicino a Federigo, e il figlio si innamora del falco. È malato, lo vorrebbe, e allora lei va da Federigo e dice che resterà a pranzo. Federico non ha soldi, non ha cibo, allora uccide il suo falco e lo fa preparare. A fine pranzo lei gli chiede il falco... e scopre la verità.

Passa il tempo e... lo scoprirai leggendo questa novella, che esalta la Fortuna: Federigo ha avuto la sua occasione, ha agito con generosità d'animo e quindi...

In Firenze fu già un giovane chiamato Federigo di messer Filippo degli Alberighi, in opera d'arme e in cortesia pregiato sopra ogni altro donzel di Toscana. Il quale, di una gentil donna chiamata monna Giovanna s'innamorò, ne' suoi tempi tenuta delle più belle donne che in Firenze fossero; e acciò che egli l'amor di lei acquistar potesse, giostrava, armeggiava, faceva feste e donava, e il suo senza alcun ritegno spendeva; ma ella, non meno onesta che bella, niente di queste cose per lei fatte né di colui si curava che le faceva.

Spendendo adunque Federigo oltre a ogni suo potere molto e niente acquistando, si come adiviene, le ricchezze mancarono e esso rimase povero, senza altra cosa che un suo poderetto piccolo essergli rimasto e oltre a questo un suo falcone de' miglior del mondo. Per che, amando più che mai né parendogli più poter essere cittadino come desiderava, a Campi, dove li suo poderetto era, se ne andò a stare. Quivi, quando poteva uccellando, pazientemente la sua povertà comportava.

Ora avvenne un dì che il marito di monna Giovanna infermò, e veggendosi alla morte venire fece testamento, e essendo ricchissimo, in quello lasciò suo erede un suo figliuolo e appresso questo, avendo molto amata monna Giovanna, lei, se il figliuolo senza erede legittimo morisse, suo erede substituì e morissi.

Rimasta adunque vedova monna Giovanna, come è usanza delle nostre donne, l'anno di state, con questo suo figliuolo se n'andava in contado a una sua possessione assai vicina a quella di Federigo.

Per che avvenne che questo garzoncello s'incominciò a dimesticare con Federigo e [...] avendo veduto molte volte il falcon di Federigo volare e stranamente piacendogli, forte desiderava d'averlo ma pure non si attentava di domandarlo, veggendolo a lui cotanto caro.

E così stando la cosa, avvenne che il garzoncello infermò: di che la madre dolorosa molto spesse volte il domandava se alcuna cosa era la quale egli desiderasse [...] ché per certo procacerebbe come l'avesse.

A Firenze c'era un giovane, Federigo, figlio di Filippo Alberighi, stimato più di ogni giovane nobile toscano per l'abilità nell'uso delle armi e per la cortesia. Egli si innamorò di una nobile donna, madonna 'monna' Giovanna, considerata a quei tempi una delle più belle donne di Firenze; per ottenere il suo amore, partecipava a tornei, dava feste e faceva regali, e spendeva senza limite il suo denaro; ma lei, onesta quanto bella, non si interessava né delle cose fatte per lei né di chi le faceva.

Federigo spendeva oltre le sue possibilità senza guadagnare nulla, quindi la sua ricchezza finì e lui rimase povero, soltanto con un piccolo podere (una area agricola) e un falco, il migliore del mondo. Perciò, più innamorato che mai, e non potendo vivere in città nel modo in cui voleva lui, andò a Campi, dove c'era il suo podere. Qui sopportava con pazienza la povertà, andando a caccia con il falcone quando poteva.

Un giorno, successe che il marito di Giovanna si ammalò e, sentendo vicina la morte ed essendo ricchissimo, nel testamento lasciò erede suo figlio e, nel caso della morte del figlio, lasciando erede la moglie, che amava molto; poi morì.

Rimasta vedova, monna Giovanna, come è abitudine delle nostre donne, ogni anno d'estate, se ne andava con il figlio in campagna, in un suo podere vicino a quello di Federigo.

Avvenne così che il ragazzo fece amicizia con Federigo. Aveva visto molte volte il falco volare e gli piaceva moltissimo. Desiderava molto di averlo ma non aveva il coraggio di chiederlo, vedendo quanto il padrone amava quel falco.

Le cose andavano avanti in quel modo, quando il ragazzo si ammalò: la madre molto addolorata spesso gli chiedeva se c'era qualcosa che egli desiderava perché avrebbe cercato di trovarla.

Il giovanetto disse: "Madre mia, se voi fate che io abbia il falcone di Federigo, io mi credo prestamente guarire". La donna, udendo questo, cominciò a pensare a quello che far dovesse. Ella sapeva che Federigo lungamente l'aveva amata, né mai da lei una sola guatatura aveva avuta, per che ella dicea: "Come manderò io o andrò a domandargli questo falcone, che è, per quel che io oda, il migliore che mai volasse e oltre a ciò il mantien nel mondo?" [...] Ultimamente tanto la vinse l'amor del figliuolo, che ella seco dispose, per contentarlo, di non mandare ma di andare ella medesma. La donna, la mattina seguente, presa un'altra donna in compagnia, per modo di diporto se ne andò alla piccola casetta di Federigo e fecelo addimandare [...]: il quale, udendo che monna Giovanna il domandava alla porta, meravigliandosi forte, lieto là corse.

La quale, vedendol venire, con una donnesca piacevolezza, levataglisi incontro [...] disse: "Bene stea, Federigo! Io son venuta a ristorarti dei danni li quali tu hai già avuto per me [...]: e il ristoro è cotale che io intendo con questa mia compagna insieme desinar teco dimesticamente stamane". Alla qual Federigo umilmente rispose: "Madonna, niun danno mi ricorda mai avere ricevuto per voi [...]. E per certo questa vostra liberale venuta m'è troppo più cara che non sarebbe se da capo mi fosse dato da spendere quanto per adietro ho già speso, come che a povero oste siate venuto". [...]

Egli, [...] oltremodo angoscioso, seco stesso maledicendo la sua fortuna, [...] né denari né pegno trovandosi, essendo l'ora tarda e il disidero grande di pure onorar d'alcuna cosa la gentil donna, gli corse agli occhi il suo buon falcone per che, non avendo a che altro ricorrere, presolo e trovatolo grasso, pensò lui esser degna vivanda di cotal donna. E però, senza più pensare, tiratogli il collo, a una sua fanticella il fé prestamente arrostir diligentemente; e messa la tavola con tovaglie bianchissime, con lieto viso ritornò alla donna nel suo giardino e il desinare, che per lui far si potea, disse essere apparecchiato. Laonde la donna con la sua compagna levatasi andarono a tavola e, senza saper che si mangiassero, insieme con Federigo, il quale con somma fede le serviva, mangiarono il buon falcone.

E levate da tavola e alquanto con piacevoli ragionamenti dimorate, la donna cominciò a parlare: "io non dubito punto che tu non ti debbi meravigliare della mia presunzione sentendo quello per che principalmente venuta sono; ma se figliuoli avessi, mi parrebbe esser certa che in parte m'avresti per iscusata. Ma io che n'ho uno mi conviene chiederti un dono il quale io so che sommamente t'è caro e questo dono è il falcon tuo del quale il fanciul mio è sì forte invaghito[...]. E perciò ti prego, non per l'amore che mi porti ma per la tua nobiltà [...] che ti debba piacere di donarlomi, acciò che io per questo dono possa dire d'aver ritenuto in vita il mio figliuolo e per quello averloti sempre obbligato".

Il ragazzo disse: "Madre, se potete farmi avere il falco di Federigo, sento che guarirò".
La donna, sentendo questa richiesta, cominciò a pensare come fare. Lei sapeva che Federigo l'aveva amata lungamente e non aveva ricevuto da lei nemmeno uno sguardo, perciò diceva: "Come posso mandare qualcuno o andare io stessa a chiedere quel falco che, da quello che sento dire, è il migliore del mondo e gli dà da vivere?". Infine, per amore del figlio, decise di andare di persona. Il mattino dopo, accompagnata da un'altra donna, come se stesse facendo una passeggiata, andò alla casetta di Federigo e lo fece chiamare. Lui, sentendo che monna Giovanna chiedeva di lui, con grande meraviglia, felice, andò alla porta.

Lei, nel vederlo venire, con grazia femminile, gli andò incontro e disse: "Che tu stia bene, Federigo! Io sono venuta a ricompensarti dei danni avuti per causa mia: la ricompensa è questa, che io desidero con questa compagna rimanere a pranzo con te". Federigo umilmente rispose: "Madonna, non ricordo di aver mai ricevuto danno da voi... La vostra generosa visita mi è tanto più cara che se potessi ancora spendere come un tempo, poiché siete venuta da un ospite povero".

Mentre, angosciato, malediceva fra sé la sua sfortuna. Non aveva né soldi né cose da portare al banco dei pegni (per avere un prestito), era già tardi, ma lui voleva fortemente onorare la donna, vide il suo buon falco, lo prese, sentì che era grasso, pensò che poteva essere una cena degna di quella donna. Senza incertezza, gli tirò il collo e lo diede a una servetta perché lo arrostisse bene. Preparò la tavola con tovaglie bianchissime, andò in giardino e disse alle donne che il pranzo era pronto. Perciò le due donne andarono a tavola e, senza sapere che cosa stavano mangiando, insieme a Federigo, che le serviva con attenzione, mangiarono il buon falco.

Dopo essersi alzate da tavola e aver conversato piacevolmente, la donna cominciò a parlare: "Federigo, io sono sicura che tu ti meraviglierai della mia presunzione, sentendo il motivo per cui sono venuta; ma se tu avessi dei figli, credo che sicuramente mi potresti scusare. Ma io che ne ho uno devo chiederti un dono, che so che ti è molto caro: e questo dono è il tuo falco, che mio figlio desidera tanto. Perciò ti prego, non per il tuo amore, ma per la tua nobiltà d'animo, di accettare di regalarmelo, in modo che io, grazie a questo, possa dire di aver ridato la vita a mio figlio, che te ne sarà grato per sempre".

Federigo, udendo ciò che la donna adimandava e sentendo che servir non ne la potea per ciò che mangiar glielo aveva dato, cominciò in presenza di lei a piangere anzi che alcuna parola risponder potesse. La donna aspettò dopo il pianto la risposta di Federigo il quale così disse: "Madonna, voi qui alla mia povera casa venuta siete, dove, mentre che ricca fu, venir non degnaste, e da me un picciol dono volete, e la fortuna ha fatto sì che io donar nol vi possa. Come io udi' che voi meco desinar volevate, avendo riguardo alla vostra eccellenza e valore, reputai degna e convenevole cosa, con più cara vivanda vi dovessi onorare, per che, ricordandomi del falcon che mi domandate, questa mattina arrostito l'avete avuto sul tagliere".

[...] La qual cosa la donna udendo. prima il biasimò d'aver per dar mangiare a una femina ucciso un tal falcone, e poi la grandezza dell'animo suo... seco commendò. Poi [...], tutta malinconosa tornossi al figliuolo. Il quale, o per malinconia o per la 'nfermità, non passar molti giorni che egli con grandissimo dolor della madre di questa vita passò. La quale, poi che piena d'amaritudine fu stata alquanto, essendo rimasta ricchissima e ancora giovane, più volte fu da' fratelli costretta a rimaritarsi. La quale, ricordatasi del valore di Federigo e della sua magnificenza ultima... disse ai fratelli: "Io volentieri, quando vi piacesse, mi starei; ma se a voi pur piace che io marito prenda, io non prenderò mai alcun altro, se non Federigo degli Alberighi".

Alla quale i fratelli dissero: "Sciocca, che è ciò che tu di'? come vuoi tu lui che non ha cosa al mondo?". Ai quali ella rispose: "Fratelli miei, io so bene che così è come voi dite, ma io voglio avanti uomo che abbia bisogno di ricchezza che ricchezza che abbia bisogno d'uomo". Li fratelli, conoscendo Federigo da molto, quantunque povero fosse, lei con tutte le sue ricchezze gli donarono. Il quale così fatta donna che cotanto amato avea per moglie vedendosi, e oltre a ciò ricchissimo, in letizia con lei, miglior massaio fatto, terminò gli anni suoi.

Decamerone, Giornata V, novella 9

Federigo, sentendo ciò che la donna chiedeva e capendo che non poteva darle il regalo perché glielo aveva dato da mangiare, cominciò a piangere davanti a lei senza poter rispondere. La donna aspettò che il pianto finisse per sentire la risposta di Federigo, che disse: "Madonna, voi siete venuta alla mia povera casa, dove non vi degnaste di venire quando era ricca e volete un piccolo regalo, ma la fortuna ha fatto in modo che io non possa donarlo. Quando ho sentito che volevate pranzare con me, considerando la vostra nobiltà, ho pensato che fosse giusto farvi onore con il cibo più prezioso. Quindi mi sono ricordato del falco che voi ora mi chiedete e della sua bontà, ho pensato che fosse un cibo degno di voi, e a pranzo l'avete avuto sul piatto".

La donna, a queste parole, prima lo rimproverò per aver ucciso un falco così bello per dar da mangiare ad una donna e poi fra sé e sé lodò la grandezza del suo animo. Poi, molto triste, tornò dal figlio che, per il dolore o per la malattia, dopo pochi giorni morì con grandissimo dolore della madre. Dopo esser stata a lungo piena di dolore, Giovanna, che rimasta ricchissima e ancora giovane, era spinta dai fratelli a risposarsi. Allora, poiché si ricordava della generosità di Federigo, disse ai fratelli: "Io resterei sola volentieri, ma se voi davvero insistete, io mi sposerò solo con Federigo degli Alberighi".

A questa dichiarazione i fratelli dissero: "Sciocca, che cosa dici? come mai vuoi lui, che non ha niente?". Giovanna rispose: "Fratelli miei, io so che dite la verità, ma io preferisco un uomo che abbia bisogno di ricchezza piuttosto che ricchezza che abbia bisogno di un uomo". I fratelli, conoscendo le qualità di Federigo, anche se povero, gli diedero la sorella con tutte le ricchezze. Federigo, avendo in moglie quella donna che aveva tanto amato, e per di più ricchissimo, diventò un buon amministratore, visse felice con lei fino alla fine dei suoi anni.

Riflessione

Nella novella si può cogliere il momento di passaggio da una civiltà "cortese", le corti dove i trovatori duecenteschi esaltavano l'amore a prima vista tra un giovane cavaliere e la moglie del Signore, ad una civiltà borghese, mercantile, dove conta la ricchezza ben amministrata.
In altre parole, qualcosa di simile a quello che è successo passando dall'amore romantico a quello borghese, nell'Ottocento. Nella letteratura del tuo Paese, c'è qualche scrittore che descrive momenti storici come questo?

Arte e musica nel Trecento

Sebbene l'Italia del Trecento sia un mosaico di Comuni, Città e Signorie indipendenti, l'arte di questo secolo dà vera unità alla penisola, e presenta aspetti comuni da nord a sud:

a. l'arte non ritrae più solo soggetti religiosi, come in precedenza;

b. gli artisti cercano di essere originali, di non continuare a ripetere i modelli della tradizione;

c. nasce il concetto di artista come professionista, che vuole vivere della sua arte;

Giotto, *Campanile* di *Santa Maria del Fiore*, Firenze

d. si incominciano a creare delle *botteghe*, cioè dei laboratori di pittura o scultura che sono delle vere e proprie accademie d'arte in cui i giovani entrano come apprendisti e, se hanno qualità, diventano i continuatori dei maggiori artisti del periodo.

Giotto e Lorenzetti

Il maggior pittore del secolo è senza dubbio **Giotto**, i cui capolavori sono la Cappella degli Scrovegni a Padova, dipinta nei primi vent'anni del secolo, e la basilica francescana di Assisi. Per la prima volta i personaggi hanno un carattere, una personalità, e Giotto ne mette in risalto le emozioni.

Giotto è anche architetto e progetta il campanile della cattedrale di Firenze completato nel 1359.

L'altro grande pittore del secolo è **Ambrogio Lorenzetti**, autore dell'affresco "Del Buon Governo" (intorno al 1340) a Siena, uno dei primi esempi di arte politica e non religiosa, che segna l'uscita dal Medioevo, periodo in cui un soggetto simile non sarebbe stato accettato.

Ambrogio Lorenzetti, *Del Buon Governo*, Siena

EDILINGUA

La scultura

Mentre la pittura va verso l'Umanesimo, che mette l'uomo al centro del mondo, la scultura è ancora legata al mondo religioso, e anche nella forma rimane vicina allo stile più antico, come in questa testa di Cristo a Verona.

Gran parte delle sculture, infatti, sono fatte per le cattedrali gotiche, che avevano molte figure nel portale, sulle guglie del tetto (quelle torrette che vedi sul Duomo di Milano) e anche all'interno.

Palazzo Ducale, Venezia

L'architettura

Il Trecento è il grande secolo dell'architettura gotica in Italia, dove questo stile ha caratteristiche un po' diverse dal gotico europeo; soprattutto, mancano le grandi finestre del nord, dove c'è poca luce e bisogna lasciarla entrare, e spesso le strutture sono più massicce, forse per resistere meglio ai terremoti.

In molte città nascono imponenti cattedrali, come il Duomo di Milano (che verrà modificato molto nel corso dei secoli), Santa Maria Novella e Santa Croce a Firenze.

Ma il gotico entra anche nell'architettura civile, nelle sedi del potere: il caso più importante è il Palazzo Ducale a Venezia.

Guglie, Duomo di Milano

La musica

Nella prima parte del secolo continua la tradizione medievale che abbiamo visto nel Duecento, cioè quella del canto gregoriano, con voci maschili che cantano all'*unisono*, cioè facendo tutti la stessa nota, come un'unica voce, un unico suono (da cui *unisono*).

Dalla metà del Trecento incomincia invece a imporsi quella che diventerà la musica dei secoli successivi, cioè la *polifonia*, in cui ci sono più (*poli*) voci (*fonia*) che fanno contemporaneamente note diverse.

Il Codice Rossi, compilato intorno al 1360, è la prima raccolta sistematica di musiche profane, non religiose: madrigali, canti di caccia e canzoni per le feste.

Il Codice Rossi

35

L'economia che sosteneva la letteratura nel Due-Trecento

L'arte richiede tempo per sviluppare la competenza tecnica di base e per studiare. In altre parole, richiede di investire tempo nella formazione e tempo libero per dedicarsi alla creazione. Nel mondo antico, quando il letterato non era un professionista che viveva con i diritti d'autore, solo chi aveva qualcuno che gli garantiva una casa, vestiti e cibo poteva dedicarsi all'arte.

Pittori, scultori, architetti, orefici producevano cose concrete, che un principe, un vescovo o un ricco borghese potevano acquistare: questi artigiani e artisti erano pagati per le cose che producevano. Ma i letterati e i musicisti producevano cose immateriali, bellezza pura, riflessioni filosofiche, senza altra utilità che il piacere del lettore o, nel caso della poesia e della musica religiose, la gloria di Dio. Se non si era ricchi, non si imparava a leggere e scrivere in latino e volgare; se non si era ricchi non c'era il tempo libero necessario per studiare e scrivere.

Molti letterati erano nobili, quindi avevano terre dove i contadini producevano, o erano borghesi, cioè mercanti, banchieri, costruttori, che rischiavano il proprio capitale per produrre nuova ricchezza.

Alcuni letterati erano di famiglie meno ricche, e quindi lavoravano come funzionari del Comune, come giudici, notai; i più fortunati, quelli diventati famosi come Dante o Petrarca, erano ospitati nelle corti italiane ed europee.

Chi produceva la ricchezza che manteneva questi letterati, che finanziava le cattedrali, gli affreschi, le sculture, l'oreficeria per le chiese?

La produzione principale, da sempre, era quella agricola. I nobili possedevano grandi quantità di terra, e i contadini la lavoravano, dando al padrone e alla chiesa una parte dei prodotti; pochi contadini erano padroni della propria terra. Questa povera gente portava ogni giorno ai mercati delle città ortaggi, farina, galline, formaggi, e così via.

Duomo di Cremona, bassorilievo

Anche i monasteri erano grandi centri di produzione, ma i monaci (che ricevevano il 10% della produzione dei campi intorno a loro) avevano tempo, e quindi producevano creme, profumi, marmellate, e così guadagnavano di più.

In molte cattedrali europee e italiane ci sono dei bassorilievi, delle sculture su una lastra di pietra, che raffigurano il "ciclo dei mesi", cioè i lavori che i contadini facevano ogni mese. Nelle foto a destra abbiamo due particolari del ciclo nel duomo di Cremona: due contadini che vendemmiano, cioè raccolgono l'uva, uno che semina, uno che squarta un maiale e un altro con l'arco in mano che caccia.

Poi c'erano gli artigiani, che producevano carri, mobili, armi, tessuti, gioielli, e li vendevano guadagnando qualcosa, su cui pagavano spesso tasse molto alte al Comune o al Signore.

Alcuni artigiani diventavano ricchi e quindi potevano prestare denaro, diventando banchieri, o potevano finanziare chi andava in giro per l'Italia, l'Europa, il Mediterraneo e perfino la Cina: i mercanti.

Questa grande borghesia non si limitava a consumare ricchezza, come i nobili e i soldati, ma produceva ricchezza in grande quantità: e se voleva arricchire l'animo e non solo il tesoro ospitava poeti, filosofi, studiosi del mondo antico, trovatori, musicisti. Finanziava la letteratura.

EDILINGUA

San Giorgio Maggiore, Andrea Palladio, Venezia

Quattrocento e Cinquecento

Per definire quest'epoca si parla in generale di *Umanesimo* e *Rinascimento*, il primo nel '400 e il secondo nella prima metà del '500, mentre nella seconda metà siamo nel *tardo Rinascimento*. I due momenti sono presentati insieme perché hanno una continuità di atteggiamenti e di obiettivi.

Se l'Umanesimo è soprattutto l'età della ricerca e dello studio dei classici latini e greci, è però anche l'età di una nuova filosofia, di una nuova concezione della vita fondata sulla centralità dell'uomo e anche per questo più libera e più curiosa. E il Rinascimento porta quest'idea alla piena fioritura.

Gli umanisti del '400 scrivevano ancora prevalentemente in latino. Lentamente, verso il 1480, con autori come **Poliziano**, **Boiardo**, **Sannazaro**, **Lorenzo il Magnifico**, il volgare acquista spazi sempre più ampi come lingua scritta.

L'intellettuale come 'professionista'

Nel Medioevo chi esercitava la professione di letterato era in genere un giudice, un notaio, un mercante, che si dedicava alla letteratura nel tempo libero.

Con Petrarca abbiamo un primo esempio di letterato a tempo pieno; dal Quattrocento, il letterato umanista è un professionista che lavora per la corte o per la Chiesa. Il *cortigiano* è direttamente coinvolto nella vita di corte. Questo comporta dei privilegi, ma anche dei limiti, perché talvolta costringe lo scrittore a seguire nelle sue opere gli interessi del Signore e della corte.

La trattatistica

Il genere letterario che domina in questo periodo è la trattatistica, che oggi chiameremmo *saggistica*. Il trattato è un testo in prosa che tratta temi filosofici, dalla definizione della dignità dell'uomo all'influenza della fortuna sulle azioni umane, dalle discussioni linguistiche e morali alle riflessioni sulla natura dell'amore e così via. Seguendo i modelli classici di Platone, Aristotele, Cicerone, spesso i trattati sono scritti in forma dialogica, la più adatta per esprimere opinioni contrapposte e per dimostrare una tesi e respingerne un'altra.

Il poema cavalleresco

Si scrivono anche molte opere narrative, quasi sempre con la forma della *novella*, ma il grande genere

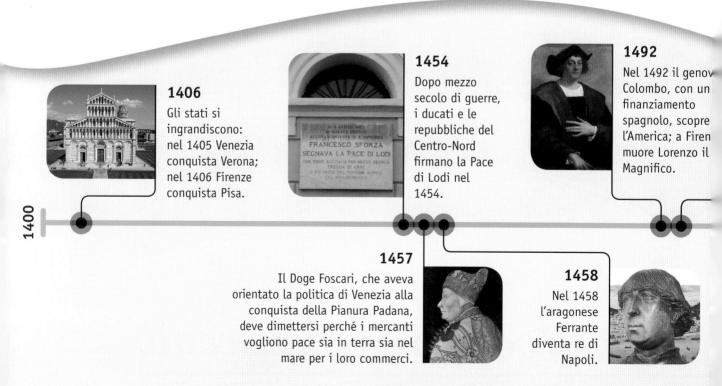

1406
Gli stati si ingrandiscono: nel 1405 Venezia conquista Verona; nel 1406 Firenze conquista Pisa.

1454
Dopo mezzo secolo di guerre, i ducati e le repubbliche del Centro-Nord firmano la Pace di Lodi nel 1454.

1492
Nel 1492 il genov[ese] Colombo, con un finanziamento spagnolo, scopre l'America; a Firen[ze] muore Lorenzo il Magnifico.

1457
Il Doge Foscari, che aveva orientato la politica di Venezia alla conquista della Pianura Padana, deve dimettersi perché i mercanti vogliono pace sia in terra sia nel mare per i loro commerci.

1458
Nel 1458 l'aragonese Ferrante diventa re di Napoli.

1400

EDILINGUA

narrativo di questi secoli è il poema cavalleresco. L'origine è nella tradizione dei *cantari*, testi in rima, che i giullari (attori che giravano di città in città) narravano nelle piazze, spesso accompagnati dalla musica. Il tema era le avventure e gli amori dei Cavalieri di Re Artù o dei Paladini di Carlo Magno. Nelle corti, i cantari orali si trasformano lentamente in poemi scritti.

Il poema è un racconto in versi, generalmente in ottave (strofe di otto endecasillabi con schema metrico ABABABCC). A differenza dei cantari, gli autori dei poemi sono colti e spesso vivono a corte; i testi sono pensati per essere pubblicati anziché raccontati e sono destinati ad un pubblico colto, nobile o borghese.

La lirica

Il *Canzoniere* di Petrarca è il modello obbligato per **Pietro Bembo**, **Matteo Maria Boiardo**, **Angelo Poliziano**, **Lorenzo de' Medici**, **Jacopo Sannazaro**, **Michelangelo Buonarroti**, **Giovanni Della Casa**; quest'ultimo è forse il 'lirico' (cioè il poeta) più originale del periodo. I due maggiori poeti del Quattrocento sono Angelo Poliziano e Lorenzo de' Medici (pag. 41).

Nasce in quest'epoca anche la lirica femminile. Una delle poetesse più note è **Gaspara Stampa** (pag. 52), che muore purtroppo giovanissima.

C'è anche una produzione lirica giocosa e di matrice antipetrarchesca, in cui prevalgono il gioco e la ricerca linguistica. Il principale rappresentante è **Francesco Berni**, che parla della vita quotidiana e della realtà più umile, e prende in giro i modelli petrarcheschi, come ad esempio la donna ideale.

Le novelle e le 'facezie'

Il modello principale sia nei temi sia nella lingua è il *Decamerone* di Boccaccio. Gli autori di novelle del Cinquecento sono numerosissimi e tra questi il maggiore è **Matteo Bandello**, le cui *Novelle* hanno un grande successo in Europa (anche Shakespeare si ispira a Bandello in alcuni casi).

Una forma particolare di narrativa in questo periodo è la facezia, un racconto brevissimo, quasi una battuta di spirito, spesso basato su un personaggio o un fatto reale. A volte il divertimento nasce da un gioco di parole, altre volte dall'episodio raccontato.

1495

Nel 1495 i francesi conquistano Napoli, cinque anni dopo occupano Milano e Genova, nel 1500 si accordano con gli spagnoli per dividersi l'Italia.

1550

Tra il 1545 e il 1563, con il Concilio di Trento i Cattolici rispondono alla riforma Protestante.

1600

1527

Nel 1527 Roma viene saccheggiata dai soldati dell'Imperatore Carlo V.

1571

La flotta cristiana sconfigge i turchi a Lepanto nel 1571.

La Firenze dei Medici

Firenze è il cuore dell'Italia del Quattrocento, sia dal punto di vista economico (Cosimo de' Medici, 1389-1464, era considerato l'uomo più ricco d'Europa, escludendo i re), sia da quello politico, soprattutto con il nipote di Cosimo, Lorenzo de' Medici (1449-1492), detto 'il Magnifico' per la ricchezza della sua corte e la sua generosità, soprattutto verso artisti e intellettuali.

La cartina in basso, che rappresenta la situazione dell'Italia nel 1454, alla Pace di Lodi, che per la prima volta vede insieme tutti i principali stati della penisola, è il risultato dell'equilibrio cercato da Firenze. Fino alla morte di Lorenzo, nello stesso anno della scoperta dell'America, sono i Medici a garantire l'equilibrio tra i vari regni e i ducati italiani.

Luigi Fiammingo, *Ritratto di Lorenzo de' Medici*, 1550 circa

La corte di Lorenzo

Lorenzo governa per un quarto di secolo e alla sua corte raccoglie intellettuali e artisti, offrendo loro sia un ambiente libero, aperto alla discussione, sia l'ospitalità o, comunque, un finanziamento per la vita quotidiana.

Ci sono filosofi, guidati da **Marsilio Ficino**, che propongono una rilettura di Platone in sintonia con il cristianesimo. Tra questi, un genio matematico e filosofo come **Pico della Mirandola** e due studiosi di scienze politiche: **Niccolò Machiavelli** e **Francesco Guicciardini**.

Ci sono artisti, a cominciare dai giovanissimi **Leonardo** e **Michelangelo** che crescono a fianco di Lorenzo.

Ci sono poi i letterati, da un eretico come **Luigi Pulci** a un raffinato umanista come **Angelo Poliziano**, il maestro di Lorenzo. Anche **Lorenzo de' Medici** scrive opere molto diverse tra loro: poemetti burleschi (il più famoso dei quali è *La Nencia da Barberino*), testi religiosi e un gran numero di *Rime*. Una delle sue composizioni più note è il *Trionfo di Bacco e Arianna* che trovi nella pagina a fronte. In questa ballata troviamo le speranze e le paure dell'epoca: l'insistente invito a godere delle gioie del presente è infatti accompagnato dalla malinconica constatazione dell'irrimediabile scorrere del tempo.

L'Italia delle Signorie

Nel Quattrocento l'Italia è divisa in molti piccoli stati. La maggior parte di questi sono *Signorie*, in cui il potere è in mano a un unico signore. La Signoria più nota è quella di Firenze, ma quella più ricca e potente è la Repubblica di Venezia, detta anche "Serenissima". A Venezia il potere non è in mano a un unico signore, ma a un gruppo di famiglie nobili e a un doge, che è una specie di principe eletto.

Il 1492 è l'anno più importante del secolo: Cristoforo Colombo scopre l'America, Lorenzo il Magnifico muore e inizia la decadenza della Signoria di Firenze.

Una delle invenzioni più importanti del Quattrocento è quella della stampa, che permette di produrre più facilmente copie di libri. I maggiori centri editoriali sono italiani: Venezia soprattutto, ma anche Roma e Firenze.

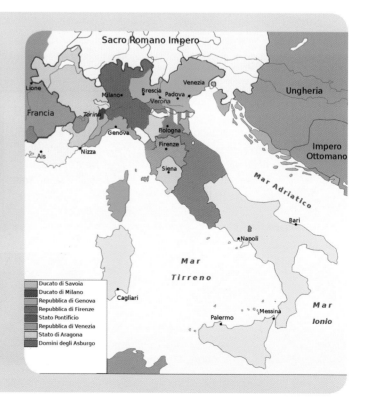

EDILINGUA

17 Lorenzo de' Medici, *Il trionfo di Bacco e di Arianna*

Guida alla lettura

Il 'trionfo' era una sfilata all'interno di una festa-teatro-danza, che oggi definiremmo un evento mondano, frequentato dalla gioventù ricca e brillante. In questo trionfo entrano Bacco, il dio del vino e dell'allegria, e Arianna, una figura tragica che sa che la vita è breve e che tutto passa. Bacco, dio dell'allegria, offre la soluzione: "chi vuol esser lieto, sia!".

Un po' in tutta la poesia, ma soprattutto nelle ultime strofe, è molto usata una particolare forma verbale: il congiuntivo esortativo, che si usa per incoraggiare a fare qualcosa, un imperativo gentile.

Quant'è bella giovinezza,
che si fugge tuttavia!
Chi vuol esser lieto, sia:
di doman non c'è certezza.

Quest'è Bacco e Arianna[1],
belli, e l'un dell'altro ardenti:
perché 'l tempo fugge e inganna,
sempre insieme stan contenti.
Queste ninfe[2] ed altre genti
sono allegre tuttavia.
Chi vuol esser lieto, sia:
di doman non c'e certezza.

Questi lieti satiretti[3],
delle ninfe innamorati,
per caverne e per boschetti
han lor posto cento agguati[4];
or da Bacco riscaldati[5],
ballon, salton tuttavia.
Chi vuol esser lieto, sia:
di doman non c'è certezza.

Queste ninfe anche han caro
da lor essere ingannate[6]:

non puon fare a Amor riparo,
se non genti rozze e ingrate[7]:
ora insieme mescolate
suonon, canton tuttavia.
Chi vuol esser lieto, sia:
di doman non c'è certezza.

Questa soma, che vien drieto
sopra l'asino, è Sileno[8]:
così vecchio è ebbro[9] e lieto,
già di carne e d'anni pieno;
se non può star ritto[10], almeno
ride e gode tuttavia.
Chi vuol esser lieto, sia:
di doman non c'è certezza.

Mida vien drieto a costoro[11]:
ciò che tocca, oro diventa.
E che giova aver tesoro,
s'altri poi non si contenta?
Che dolcezza vuoi che senta
chi ha sete tuttavia[12]?
Chi vuol esser lieto, sia:
di doman non c'è certezza.

Ciascun apra ben gli orecchi,
di doman nessun si paschi[13];
oggi siam, giovani e vecchi,
lieti ognun, femmine e maschi;
ogni tristo pensier caschi[14]:
facciam festa tuttavia.
Chi vuol esser lieto, sia:
di doman non c'è certezza.

Donne e giovinetti amanti,
viva Bacco e viva Amore!
Ciascun suoni, balli e canti!
Arda di dolcezza il core!
Non fatica, non dolore!
Ciò c'ha a esser, convien sia[15].
Chi vuol esser lieto, sia:
di doman non c'è certezza

1. Questi sono Bacco e Arianna, il dio del vino, dell'allegria e la sua amante. - 2. Divinità dei boschi. - 3. Piccoli satiri, divinità dei campi che accompagnavano Bacco ed erano molto attivi sessualmente. - 4. Hanno tentato in cento modi di prenderle di sorpresa. - 5. Eccitati dal vino, di cui Bacco è il dio. - 6. Alle ninfe fa piacere essere inseguite dai satiri. - 7. Possono fare resistenza all'Amore solo persone senza gentilezza e grazia. - 8. L'uomo caricato sopra un asino che segue il corteo è Sileno, il dio degli alberi. - 9. Ubriaco. - 10. Stare dritto sui piedi, perché è vecchio, grasso e ubriaco. - 11. Dietro a loro viene Mida, il mitico re della Frigia, che trasformava in oro tutto quello che toccava. - 12. Quale piacere potrà mai sentire chi continua ad avere sete, cioè desiderio di avere ancora di più. - 13. Nessuno metta le proprie speranze nel futuro, nessuno si faccia illusioni sul futuro. - 14. Si allontani ogni pensiero infelice. - 15. Quello che deve succedere, succeda pure!

Riflessione: personaggi mitici o moderni?

Portando all'estremo il discorso su questo gruppo di giovani allegri e forse ubriachi, non si può pensare che siano una versione mitica del modo di vivere "sesso, droga e rock 'n'roll"?
Tu, nel Ventunesimo secolo, ti ritrovi in questa poesia di Lorenzo il Magnifico?

Il pensiero politico: Machiavelli, Guicciardini

Dante aveva scritto un trattato politico, *De Monarchia*, e tutto il Quattrocento era stato ricco di trattati in latino d'argomento politico, in cui si discuteva la situazione politica reale o ragionavano su una società ideale. I modelli erano gli storici greci e romani.

Il realismo politico di Niccolò Machiavelli

Machiavelli (1469-1527), cresce alla corte di Lorenzo e dal 1498 al 1512 è segretario della Repubblica fiorentina, lavorando come diplomatico; nel 1512 viene però esiliato, allontanato e perde ogni incarico. Le sue opere storico-politiche più importanti sono *Il Principe* (una teoria in cui tutto è subordinato all'utilità dello Stato) e i *Discorsi sopra la prima deca di Tito Livio* (in cui studia i problemi dello Stato: politica interna, politica estera, azioni degli uomini che hanno fatto grande Roma). In questi testi Machiavelli elabora una vera e propria scienza politica partendo da questi principi:
- l'uomo è cattivo in sé, non fa "mai nulla bene se non per necessità";
- la storia è dominata dal caso, e quindi l'uomo deve sfruttare la virtù (forza, coraggio) e la fortuna, agire nel modo giusto nel momento giusto;
- la storia è regolata da leggi immutabili, è maestra di vita: studiando le opere storiche degli antichi, è possibile ricavare insegnamenti per il presente.

Politica, storia e morale: Francesco Guicciardini

Francesco Guicciardini vive nella stessa città e negli stessi anni dell'amico Machiavelli. Tuttavia la sua carriera politica, per quanto difficile in certi periodi, non conosce la sconfitta che invece tocca a Machiavelli. Guicciardini incarna la classica figura dell'intellettuale funzionario e il suo interesse principale è rivolto alla forma e alla struttura dello Stato. Le sue opere politiche più importanti sono *Il discorso di Logrogno*, in cui prende in esame i problemi costituzionali della Repubblica fiorentina, e il *Dialogo del reggimento di Firenze*, scritto in forma dialogica, con riflessioni sullo Stato e sulla natura dell'uomo. Guicciardini cerca soprattutto di progettare un buon governo dello Stato e, per questo motivo, definisce con grande precisione i compiti delle diverse istituzioni. Guicciardini è anche autore dei *Ricordi* e soprattutto di *La storia d'Italia* dal 1494 al 1534, in venti libri.

Guida alla lettura del Testo 18

Queste righe sono responsabili di aver fatto di Machiavelli un 'mostro' per secoli, ma anche un modello da seguire per chi ha un ruolo di potere. Il *principe*, il capo, colui che governa. Machiavelli si chiede se il principe debba seguire la morale di tutti, e rispondere al giudizio morale di tutti, oppure la morale che porta più vantaggi. Se vuole conquistare o conservare il potere, risponde Machiavelli, il principe non deve fare attenzione al giudizio che danno di lui.

Storia del XVI secolo

Nel Cinquecento l'Italia continua a essere divisa in numerosi piccoli stati, spesso in lotta fra loro. Gli altri stati europei che hanno già raggiunto un'unità politica sfruttano la debolezza italiana. Nel Cinquecento sono, infatti, numerose le guerre che si combattono proprio sul suolo italiano.

In particolare ricordiamo la rivalità tra Francesco I, re di Francia, e Carlo V, re di Spagna e imperatore del Sacro Romano Impero. Il 1527 è uno degli anni più difficili: Roma viene distrutta dalle truppe francesi e spagnole. Molti abitanti sono costretti a lasciare la città. Quest'episodio è noto come "il sacco di Roma" (*sacco* è un'abbreviazione di 'saccheggio').

Un'altra data importante del secolo è il 1559, l'anno del trattato di pace di Cateau-Cambrésis. Con questo trattato una gran parte dell'Italia passa sotto il dominio della Spagna.

Il Cinquecento è anche il secolo della riforma protestante di Martin Lutero (e poi di altri come Calvino e Zwingli) e del Concilio di Trento (1545-1563) voluto dalla Chiesa di Roma.

EDILINGUA

18 Niccolò Machiavelli, *Modi e governi di uno principe*

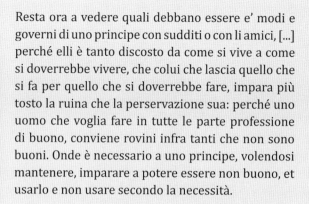

Resta ora a vedere quali debbano essere e' modi e governi di uno principe con sudditi o con li amici, [...] perché elli è tanto discosto da come si vive a come si doverrebbe vivere, che colui che lascia quello che si fa per quello che si doverrebbe fare, impara più tosto la ruina che la perservazione sua: perché uno uomo che voglia fare in tutte le parte professione di buono, conviene rovini infra tanti che non sono buoni. Onde è necessario a uno principe, volendosi mantenere, imparare a potere essere non buono, et usarlo e non usare secondo la necessità.

Lasciando adunque indrieto le cose circa uno principe immaginate, e discorrendo quelle che sono vere, dico che tutti li uomini, quando se ne parla, e massime e' principi, per essere posti più alti, sono notati di alcune di queste qualità che arrecano loro o biasimo o laude. [...] Et io so che ciascuno confesserà che sarebbe laudabilissima cosa uno principe trovarsi di tutte le soprascritte qualità, quelle che sono tenute buone: ma, perché non si possono avere né interamente osservare, per le condizioni umane che non lo consentono, li è necessario essere tanto prudente che sappia fuggire l'infamia di quelle che li torrebbano lo stato, e da quelle che non gnene tolgano guardarsi, se elli è possibile; ma, non possendo, vi si può con meno respetto lasciare andare. Et etiam non si curi di incorrere nella infamia di quelli vizii sanza quali possa difficilmente salvare lo stato; perché, se si considerrà bene tutto, si troverrà qualche cosa che parrà virtù, e seguendola sarebbe la ruina sua; e qualcuna altra che parrà vizio, e seguendola ne riesce la securtà et il bene essere suo.

Il Principe, cap. XV

Ci resta ora da analizzare quali debbano essere i modi di comportarsi e i governi di un principe con i sudditi o con gli alleati, [...] dal momento che c'è molta differenza tra come si vive realmente e come si dovrebbe vivere, che la persona smette di pensare a quello che si fa per pensare a quello che si dovrebbe fare e impara presto che così ci si distrugge più che salvarsi; dal momento che un uomo che vuole sempre essere buono, inevitabilmente andrà in rovina fra tanti che non sono buoni. Quindi un principe che vuole mantenere il potere deve imparare a non essere buono e a esserlo o non esserlo a seconda di quello che gli conviene.

Lasciando quindi perdere le idee non realistiche sul principe e discutendo di cose reali, dico che quando si parla degli uomini e, soprattutto, dei principi, che sono in una posizione più alta, sono giudicati per alcune di queste caratteristiche che li fanno o criticare o apprezzare. [...] So che ognuno pensa che sarebbe bellissimo trovare un principe che, tra tutte le caratteristiche elencate sopra, abbia quelle considerate buone: ma, dal momento che non si possono possedere né osservare [in una persona] tutte queste qualità insieme, perché è la natura degli uomini che non lo permette, è necessario che il principe sia tanto prudente da evitare l'accusa di avere le qualità che potrebbero togliergli il potere e stare attento, se possibile, anche a quelle che non glielo toglierebbero; ma, se non è possibile, può abbandonare quelle qualità senza troppe preoccupazioni. Inoltre, non abbia paura di essere accusato delle azioni senza le quali difficilmente si conserva il potere; perché, se si prova, si trova alla fine qualcosa che sembra una virtù ma che, seguendola, porta alla rovina, e invece si trova un'altra caratteristica che sembra un vizio, un errore, ma che, se lo si segue, dà sicurezza e fa gli interessi del principe.

Analisi

Questo testo di Machiavelli ha una struttura molto rigida. Rileggilo con cura e dividilo in sezioni. Poi dai ad ogni sezione il titolo che ti sembra più adatto.

Riflessione

Quale tra queste frasi descrive meglio il pensiero di Machiavelli?

a. Anche se il mondo non è virtuoso, il principe deve comunque agire in modo da non compiere mai azioni contro la morale.

b. È inutile ragionare di politica pensando che gli uomini siano tutti buoni: bisogna elaborare teorie che tengano conto dei limiti della natura umana.

c. Lo scopo di chi esercita il potere è quello di comportarsi male, senza che nessuno possa impedirglielo.

Discuti la tua scelta con la classe.

Arte e musica nel Quattrocento

Architettura

Santa Maria del Fiore, Firenze

Agli inizi del Quattrocento si sviluppa, prima a Firenze e poi in tutta Italia, una reazione all'arte gotica. I modelli da imitare sono gli edifici dell'antichità classica con spazi chiaramente misurabili e in cui i pilastri, le colonne e gli altri elementi architettonici sono armoniosamente equilibrati tra di loro. Uno degli architetti più grandi del secolo è senza dubbio **Filippo Brunelleschi** (1377-1446).

Sandro Botticelli, *Primavera*, Firenze

EDILINGUA

La prima realizzazione delle nuove teorie sulla proporzione si può riconoscere nella *Cappella de' Pazzi*, presso Santa Croce a Firenze. Tra le altre opere più note di Brunelleschi va ricordata la cupola di Santa Maria del Fiore a Firenze, che fu quasi interamente finanziata da Cosimo de' Medici. Spesso, per i signori della città, finanziare opere pubbliche era un modo per mostrare il proprio potere politico, non solo economico. Un altro grande architetto è **Leon Battista Alberti** (1404-1472), che realizza la *Chiesa di Sant'Andrea* a Mantova abbandonando il modello degli edifici sacri tradizionali e scrive un testo famoso sulle arti figurative, il *De re edificatoria*. Tra le altre opere della nuova architettura ricordiamo *Santa Maria dei Miracoli*, a Venezia, in cui **Pietro Lombardo** (1435-1515) fa un mirabile uso di marmi di diversi colori, e la *Chiesa di San Zaccaria* (sempre a Venezia) di **Mauro Codussi** (1440-1504).

Pittura

Sandro Botticelli (1445-1510), il pittore della *Primavera* e della *Nascita di Venere*, è forse il più famoso dei pittori quattrocenteschi. Fare un elenco di questi artisti è impossibile, perché si tratta di una generazione che – sostenuta dai ricchi signori di Firenze, Mantova, Ferrara, Milano, Venezia, Roma – non ha uguali nella storia, e in cui crescono i più grandi artisti del Cinquecento (e dell'umanità), come Michelangelo e Leonardo.

Scultura

Lo scultore più noto del Quattrocento è sicuramente **Donatello** (1386-1466). Di origine classica è la scelta del nudo per il *David*, in cui la nudità non è più il simbolo del peccato (come accadeva nel Medioevo), ma indica la superiorità morale del soggetto, che non ha bisogno di mostrarla attraverso l'abito.
In tutti questi scultori, come nei pittori, l'uomo è al centro, con i suoi muscoli, il suo corpo, la sua bellezza fisica. La nudità di Venere o delle Grazie di Botticelli, come quella del *David* di Donatello, sono una nuova forma di lode a Dio, ringraziato per la perfezione dei corpi che ha creato.

Musica

Fino alla metà del Quattrocento prosegue la tradizione musicale medievale. Poi arriva la nuova musica fiamminga, che innova completamente l'armonia musicale e punta molto sulla polifonia (molte voci insieme) nella musica sacra. In Italia, quindi, si esegue musica straniera, mentre i musicisti italiani studiano i cambiamenti che vengono da nord e che fioriranno nel Cinquecento.

Donatello, *David*, Firenze

Boiardo e la nascita del poema cavalleresco

L'eredità del mondo greco e di quello nordico

In tutt'Europa il modello narrativo di Omero e di Virgilio, cioè la lunga narrazione in versi, divisa in canti, come nell'*Iliade*, nell'*Odissea* e nell'*Eneide* si era affermata fin dal tardo Medioevo, con la saga dei Nibelunghi in Germania, le storie dei cavalieri di Re Artù (il 'ciclo bretone') e dei paladini di Carlo Magno (il 'ciclo carolingio'). La letteratura cavalleresca arriva quindi dal nord Europa e viene ripresa in Italia nei *cantari*, racconti orali popolari (vedi pag. 39).

Castello Estense, Ferrara

Dai 'cantari' ai poemi cavallereschi

Nel Cinquecento una versione colta e scritta del 'cantare' nasce a Firenze, con *Il Morgante* di **Luigi Pulci**, una specie di romanzo a puntate che si arricchisce di nuovi canti dal 1461 al 1483; tra il 1476 e il 1491, alla corte degli Estensi a Ferrara, **Matteo Maria Boiardo** riprende il personaggio di Pulci (Morgante è il nome di battaglia di Orlando) e ci mostra il paladino di Carlo Magno come eroe di un mondo cavalleresco che ormai non esiste più, fatto di tornei e amori impossibili. Sempre a Ferrara tra il 1503 e il 1532 **Ludovico Ariosto** pubblica *Orlando furioso*, mentre **Torquato Tasso**, tra il 1560 e il 1575, sposta l'azione dall'Europa al Medio Oriente, durante la prima crociata. Nel Cinquecento il poema cavalleresco arriva anche in Inghilterra, con *The Fairie Queene* di Spenser, e nel Seicento lo troviamo in Spagna con l'epopea del Cid.

La lirica

La lirica tradizionale, fatta di brevi componimenti che quasi sempre riguardano lo stato d'animo del poeta, interessa meno alle grandi corti italiane, che invece vogliono una storia con molte avventure, guerre, amori e personaggi eroici, spesso esagerati nelle loro azioni. La principale corte in questa operazione è quella degli Estensi a Ferrara, ma i poemi cavallereschi vengono letti in tutte le corti.

Matteo Maria Boiardo, nato a Scandiano, vicino a Ferrara, attorno al 1441, appartiene a una famiglia nobile e riceve un'educazione umanistica presso la corte degli Estensi. Per tutta la vita resterà legato all'ambiente di corte, sia a Ferrara che nella vicina Reggio Emilia. Tra le sue opere più note si ricordano oltre al poema *Orlando innamorato*, anche *Amorum libri*, raccolta di rime (sonetti, canzoni, ballate, madrigali) in volgare.

Boiardo inizia a scrivere l'*Orlando innamorato* attorno al 1476, e lo pubblica in forma incompleta nel 1483; riprende poi in mano l'opera, ma non la conclude mai. Il poema sarà pubblicato integralmente solo dopo la morte dell'autore nel 1506. L'*Orlando innamorato* era stato letto ed apprezzato molto nei primi anni del '500, ma fu ben presto dimenticato, soprattutto per questioni di lingua. Infatti Boiardo scriveva in una lingua (il ferrarese 'rivestito' di fiorentino) che non corrispondeva più ai canoni fissati dalla riforma dell'italiano letterario di Pietro Bembo (pag. 50).

Matteo Maria Boiardo, *Orlando innamorato*

Guida alla lettura

Le prime righe offrono una visione perfetta dell'argomento e del pubblico dei poemi cavallereschi. Anche l'inizio del testo 20, che apre il poema di Ariosto *Orlando furioso*, presenta al lettore l'argomento del poema. Tuttavia, come vedremo, c'è una forte differenza tra i due pubblici ai quali si rivolgono i due poeti, anche se siamo sempre a Ferrara e ci sono poco più di vent'anni di differenza.

1

Signori e cavallier che ve adunati
Per odir cose dilettose e nove,
Stati attenti e quïeti, ed ascoltati
La bella istoria che 'l mio canto muove;
E vederete i gesti smisurati,
L'alta fatica e le mirabil prove
Che fece il franco Orlando per amore
Nel tempo del re Carlo imperatore.

2

Non vi par già, signor, meraviglioso
Odir cantar de Orlando inamorato,
Ché qualunche nel mondo è più orgoglioso,
È da Amor vinto, al tutto subiugato;
Né forte braccio, né ardire animoso,
Né scudo o maglia, né brando affilato,
Né altra possanza può mai far diffesa,
Che al fin non sia da Amor battuta e presa.

1

Signori e cavalieri che vi riunite
per ascoltare cose piacevoli e nuove,
state attenti e zitti e ascoltate
la bella storia che ispira il mio canto.
E vedrete le azioni straordinarie,
l'enorme fatica e le azioni ammirevoli
che il francese Orlando fece per amore,
negli anni in cui era imperatore re Carlo.

2

Non vi sembri già, signori, strano
sentir cantare dell'innamoramento di Orlando,
dal momento che anche la persona più orgogliosa al mondo
è vinta da Amore e ne è totalmente sottomessa;
né la forza delle braccia, né un valoroso coraggio,
né lo scudo o l'armatura, né una spada affilata,
né alcun altro potere può difendere una persona,
alla fine sarà colpita e vinta dall'Amore.

Orlando innamorato, Canto I

Analisi

a. Le due strofe sono molto diverse:
   - la strofa .... riprende il tema classico dell'amore che vince tutto e tutti,
   - la strofa .... ci dice chi sono le persone alle quali si raccontano le avventure di Orlando.

b. Boiardo promette riflessione filosofica o divertimento? Rispondi e poi completa questo verso:
   - *Per odir cose* ....

c. Boiardo promette un quadro della vita normale o qualcosa di diverso? Che cosa? Rispondi e poi completa questi versi:
   E vederete i gesti ...., / *L'* .... *fatica e le* .... *prove*

Riflessione

I borghesi di Ferrara, i banchieri, le loro mogli e figlie, vivevano nella comodità e nella ricchezza, ma volevano sentire storie di supereroi, che soffrivano ma alla fine vincevano, capaci di fare cose impossibili.

C'è molta differenza con il mondo d'oggi in cui le serie televisive, i videogiochi, i film ci presentano supereroi con i quali ci identifichiamo, restando seduti davanti al nostro computer o alla TV? Discutine con la classe.

Ludovico Ariosto

L'*Orlando furioso* e l'evoluzione del poema cavalleresco

Il poema cavalleresco più noto, e forse l'opera che più di ogni altra caratterizza il Rinascimento, è senza dubbio l'*Orlando furioso* di Ludovico Ariosto, dedicato a Ippolito d'Este, duca di Ferrara. Questa dedica è importante perché dimostra a tutta l'Italia e all'Europa che la presenza di Ariosto a Ferrara e non a Firenze non è casuale, che ormai la letteratura sta diventando 'italiana', non più solo fiorentina.

Ariosto continua la narrazione dell'*Orlando innamorato*, partendo dal punto esatto in cui il poema di Boiardo si interrompe. Tuttavia, con Ariosto il poema cavalleresco smette di essere una serie di avventure fini a se stesse, diventa un romanzo che ci mostra le passioni, le idee, i desideri, i valori degli uomini del suo tempo – ed in questo è molto moderno.

Ariosto inizia a scrivere l'*Orlando* nei primi anni del 1500, lo pubblica in una prima redazione nel 1516, poi in una seconda edizione nel 1521 e una terza volta nel 1532, cambiando soprattutto la lingua che viene adattata al modello esposto da Bembo nelle *Prose della volgar lingua*. La trama dell'opera di Ariosto è più complessa di quella di Boiardo e riguarda tre storie principali: la guerra tra cristiani e saraceni (cioè gli arabi in Spagna); l'amore di Orlando per Angelica, che conduce il cavaliere alla pazzia; l'amore tra Ruggiero, cavaliere saraceno, e Bradamante, guerriera cristiana, che si sposano e danno origine alla dinastia degli Estensi, signori di Ferrara.

Orlando furioso diviene un vero e proprio bestseller, con molte ristampe nel Cinquecento e nei secoli successivi.

Guida alla lettura del Testo 21

Anche in questo caso, come nel Testo 19, hai i primi versi del poema, in cui è subito chiara la diversità da Boiardo. Mentre il tema centrale del primo poema è l'innamoramento di Orlando e l'amore è considerato una nobile passione, nell'*Orlando furioso* si pone l'accento sulla pazzia. L'amore non è più valore cortese ma causa della follia dell'uomo.

Ludovico Ariosto (1474-1533)
Ludovico Ariosto nasce a Reggio Emilia, tra Modena e Parma, ma fin da giovane è in contatto con l'ambiente di corte a Ferrara, dove il padre lavora come funzionario. Ariosto studia diritto senza una grande passione, ma la sua amicizia con diversi letterati e umanisti della corte ferrarese sviluppa l'amore per la letteratura. Negli anni giovanili scrive soprattutto liriche latine e poche liriche in volgare.
Nel 1500 muore il padre e Ludovico, il maggiore di dieci fratelli e sorelle, deve occuparsi della famiglia. Riceve alcuni incarichi presso la corte di Ferrara ed entra al servizio del cardinale Ippolito d'Este, con il quale resta per quindici anni, in un rapporto insieme conflittuale e umanamente profondo. L'incarico non è pesante, Ariosto può dedicarsi alla sua passione per la letteratura e scrivere *Orlando furioso*. Lasciato l'incarico presso il cardinale, affronta delle difficoltà economiche. Alla fine, gli viene affidata l'organizzazione degli spettacoli teatrali di corte.
Oltre a *Orlando furioso*, Ariosto ha scritto molte commedie e le *Satire* (1517-1525), che riprendono i modelli latini.

Online per te
Online trovi il **Testo 20**, *Ingiustissimo Amor...*, dall'*Orlando furioso* di **L. Ariosto**.

21 *Orlando furioso, Proemio*

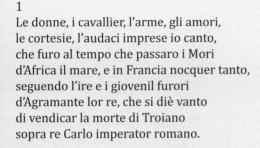

1

Le donne, i cavallier, l'arme, gli amori,
le cortesie, l'audaci imprese io canto,
che furo al tempo che passaro i Mori
d'Africa il mare, e in Francia nocquer tanto,
seguendo l'ire e i giovenil furori
d'Agramante lor re, che si diè vanto
di vendicar la morte di Troiano
sopra re Carlo imperator romano.

2

Dirò d'Orlando in un medesmo tratto
cosa non detta in prosa mai, né in rima:
che per amor venne in furore e matto,
d'uom che sì saggio era stimato prima;
se da colei che tal quasi m'ha fatto,
che 'l poco ingegno ad or ad or mi lima,
me ne sarà però tanto concesso,
che mi basti a finir quanto ho promesso.

3

[Dedica al cardinale Ippolito d'Este,
figlio del duca Ercole I]

4

Voi sentirete fra i più degni eroi,
che nominar con laude m'apparecchio,
ricordar quel Ruggier, che fu di voi
e de' vostri avi illustri il ceppo vecchio.
L'alto valore e' chiari gesti suoi
vi farò udir, se voi mi date orecchio,
e vostri alti pensieri cedino un poco,
sì che tra lor miei versi abbiano loco.

Orlando furioso, Canto I

1

Racconto le donne, i cavalieri, le armi, gli amori, le cortesie, le azioni di quando i saraceni attraversarono lo stretto di Gibilterra e causarono molti danni alla Francia. Essi seguivano la rabbia e il furore giovanile del loro re Agramante, che voleva vendicare la morte di suo padre, Troiano [ucciso da Orlando], combattendo contro Carlo Magno, imperatore romano [e re dei franchi].

2

Racconterò allo stesso tempo una cosa che non è mai stata detta né in prosa né in versi: come Orlando è impazzito per amore, anche se prima era considerato un uomo saggio. [Potrò raccontare questo] se la donna che ha fatto quasi impazzire anche me per amore, e che consuma il mio scarso ingegno, mi lascerà amore sufficiente quanto basti per finire l'opera che ho promesso di scrivere.

4

Fra gli eroi più valorosi che io mi preparo a lodare, voi sentirete ricordare quel famoso Ruggiero, che ha dato origine alla stirpe degli Estensi. Se voi mi darete ascolto, vi farò sentire il suo alto valore e le sue famose gesta; i vostri pensieri importanti si abbassino quindi un po', in modo che tra di loro ci sia posto anche per i miei versi.

Quattrocento e Cinquecento

Analisi

a. A chi si rivolge

- Boiardo nell'apertura del suo poema?

....

- Ariosto nell'apertura del suo poema?

....

Mentre al Nord i *cantari* si trasformano in poemi scritti, al Sud, soprattutto in Sicilia, continuano come teatro popolare, fatto ancora oggi con i *pupi*, cioè burattini di legno mossi con dei fili. Il tema è quello dei Paladini di Carlo Magno.

b. Entrambi i poemi si aprono parlando di "cavalieri", ma è una somiglianza superficiale:

- nel poema di .... i cavalieri sono i destinatari del racconto
- nel poema di .... i cavalieri sono l'oggetto del racconto

c. In entrambi i poemi la strofa 2 parla d'amore, ma

- nel poema di .... è una forza invincibile e distruttiva, come si vede nei versi .... della strofa 2
- nel poema di .... è una forza che vince ma non distrugge, come si vede nei versi .... della strofa 1.

Il problema della lingua: Bembo, Castiglione

La prima metà del Cinquecento è uno dei momenti più significativi per la storia dell'italiano: la 'questione della lingua'.

Abbiamo ricordato all'inizio di questo capitolo che nella prima parte del Quattrocento gli umanisti scrivevano ancora prevalentemente in latino, ma già nel 1441 **Leon Battista Alberti** aveva organizzato un concorso di poesia in volgare, il *Certame Coronario*. Le opere presentate al concorso sono tutte di basso livello e si decide perciò di non assegnare il premio. Tuttavia, l'episodio è significativo perché dimostra la volontà di concedere dignità letteraria anche al volgare.

Abbiamo anche visto come verso la fine del secolo in autori come **Poliziano**, **Boiardo**, **Sannazaro**, **Lorenzo il Magnifico**, il volgare fosse sempre più utilizzato come lingua scritta per la letteratura, cosa che prima era stata fatta da pochissimi – anche se quei pochissimi si chiamavano Dante, Petrarca, Boccaccio.

Tra la fine del Quattrocento e l'inizio del Cinquecento gli intellettuali (filosofi, storici, trattatisti) e i letterati, insomma una piccola minoranza di persone colte, si pongono il problema di fissare una norma scritta per l'italiano. Infatti, ognuno lo scriveva e lo concepiva a seconda della sua zona di provenienza: abbiamo visto come *Orlando Innamorato*, pur ripulito delle parole dialettali, fosse scritto in un italiano ferrarese che non piaceva fuori di quella zona.

È un dibattito lungo e complicato che vede il confronto fra tre teorie contrapposte:

a. un primo gruppo di intellettuali sosteneva che l'italiano scritto dovesse essere la lingua che veniva parlata nelle corti di tutta la penisola, una lingua che aveva ormai perso molte caratteristiche regionali e locali e aveva trovato una certa omogeneità;

b. il secondo gruppo di teorici, fra cui spicca la figura di Niccolò Machiavelli, sosteneva che si dovesse adottare il fiorentino contemporaneo, nella convinzione che una lingua nascesse dall'uso di chi la parla;

c. il terzo gruppo, che risulterà vincente, sosteneva che bisognasse basarsi sul fiorentino scritto del Trecento e vedeva in Petrarca e Boccaccio i modelli ideali, il primo per la poesia e il secondo per la prosa. Esponente di spicco di quest'ultimo gruppo era Pietro Bembo, letterato veneziano, che difende la sua tesi e fissa uno standard per l'italiano scritto nelle *Prose della volgar lingua*, del 1525.

Pietro Bembo (1470-1547), cardinale veneziano, aveva studiato greco a Messina e poi era vissuto alle corti di Ferrara, Urbino, Roma e di molte altre città. Grande filologo, cura le edizioni corrette della *Divina Commedia* e del *Canzoniere* di Petrarca, e propone la loro lingua come il modello da seguire.

Baldassarre Castiglione (1478-1529) è il tipico intellettuale che nasce e cresce a corte. La sua opera più famosa è *Cortegiano* (1528), il cui protagonista è Pietro Bembo: una descrizione del perfetto uomo 'di mondo', come si dice oggi. La sua lingua è raffinata, con battute eleganti, giochi di parole, senza che lo sforzo della frase perfetta e della battuta eccezionale sia visibile: è una lingua controllata in ogni suo dettaglio, ma che deve sembrare spontanea.

Isabella d'Este (qui in un disegno di Leonardo), cresce alla corte di Ferrara e poi diventa duchessa a Mantova, alla corte dei Gonzaga. È una delle grandi figure di questi anni. Bembo, Castiglione e molti altri sono a lungo suoi ospiti e amici.

EDILINGUA

22 Baldassarre Castiglione, *La forza e vera regula del parlar bene*

Guida alla lettura

Machiavelli proponeva di usare il toscano moderno parlato in quegli anni, Bembo voleva il toscano del Trecento e c'era chi proponeva l'italiano medio delle varie corti. Secondo te, quale delle tre ipotesi sosteneva Castiglione, che veniva dalla Lombardia, aveva girato ogni corte e aveva una prospettiva internazionale. Leggi il primo paragrafo di questa introduzione al *Cortegiano* e avrai la risposta. Nel resto del testo, Baldassarre Castiglione spiega le ragioni della sua scelta.

1 Nella lingua, al parer mio, non doveva [imitare 2 Boccaccio], perché la forza e vera regula del parlar 3 bene consiste più nell'uso che in altro, e sempre è 4 vizio usar parole che non siano in consuetudine. 5 [...] 6 E perché al parer mio la consuetudine del parlare 7 dell'altre città nobili d'Italia, dove concorrono 8 omini savi, ingeniosi ed eloquenti [...], non deve 9 essere del tutto sprezzata, dei vocabuli che in 10 questi lochi parlando s'usano, estimo aver potuto 11 ragionevolmente usar scrivendo quelli, che hanno 12 in sé grazia ed eleganzia nella pronunzia e son 13 tenuti communemente per boni e significativi, 14 benché non siano toscani ed ancor abbiano origine 15 di fuor d'Italia. 16 [...] Perciò, se io non ho voluto scrivendo usare 17 le parole del Boccaccio che più non s'usano in 18 Toscana, né sottopormi alla legge di coloro, che 19 stimano che non sia licito usar quelle che non usano 20 li Toscani d'oggidì, parmi meritar escusazione. 21 Penso adunque, e nella materia del libro e nella 22 lingua, per quanto una lingua po aiutar l'altra, 23 aver imitato autori tanto degni di laude quanto è il 24 Boccaccio; né credo che mi si debba imputare per 25 errore lo aver eletto di farmi più tosto conoscere 26 per lombardo parlando lombardo, che per non 27 toscano parlando troppo toscano. *Il libro del Cortegiano*, Lettera proemiale	*Nella lingua, secondo me, io non devo [imitare Boccaccio], perché la forza e la vera regola del parlare bene si fondano più sull'uso che su altro ed è sempre sbagliato usare parole che non si dicono comunemente. [...]* *E poiché, secondo me, non deve essere del tutto disprezzato il modo in cui si parla nelle altre nobili città italiane, dove si radunano uomini sapienti, intelligenti, e che sanno parlare bene [...], mi pare giusto aver usato nelle mie pagine, tra le parole che si usano in questi luoghi, quelle che contengono in sé grazia ed eleganza nella pronuncia e che sono considerate da tutti buone e piene di significato anche se non sono toscane e magari provengano da fuori Italia.* *[...] Perciò mi sembra di poter essere scusato se scrivendo non ho voluto usare le parole di Boccaccio che in Toscana non si usano più e se non ho neanche voluto obbedire alla legge di quelli che credono che si debbano usare solo le parole che usano i toscani oggi. Penso dunque di aver imitato, nell'argomento del libro e nella lingua (per quanto una lingua può aiutare un'altra) autori tanto degni di lode quanto Boccaccio; e non credo che mi si possa dire di aver sbagliato scegliendo di lasciar capire che sono lombardo perché parlo come un lombardo, piuttosto che far capire che non sono toscano perché parlo troppo toscano.*

Analisi

Questa introduzione è strutturata come il discorso di un avvocato in tribunale:

a. è una dichiarazione chiara delle proprie scelte e delle proprie idee, semplice nella forma ma molto, molto decisa: righe ....

b. tante persone intelligenti usano la loro lingua, non quella di Boccaccio, e sono comunque grandi persone, quindi Castiglione non si sente isolato: righe ....

c. si scusa per aver scelto di essere autentico: righe ....

Riflessione

A un certo punto Castiglione dice: *parmi meritar escusazione.* Secondo te, questa richiesta di essere scusato, perdonato, è autentica o è una provocazione, quasi una presa in giro? Gli interessa davvero essere scusato dai petrarcheschi? Discutine con i compagni.

La lirica del secondo Cinquecento

La seconda metà del Cinquecento è un periodo inquieto, un'età di dubbi e di incertezze, che segue il Concilio di Trento, la creazione dell'*Indice dei libri proibiti* e l'istituzione del tribunale dell'Inquisizione. È un'età di crisi dei valori umanistici e rinascimentali, che la Chiesa cattolica vede come una minaccia.

In letteratura, il grande monumento di quest'epoca è *Gerusalemme Liberata*, di Torquato Tasso (pag. 54), ma c'è anche una buona produzione di lirica, soprattutto di sonetti, in cui spesso l'incertezza religiosa traspare, anche se questo era molto rischioso per l'autore. Perfino personalità che dominavano il mondo culturale come Michelangelo Buonarroti, che oltre ad essere scultore e architetto era un grande poeta, rischiano di avere problemi con l'Inquisizione.

Il modello di riferimento per la lirica, sulla base dell'insegnamento di Pietro Bembo nelle *Prose della volgar lingua* è ancora Petrarca. Ma verso la metà del secolo alcuni poeti, pur partendo sempre dall'esperienza del *Canzoniere*, cominciano a cercare altre vie per sviluppare una propria autonomia creativa. Fra questi va ricordato soprattutto **Giovanni Della Casa**, un poeta nelle cui poesie è molto alta la riflessione sul senso della vita e in cui già si nota la nuova sensibilità manierista che porterà, pochi anni dopo, al mondo barocco.

Accanto a Della Casa si devono ricordare anche altri lirici.

Francesco Berni (1497-1535), autore di poesie ma anche di teatro, muore giovane ma ha il tempo di aprire la strada alla nuova lirica del periodo, distaccandosi per quanto possibile dai modelli obbligati.

Muore giovanissima anche **Gaspara Stampa** (1523-1554), una delle molte donne che in questo secolo si dedicano alla letteratura. È una personalità interessante, musicista, suonatrice di liuto, poetessa che tratta temi d'amore con molta libertà, in una lingua quasi quotidiana.

Galeazzo di Tarsia (1520 circa-1553) è invece molto più originale sul piano stilistico, porta avanti una ricerca linguistica molto innovativa e apre già la via alla sensibilità barocca. È un classico esempio di 'poeta maledetto', affamato di sessualità, ed ha una relazione anche con Vittoria Colonna, di 30 anni più anziana di lui.

Michelangelo Buonarroti (1475-1564), scrive poesie soprattutto negli ultimi anni di vita, prima in un dialogo con **Vittoria Colonna** (1490-1547) e poi in un dialogo interiore sul senso della vita. Scrive sonetti che hanno una forza pari a quella della sua scultura.

Online per te
Online trovi il **Testo 23**, *O notte, a me più chiara* di **Gaspara Stampa** e il **Testo 24**, *Sonetto alla sua donna* di **Francesco Berni**

EDILINGUA

25 Michelangelo, *Giunto è già 'l corso della vita mia*

Guida alla lettura

Come sempre i sonetti ben fatti hanno una struttura semplice:
- prima quartina, presenta la situazione: "la mia vita sta arrivando al momento in cui bisogna rendere conto delle proprie azioni";
- seconda quartina, Michelangelo riflette sulla strada che lo ha portato a quella situazione: "capisco adesso l'errore di aver trasformato l'arte in un dio, come se fosse l'unica cosa importante nella vita";
- prima terzina, riflette sulla situazione attuale: "che cosa rimane, ora, dei pensieri d'amore?";
- seconda terzina, la risposta: "non è l'arte che può rispondermi, solo l'amore di Dio può farlo".

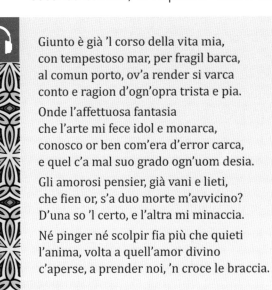

Giunto è già 'l corso della vita mia,
con tempestoso mar, per fragil barca,
al comun porto, ov'a render si varca
conto e ragion d'ogn'opra trista e pia.

Onde l'affettuosa fantasia
che l'arte mi fece idol e monarca,
conosco or ben com'era d'error carca,
e quel c'a mal suo grado ogn'uom desia.

Gli amorosi pensier, già vani e lieti,
che fien or, s'a duo morte m'avvicino?
D'una so 'l certo, e l'altra mi minaccia.

Né pinger né scolpir fia più che quieti
l'anima, volta a quell'amor divino
c'aperse, a prender noi, 'n croce le braccia.

Attraverso un mare tempestoso e su una barca fragile, il corso della mia vita è già arrivato al porto comune a tutti [la morte], dove si deve rendere conto e dare una spiegazione per ogni opera buona e cattiva.

Perciò ora so bene com'era carica di errori l'amorosa ispirazione che mi fece pensare all'arte come a un un idolo e un re, e [com'è carico d'errori] quello che l'uomo desidera anche se gli fa male.

I pensieri d'amore, che erano allegri e lieti, che cosa saranno ora, se mi avvicino alla morte fisica e quella spirituale? Della prima conosco la verità, l'altra mi minaccia [perché potrei non ottenere la salvezza divina].

Né la pittura o la scultura saranno più capaci di acquietare l'anima, che è rivolta a quell'amore divino che aprì le braccia in croce per darci la salvezza.

Analisi

Nella prima parte, quella su Michelangelo artista, ci sono tante metafore, cose che stanno al posto di altre cose, proprio come ci si aspetta da un artista: il mare, la barca, il porto, l'idolo, il re. Ci sono metafore nelle due terzine? Michelangelo rinuncia ad essere artista?

Riflessione

Riesci ad immaginare un modo più chiaro e perfetto di fare il bilancio di una lunga vita mentre si avvicina la sua fine? Discutine con la classe.

Il concilio di Trento e la Controriforma

Martin Lutero (1483-1545) pubblica le novantacinque tesi nel 1517, dando il via alla riforma protestante, rompendo in tal modo l'unità religiosa in Europa. Il Protestantesimo accetta il rapporto diretto tra l'Uomo e Dio, che per i Cattolici è invece mediato dalla Chiesa. Nel Cinquecento ci sono altri riformatori della Chiesa, tra cui lo svizzero Calvino che darà origine al Puritanesimo.
È l'età della Controriforma che lotta contro la Riforma Protestante. La Chiesa Cattolica, per bloccare il crescente successo delle idee protestanti, organizza quindi un Concilio (una riunione di tutti i vescovi del mondo) a Trento (1545-1563), in una città al confine tra il mondo latino e quello germanico.
Il Concilio di Trento: conferma ed amplia, accresce il potere papale, rimette al centro della propria azione la fedeltà assoluta alla dottrina e, per fermare il dissenso, crea l'*Indice dei libri proibiti* e il tribunale dell'Inquisizione.
La Chiesa, in altre parole, vuole imporre il suo controllo sulla società e sulla cultura, controllo che Umanesimo e Rinascimento avevano molto limitato. Nel 1534 Ignazio di Loyola fonda la Compagnia di Gesù, conosciuta come l'ordine dei Gesuiti, che si differenzia dai precedenti ordini monastici per la struttura militare, la severa formazione e la totale obbedienza richiesta ai suoi membri.

Torquato Tasso

Dal poema cavalleresco al poema eroico

Con *Orlando furioso* di Ariosto il poema cavalleresco aveva raggiunto la perfezione e quindi per tutto il secolo se ne trovano imitatori: mille personaggi, mille avventure, mille fantasie, senza una struttura unitaria.

Nel Cinquecento si diffonde la *Poetica* di Aristotele che suggerisce che la narrazione debba avere unità di luogo, di tempo e di azione e, possibilmente, essere ispirata a fatti storici. Sono riflessioni che portano a *Gerusalemme liberata* di Tasso, perfetta realizzazione del poema 'eroico', con un unico, grande protagonista.

Iniziato a Venezia nel 1559, il poema viene pubblicato solo nel 1581, ottenendo un enorme successo anche se Tasso non lo considera ancora definitivo, per cui ci lavorerà fino al 1593. Tuttavia, oggi si ritiene che la prima versione sia la migliore ed è quella che viene presentata. Il poema, composto da 20 canti in ottave, racconta la prima crociata, nel XII secolo, guidata da Goffredo di Buglione. I protagonisti sono un cavaliere cristiano, Tancredi, e la musulmana Erminia, che si traveste da Clorinda, la donna amata da Tancredi. L'amore impossibile si conclude con la battaglia in cui Tancredi uccide Erminia/Clorinda e si dispera.

Torquato Tasso

Tasso (1544-1595), con la sua vita inquieta (passerà anche anni in prigione e avrà lunghi periodi di depressione) e i suoi dubbi religiosi ed esistenziali, è figlio dei tempi che seguono il Concilio di Trento.

Cresce tra Salerno e Napoli, poi si trasferisce a Venezia, studia a Padova, poi va a Ferrara e inizia la sua carriera di cortigiano al servizio del cardinale Luigi D'Este e poi dello stesso duca Alfonso. Nel 1562 pubblica un poema cavalleresco, *Rinaldo*, ma soprattutto lavora fino alla morte al suo poema maggiore, mentre crescono in lui i dubbi religiosi.

Tasso compone testi di tutti i generi più tipici della sua epoca, raggiungendo in quasi tutti un livello che nessuno dei suoi contemporanei ha toccato. Le *Rime* raccolgono circa duemila componimenti, per il teatro scrive commedie, tragedie e un dramma pastorale, *Aminta*, ambientato nel mondo dei miti classici, che gli dà fama come scrittore di teatro.

Guida alla lettura e all'analisi di *La morte di Clorinda*

La situazione è semplice: Tancredi, in battaglia, uccide la donna che ama e che è sua nemica: amore e morte nella versione più classica.

a. Nella grande letteratura i personaggi e le situazioni si evolvono, cambiano sotto la pressione degli eventi. Vediamo alcuni dei cambiamenti che avvengono in questi pochi versi:
   - nella prima strofa il colore dominante è il ....
   - nell'ultima strofa il colore dominante è il .... Tutto ciò ha un profondo significato. Quale?

b. All'inizio le mani di Tancredi sono ferme come quelle di un chirurgo, mentre uccide il nemico. Come sono le sue mani mentre raccoglie l'acqua per il battesimo?

c. All'inizio Clorinda è un soldato sconfitto, morente, infelice. Come è alla fine?

d. All'inizio la morte è il peggior nemico dei due soldati; com'è il "morir" nella penultima stanza? E a che cosa assomiglia nell'ultima?

Nota quanti cambiamenti di valori, di senso della vita avvengono in poche righe. Quanto tempo ci sarebbe voluto in un film per rendere visibile una simile evoluzione nei due personaggi?
Discutine con i compagni.

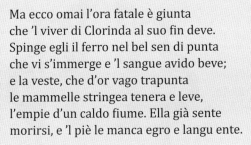

Ma ecco omai l'ora fatale è giunta
che 'l viver di Clorinda al suo fin deve.
Spinge egli il ferro nel bel sen di punta
che vi s'immerge e 'l sangue avido beve;
e la veste, che d'or vago trapunta
le mammelle stringea tenera e leve,
l'empie d'un caldo fiume. Ella già sente
morirsi, e 'l piè le manca egro e langu ente.

Segue egli la vittoria, e la trafitta
vergine minacciando incalza e preme.
Ella, mentre cadea, la voce afflitta
movendo, disse le parole estreme;
parole ch'a lei novo un spirto ditta,
spirto di fé, di carità, di speme:
virtú ch'or Dio le infonde, e se rubella
in vita fu, la vuole in morte ancella.

"Amico, hai vinto: io ti perdon... perdona
tu ancora, al corpo no, che nulla pave,
a l'alma sí; deh! per lei prega, e dona
battesmo a me ch'ogni mia colpa lave."
In queste voci languide risuona
un non so che di flebile e soave
ch'al cor gli scende ed ogni sdegno ammorza,
e gli occhi a lagrimar gli invoglia e sforza.

Poco quindi lontan nel sen del monte
scaturia mormorando un picciol rio.
Egli v'accorse e l'elmo empié nel fonte,
e tornò mesto al grande ufficio e pio.
Tremar sentí la man, mentre la fronte
non conosciuta ancor sciolse e scoprio.
La vide, la conobbe, e restò senza
e voce e moto. Ahi vista! ahi conoscenza!

Non morí già, ché sue virtuti accolse
tutte in quel punto e in guardia al cor le mise,
e premendo il suo affanno a dar si volse
vita con l'acqua a chi co 'l ferro uccise.
Mentre egli il suon de' sacri detti sciolse,
colei di gioia trasmutossi, e rise;
e in atto di morir lieto e vivace,
dir parea: "S'apre il cielo; io vado in pace."

D'un bel pallore ha il bianco volto asperso,
come a' gigli sarian miste viole,
e gli occhi al cielo affisa, e in lei converso
sembra per la pietate il cielo e 'l sole;
e la man nuda e fredda alzando verso
il cavaliero in vece di parole
gli dà pegno di pace. In questa forma
passa la bella donna, e par che dorma.

Gerusalemme liberata, Canto XII

Ma ecco che ormai arriva l'ora fatale in cui la vita di Clorinda deve finire. Tancredi spinge la punta della spada nel bel seno, e lei ci entra e beve con forza il sangue; il vestito dai bei ricami dorati, che teneramente e lievemente stringeva il petto, si riempie con un caldo fiume di sangue. Lei si sente già morire e non riesce più a tenersi in piedi, poiché i piedi sono deboli e insicuri.

Lui insegue la vittoria e fa pressione, minacciando la fanciulla che ha colpito. Lei, durante la caduta, parlando tristemente disse le ultime parole; parole che le vengono suggerite da uno spirito nuovo, di fede, di carità, di speranza: virtù che ora Dio le dà; e se in vita gli fu ribelle [perché musulmana] Dio la vuole ora sua serva nella morte.

«Amico, hai vinto: io ti perdono... perdona anche tu, non il mio corpo, che non ha paura, ma la mia anima; oh, prega per lei e battezzami in modo da lavare ogni mia colpa». In queste parole tristi risuona una certa malinconia e delicatezza che scende fino al cuore di Tancredi e cancella tutta la rabbia e invita gli occhi a piangere.

Poco lontano da lì, nel cuore di una montagna, nasceva un piccolo ruscello rumoroso. Tancredi corse in quella direzione e riempì l'elmo immergendolo nell'acqua, poi tornò triste a compiere l'importante rito religioso. Sentì tremare la sua mano, mentre liberò dall'elmo il viso che ancora non aveva riconosciuto. La vide, la riconobbe e restò senza parole e immobile. Ah, quale immagine, e quale cosa terribile da conoscere, da scoprire!

Tancredi non morì subito solo perché in quel momento raccolse tutte le sue forze e le mise di guardia al cuore, e trattenendo il suo dolore cercò di ridare vita con l'acqua a chi aveva ucciso con la spada. Mentre egli pronunciava la formula del battesimo, lei si trasformò e sorrise per la gioia; e nel momento della morte sembrava dire lietamente e allegramente: «Si apre il cielo; io vado in pace».

Il bianco viso è bello e pallido, come se ai gigli fossero mescolate le viole, e i suoi occhi guardano il cielo; e il cielo e il sole, per la pietà [che provano per lei], sembrano guardarla; lei, alzando la mano nuda e fredda verso il cavaliere, al posto delle parole, gli dà un segno di pace. In questo modo muore la bella donna e sembra che stia dormendo.

Arte e musica nel Cinquecento

La caratteristica principale dell'arte del Rinascimento è la reazione contro le complicazioni del gotico, che in parte erano restate vive anche nell'arte del Quattrocento, e la volontà di riportare i volumi e le superfici degli edifici, la struttura dei quadri e delle statue a una geometrica semplicità, prendendo come modello, per quanto riguarda architettura e scultura, le statue e gli edifici antichi.

Architettura

Il Cinquecento è un secolo di grandissimi architetti, a cominciare da **Michelangelo**, al quale viene affidata la costruzione di San Pietro, a Roma: ha settant'anni ma accetta e fa un progetto rivoluzionario, una chiesa a pianta circolare, che consiste solo in una cupola che si alza verso Dio: questa a destra è la pianta del suo progetto, che nel Seicento verrà allungata con la parte per i fedeli, prendendo la forma che conosciamo oggi.

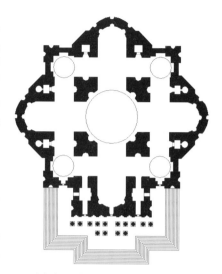

Michelangelo, pianta di San Pietro

L'architetto-scultore più conosciuto del tempo è senz'altro **Jacopo Sansovino**, attivo prima a Firenze e Roma e, dopo il 1527, a Venezia e nel Veneto. Tra le sue opere più famose si ricordano la loggia del campanile di S. Marco a Venezia, la Zecca e la Libreria Marciana in piazza S. Marco.

Un'altra figura centrale per l'architettura del Cinquecento è **Andrea Palladio**, di cui si ricordano la chiesa di San Giorgio Maggiore e la chiesa del Redentore a Venezia, la villa "La Rotonda" a Vicenza, oltre ai numerosi palazzi vicentini. Palladio diverrà il modello del neoclassicismo sette-ottocentesco, e molte chiese e palazzi pubblici nel mondo, ad esempio la cattedrale di Saint Paul a Londra o il Palazzo del Parlamento e la Casa Bianca a Washington sono costruiti in stile palladiano.

Andrea Palladio, Villa Foscari detta La Malcontenta

Pittura

Michelangelo, **Leonardo**, **Raffaello**, **Tiziano**: quattro personalità come queste gettano ombra su tutti i loro colleghi, pittori che sarebbero stati delle stelle se non avessero dovuto confrontarsi con la perfezione dei quattro maestri. **Lorenzo Lotto**, **Giorgione**, **Tintoretto**, **Paolo Veronese**, **Sebastiano del Piombo**, **Masaccio**... l'elenco sarebbe lunghissimo, ma per integrarlo basta andare nei principali musei del mondo, dove la pittura del Rinascimento italiano riempie le sale più prestigiose.

Tiziano, *Venere di Urbino* (1537-38)

La pittura di questo secolo, perfetta sul piano della costruzione e della prospettiva, oltre che dell'uso del colore, segna l'abbandono dei soggetti religiosi dei secoli precedenti e dà spazio all'uomo, al suo corpo, al suo viso, con il paesaggio che diventa sfondo.

Scultura

Anche la sezione sulla scultura può aprirsi solo con un nome, **Michelangelo**, che si considerava uno scultore e non amava fare il pittore o l'architetto.

La sua vita copre tutto il secolo: giovanissimo, intorno al 1501, scolpisce il corpo perfetto del giovane *David*, riuscendo a unire forza ed eleganza; per 60 anni le sue sculture diventano ogni volta più essenziali, più dure, meno 'ripulite' e alla fine della sua vita, nel 1564, ci lascia la *Pietà Rondanini,* la più tragica delle sue quattro *Pietà*, che insieme ai *Prigioni* anticipa di secoli il gusto della scultura moderna.

Di fronte a Michelangelo, passano in secondo piano geni della scultura come **Benvenuto Cellini** o il **Giambologna**.

Musica

Nel 1501, a Venezia, l'editore Petrucci pubblica il primo volume di musica a stampa e questo cambia la storia della diffusione della musica.

In questo secolo la divisione tra musica sacra e profana, introdotta nel Quattrocento, diviene totale.

Michelangelo, *Pietà Rondanini*

Da un lato, nella musica delle corti si impone il **madrigale**, che è il genere di riferimento per un secolo: un breve componimento in versi messo in musica per essere cantato, una canzone, diremmo oggi. Dall'altro, a Firenze, una specie di 'club' a Palazzo Bardi lancia il 'recitar cantando': si cantano canti della *Divina Commedia*,

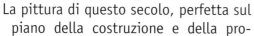

Michelangelo, *David*

o testi mitologici, e si sperimenta il dramma in musica, o **melodramma**, da cui Claudio Monteverdi svilupperà l'opera lirica.

La musica sacra vive invece un periodo difficile: la Controriforma propone un ritorno alla semplicità del canto gregoriano, ma la maggior parte dei compositori continua la **polifonia** che era arrivata dalle Fiandre. Il creatore della nuova polifonia religiosa è **Pierluigi da Palestrina** (1525-1594), che compone circa 100 messe e circa 700 composizioni di altro tipo e che sarà per un secolo il modello per la musica liturgica.

L'economia che sosteneva l'arte nel Quattro-Cinquecento

L'Italia, la superpotenza del Quattrocento

L'Italia era stata una superpotenza fino a mille anni prima, quando l'Impero romano aveva dominato l'Europa allora conosciuta, il Mediterraneo, l'Africa del Nord e il Medio Oriente.

Dopo la decadenza economica del Medioevo, nei primi secoli del nuovo millennio, l'Italia ritorna centrale, come abbiamo visto alla fine del primo capitolo: le repubbliche marinare, soprattutto Genova e Venezia, garantiscono i collegamenti nel Mediterraneo; i mercanti commerciano con l'Oriente e portano in Europa tessuti e spezie; i banchieri finanziano i nobili e gli stati europei, sempre in guerra tra di loro e sempre bisognosi di denaro.

Nel Quattrocento questa attività porta i suoi grandi frutti: la ricchezza è enorme e permette ai Comuni e alle Signorie di costruire cattedrali e palazzi pubblici e privati, e si possono pagare i pittori e gli scultori che li abbelliscono; la ricchezza permette una ricca vita di corte, dove vengono ospitati e mantenuti, spesso per tutta la vita, filosofi, letterati, drammaturghi, musicisti.

Dal Mille al Cinquecento l'Italia è la superpotenza europea.

La data chiave: 1492

Quest'anno è il momento massimo della potenza italiana e, insieme, l'inizio del declino. Ci sono due eventi che cambiano tutto:

a. Cristoforo Colombo, italiano, scopre l'America con un finanziamento della regina Isabella di Castiglia; poco dopo Amerigo Vespucci, un banchiere fiorentino, andrà a vedere di che cosa si tratta e lascerà il suo nome al nuovo continente ma non investirà nulla nel Nuovo Mondo. Questo evento sposta il centro dei commerci marittimi dal Mediterraneo all'Atlantico e quindi segna l'inizio della fine dell'Italia come potenza marittima, in particolare di Venezia che era la più ricca città europea;

b. Lorenzo il Magnifico muore, e con lui sparisce la mente politica più lucida d'Italia, finisce la famiglia che aveva finanziato e guidato molte delle corti italiane ed europee.

Il palazzo è il simbolo della potenza di una famiglia di mercanti: questa è Ca' Corner, cioè la 'casa' dei Corner, costruita nella prima metà del Cinquecento da Sansovino. L'intero Canal Grande è un'esibizione della ricchezza dei mercanti.

Venezia e Firenze iniziano la loro decadenza, ma sono processi che durano anni, decenni, secoli. Per tutto il Cinquecento l'impressione è che l'Italia sia ancora ricchissima (anche se spagnoli, aragonesi, francesi la occupano pezzo dopo pezzo)... ed in effetti lo è. Ma il mondo si è spostato dal Mediterraneo all'Atlantico, tutti gli investimenti economici d'Europa vanno verso l'America, non si investe più per fare concorrenza a Venezia e alle Signorie italiane. Anche gli italiani non devono più investire per creare flotte, per aprire nuove rotte commerciali, per mantenere eserciti: le Signorie sono piene di soldi e possono investirli in cultura e bellezza.

Indubbiamente, si tratta del più fruttifero investimento della storia dell'umanità: l'Italia riceve ancora milioni e milioni di turisti che vengono a vedere i risultati degli investimenti artistici del Quattro-Cinquecento!

EDILINGUA

Basilica della Salute
costruita a Venezia da
Baldassarre Longhena,
tra il 1631 e il 1687,
per ringraziare la Madonna
della fine della grande peste.

Seicento e Settecento

Il Seicento è uno dei secoli più violenti della storia europea: l'arrivo dell'oro dall'America crea una grande inflazione, aggrava la povertà, dà potenza ad alcuni stati (soprattutto Spagna e Portogallo) e ne indebolisce altri. In questo panorama, si inserisce anche la peste, portata dagli eserciti che attraversano l'Europa nella Guerra dei Trent'Anni (1618-48); la peste riduce la popolazione e quindi la produzione e alla fine del Seicento i Paesi dell'Europa del Sud, Spagna, Portogallo e Italia, perdono il loro ruolo, mentre nel Nord protestante, in Francia e in Inghilterra, si afferma la nuova borghesia.

La *Gorgone* o *Medusa* di Caravaggio è il simbolo di questo secolo di grande crisi per l'Italia.

Nel Settecento l'Europa è abbastanza stabile, dopo che la Spagna ha rinunciato all'Italia. Alla fine del secolo, la rivoluzione americana (1776) e soprattutto quella francese (1789) cambiano totalmente il mondo.

Il Barocco e la contraddizione tra rispetto e rifiuto delle regole

Trattando dell'arte del Seicento (pag. 70) vedremo che una delle principali caratteristiche del secolo dominato dallo stile barocco è il rifiuto delle regole di armonia ed equilibrio del Rinascimento: le luci violente di Caravaggio prendono il posto delle sfumature raffinate di Raffaello, le linee circolari della *Basilica della Salute* cancellano la parte palladiana della facciata, in poesia tutto deve stupire, *"È del poeta il fin la meraviglia..."*, come dice Giovan Battista Marino.

Allo stesso tempo, nella vita quotidiana il Seicento è dominato dall'etichetta, dal rigido rispetto delle norme sociali e religiose: norme nei duelli

Medusa (1597) di Caravaggio è il simbolo della grande crisi in cui precipita l'Italia: un secolo di povertà, peste e violenza religiosa.

1600

1618
Nel 1618 inizia la guerra dei Trent'anni: il Regno di Spagna e il Sacro Romano Impero tedesco contro il Regno di Francia e regni scandinavi; finisce nel 1648 con la sconfitta di Spagna e Impero.

1674
Nel 1674, rivolta antispagnola a Messina. La città resiste per 4 anni prima di essere riconquistata.

1628
La peste arriva a Milano nel 1628.

1647
Nel 1647 Napoli in rivolta contro gli spagnoli.

EDILINGUA

e nei rapporti umani, nelle discussioni filosofiche e nell'arte. Nel teatro di ispirazione francese si rispettano le regole della tragedia classica, la ricerca scientifica cerca di capire le regole della natura attraverso le leggi della fisica: nascono gli atlanti non solo geografici ma anche anatomici, cioè del corpo umano (l'italiano **Malpighi** disegna il primo atlante anatomico a fine Seicento). Si cerca di capire le regole della storia raccontandola con precisione, come fa **Paolo Sarpi** nella sua *Istoria del Concilio di Trento*.

La letteratura del Seicento

Abbiamo citato sopra **Giovan Battista Marino**, il poeta più famoso nell'Italia del 1600: il fine principale del poeta è meravigliare, stupire.

L'italiano usato nella lirica è molto elaborato, ricco di figure retoriche spinte all'estremo, soprattutto metafore difficili e originali, capaci di trovare somiglianze inaspettate. I testi si basano su ragionamenti complessi, intellettualistici, i concetti; l'autore vuole dimostrare la sua abilità, la sua capacità di giocare con la lingua e con i riferimenti a tutta la cultura letteraria.

La poesia barocca rifiuta così l'equilibrio dell'arte rinascimentale e sceglie uno stile elaborato, che deve far 'aguzzare l'ingegno', cioè l'intelligenza del lettore.

Il poeta, e più in generale l'intellettuale del 1600, non è più il cortigiano rinascimentale che dialoga con il principe, assumendo a volte importanti incarichi diplomatici. Il poeta barocco viene chiamato a corte per divertire un pubblico sempre più vasto e per accrescere il prestigio del Signore, ma ormai è un dipendente, non più un amico del Signore. Non deve più offrire riflessioni esistenziali, filosofiche, politiche, estetiche: deve divertire, e cioè soprattutto stupire.

1720
Nel 1720 la Spagna deve lasciare l'Italia; la Sicilia viene data all'Austria e la Sardegna ai Savoia, duchi del Piemonte. Carlo Emanuele III è stato un grande Duca di Savoia.

1738
Nel 1738 i ducati di Toscana e di Parma vengono dati all'Austria.

1794
La leggerezza di *Venere e Adone* (1794) di Canova è uno dei punti più alti della stagione neoclassica, che cerca la perfezione, la calma, la tranquillità, l'equilibrio.

1796
Nel 1796-97, il francese Napoleone conquista gran parte dell'Italia.

1797
Nel 1797 Napoleone 'regala' all'Austria la Repubblica Serenissima di Venezia, la più lunga repubblica della storia. L'ultimo doge è Ludovico Manin.

1800

Oltre alla lirica, in poesia si diffonde il **poema eroicomico**, che rompe le regole tematiche del poema cavalleresco pur rispettandone tutte le regole formali: è un genere che rientra quindi nel gusto barocco, nel suo interesse per ciò che è bizzarro, strano. L'inventore di questo genere letterario è **Alessandro Tassoni** (1565-1635).

Il teatro del Seicento è grandioso in tutta Europa, è *il secolo d'oro* per Spagna, Francia, Inghilterra. In Italia non c'è invece grande interesse per la letteratura drammatica, e quel poco che c'è abbandona la leggerezza e l'ironia rinascimentale per trame terrificanti, caratterizzate da estrema violenza psicologica e fisica. Il migliore drammaturgo è **Federico Della Valle**, autore di numerose tragedie di argomento religioso.

Il lavoro sulla lingua italiana

Il latino è sempre meno usato come lingua di comunicazione. Anche nella scrittura filosofica e scientifica i testi in latino sono sempre più rari. In tutta Europa le 'nuove' lingue diventano oggetto di studio e di sistematizzazione.

Nascono così i primi dizionari: nel 1611 Sebastián de Covarrubias scrive il primo dizionario moderno, riguardante lo spagnolo, e l'anno dopo, 1612, viene pubblicato a Firenze il *Vocabolario degli Accademici della Crusca* per la lingua italiana.

Il *Vocabolario* era la conclusione di un progetto iniziato nel 1592 da questa accademia fiorentina, fondata nel 1583 e formata da studiosi che si occupavano dell'italiano: ancora oggi l'Accademia della Crusca è la maggiore autorità sulla nostra lingua.

Il trionfo della Ragione

Il pensiero scientifico del Seicento, il razionalismo di Cartesio, le riflessioni di filosofi come Hobbes e Spinoza maturano nel Settecento con l'**Illuminismo**, un movimento razionalista che nasce in Francia ma si diffonde presto in tutta Europa, inclusa l'Italia.

È il risultato dell'affermarsi della borghesia, diventata ricca grazie alla grande espansione dei commerci e alle prime attività industriali. Gli intellettuali illuministi lasciano le corti e le accademie letterarie per stare nella società e conoscerla direttamente; diffondono le loro idee con nuovi strumenti, come giornali e riviste. Pensano che l'obiettivo dell'uomo di cultura sia migliorare la società in generale, non solo quella del loro paese.

La libertà si conquista con la conoscenza: il simbolo di questo progetto è l'*Encyclopédie* (1751) francese, che voleva organizzare e diffondere tutte le conoscenze umane. Come era naturale, la Chiesa e le aristocrazie europee erano totalmente contrarie all'Illuminismo, che riteneva la religione colpevole dell'ignoranza, della superstizione e del fanatismo della popolazione.

Come è scritto nella illuministica Costituzione Americana, l'uomo – ogni uomo – ha diritto a perseguire la felicità: per farlo, serve libertà e una prima forma di democrazia. La disuguaglianza, la fame, le ingiustizie non devono più esistere.

L'Illuminismo italiano

Dopo l'isolamento del Seicento, dalla metà del Settecento gli intellettuali italiani ricominciano ad avere rapporti con il resto d'Europa, prima con singoli intellettuali o con piccoli gruppi, e poi con l'intera nuova classe dirigente borghese.

EDILINGUA

Nel 1764, a Milano, inizia la pubblicazione della rivista *Il Caffè*, che vuole presentare al pubblico la verità dei problemi sociali ed economici, descrivendoli in modo semplice e chiaro. Ne sono ispiratori **Alessandro** e **Pietro Verri** che vogliono una letteratura fatta di "cose", non di "parole". Il massimo esempio di illuminista lombardo è **Cesare Beccaria** (pag. 72). La sua opera più importante è *Dei delitti e delle pene*, che dimostra come lo stato e i loro capi non abbiano il diritto di togliere la vita ad un cittadino: è una posizione modernissima che per la prima volta condanna la pena di morte in secoli in cui era normale e veniva applicata anche dalla Chiesa, in nome di Dio.

Anche a Venezia i giornali sono importanti in questo processo: dal 1760, con la *Gazzetta veneta* e con l'*Osservatore veneto*, **Gasparo Gozzi** focalizza l'attenzione non solo sulle grandi cose della vita e della storia ma anche sulla cronaca, descritta in modo vivace. L'illumi-

Luigi Beccaria,
Dei delitti e delle pene (1764)

nismo borghese trova il suo capolavoro nel teatro del maggior drammaturgo del secolo, **Carlo Goldoni** (pag. 78).

Anche la cultura napoletana si apre alle idee dell'Illuminismo per risolvere i problemi del regno dei Borboni. **Gaetano Filangeri** scrive un trattato sulla *Scienza della legislazione*, in cui analizza la situazione europea per riflettere sui grandi cambiamenti e cerca di individuare un modo per garantire "la bontà assoluta delle leggi".

Per far circolare la cultura, uscire

I caffè erano il luogo di incontro degli intellettuali del Settecento. Questo è il *Caffè Florian*, in Piazza San Marco a Venezia, che è cambiato pochissimo in tre secoli.

dalle accademie e dalle corti, diventare strumento di riforma della realtà, per diffondere il buon gusto e l'equilibrio, il letterato non deve più obbedire a regole classiche, fissate in altri tempi, ma creare emozioni, sensazioni, passioni nell'uomo d'oggi: anche parlando di personaggi del passato, come nei drammi di **Vittorio Alfieri**, si deve descrivere l'uomo d'oggi. E l'uomo d'oggi è il soggetto di **Giuseppe Parini**.

Antonio Perego, *L'Accademia dei Pugni* (1766). Da sinistra A. Longo, A. Verri, G.B. Biffi, C. Beccaria, L. Lambertenghi, P. Verri, G. Visconti

Galileo Galilei e la Nuova Scienza

La curiosità per i fenomeni naturali era forte già nel Cinquecento, ma nel Seicento diviene un interesse vero e proprio, che si affida a nuovi strumenti tecnici che permettono l'osservazione diretta della natura. Il punto fondamentale è l'idea che la natura sia governata da meccanismi matematici che possono essere studiati. L'uomo smette di essere il centro di tutto, perché l'esplorazione dello spazio riduce la Terra ad un piccolo pezzetto di un sistema immenso e complesso.

La Chiesa reagisce brutalmente: un filosofo sostenitore di questo nuovo approccio, **Giordano Bruno**, viene bruciato a Roma; un altro filosofo e poeta, **Tommaso Campanel-**

Padova, Specola, antico osservatorio astronomico

la viene torturato e imprigionato. La sua opera maggiore è la *Città del Sole*, dove descrive un modello ideale di società; anche **Galileo Galilei** viene condannato per le sue idee scientifiche.

Galileo Galilei

Nato a Pisa nel 1564, insegna a lungo all'Università di Padova. Crea uno strumento per studiare lo spazio, il cannocchiale, e dà basi fisiche alla teoria di Copernico secondo cui è la Terra che gira intorno al Sole.

Lascia la Repubblica di Venezia, sempre molto tollerante nei confronti delle nuove idee, e va all'Università di Pisa per insegnare matematica. Ma la Toscana, dove l'influenza della Chiesa è molto forte, non è Venezia e Galileo viene accusato di eresia.

Scrive varie opere scientifiche (*Il Saggiatore*, 1623; il *Dialogo sopra i due massimi sistemi*, 1632); costretto all'isolamento, non smette di studiare se non con la morte, nel 1642. La lettura delle opere di Galileo fu proibita dalla Chiesa fino al 1822.

La sua rivoluzione è filosofica (la ricerca scientifica è autonoma da Bibbia e Vangelo) e scientifica: la scienza si basa sull'osservazione diretta della natura, sulla formulazione di ipotesi e la loro verifica sperimentale, e infine sulla traduzione matematica del risultato.

Gli spagnoli in Italia

L'Italia, lontana dalle rotte atlantiche, divisa in piccoli regni, diventa in gran parte spagnola nel 1559, con la Pace di Cateau-Cambrésis tra gli austriaci, gli spagnoli e i francesi. Per mezzo secolo c'è la pace, la popolazione aumenta e l'economia cresce. Ma poco dopo il 1600 le carestie, la peste e il passaggio di eserciti stranieri che si combattono in Italia portano alla povertà gli artigiani e i mercanti, che formano l'economia delle città.

Il governo spagnolo, per sostenere le forti spese di guerra, impone tasse sempre più pesanti nel Sud e in Sicilia, per cui scoppiano violente rivolte sociali contro i grandi proprietari terrieri e i vicerè spagnoli.

L'Italia perde la sua autonomia, diventa terra di conquista e di scambio fra le grandi potenze europee. L'Austria sostituirà il dominio degli Spagnoli in Italia agli inizi del 1700.

EDILINGUA

27 *Dialogo sopra i due massimi sistemi*

Guida alla lettura

Il *Dialogo sopra i due massimi sistemi* (1632) è ambientato nel palazzo veneziano di uno scienziato copernicano (Sagredo) che discute con un filosofo aristotelico (Simplicio) e un altro intellettuale (Salviati).

Qui discutono del principio di *autorità*: nel Seicento un ragionamento era corretto se non contrastava testi 'autorevoli', come Aristotele o la Bibbia.

Simplicio. Io vi confesso che tutta questa notte sono andato ruminando le cose di ieri[1], e veramente trovo di molto belle, nuove e gagliarde[2] considerazioni; con tutto ciò mi sento stringer assai più[3] dall'autorità di tanti grandi scrittori, ed in particolare... Voi scotete la testa, signor Sagredo, e sogghignate, come se io dicessi qualche grande esorbitanza[4].

Sagredo. Io sogghigno solamente, ma crediatemi ch'io scoppio nel voler far forza di ritener le risa maggiori[5], perché mi avete fatto sovvenire[6] di un bellissimo caso, al quale io mi trovai presente non sono molti anni, insieme con alcuni altri nobili amici miei, i quali vi potrei anche nominare.

Salviati. Sarà bene che voi ce lo raccontiate, acciò forse il signor Simplicio non continuasse di credere d'avervi esso mosse le risa[7].

Sagredo. Son contento[8]. Mi trovai un giorno in casa un medico molto stimato in Venezia, dove alcuni per lor studio, ed altri per curiosità convenivano tal volta[9] a veder qualche taglio di notomia[10] per mano di uno veramente non men dotto che diligente e pratico notomista[11]. Ed accadde quel giorno che si andava ricercando l'origine e nascimento[12] de i nervi, sopra di che è famosa controversia tra i medici galenisti ed i peripatetici[13]; e mostrando il notomista come, partendosi dal cervello e passando per la nuca, il grandissimo ceppo[14] de i nervi si andava poi distendendo per la spinale[15], e diramandosi per tutto il corpo, e che solo un filo sottilissimo come il refe[16] arrivava al cuore; voltosi ad un gentil uomo ch'egli conosceva per[17] filosofo peripatetico, e per la presenza del quale egli aveva con estraordinaria diligenza scoperto e mostrato il tutto, gli domandò s'ei restava ben pago e sicuro[18] l'origine de i nervi venire dal cervello e non dal cuore; al quale il filosofo, doppo esser stato alquanto sopra di sé[19], rispose: "Voi mi avete fatto veder questa cosa talmente aperta e sensata[20], che quando il testo d'Aristotile non fusse in contrario[21], che apertamente dice, i nervi nascer dal cuore, bisognerebbe per forza confessarla per vera".

1. Ho ripensato alle cose dette ieri. - **2.** Interessanti. - **3.** Sono sempre più convinto. - **4.** Sorridete come se dicessi sciocchezze. - **5.** Sto quasi per scoppiare tentando di non ridere di più. - **6.** Ricordare. - **7.** Affinché Simplicio non creda di essere lui la causa della risata. - **8.** Volentieri. - **9.** Si riunivano talvolta. - **10.** Anatomia, studiata tagliando dei cadaveri. - **11.** Taglio fatto da un medico anatomista sapiente ma anche attento, pratico. - **12.** L'origine, il punto di partenza. - **13.** I seguaci di Galieno sostenevano che i nervi partono dal cervello; i peripatetici, i seguaci di Aristotele, dicevano che i nervi nascono dal cuore. - **14.** Fascio, 'catena'. - **15.** Spina dorsale. - **16.** Filo usato per cucire. - **17.** Come. - **18.** Se si era convinto. - **19.** Dopo aver pensato per un po'. - **20.** In modo così evidente. - **21.** Se il testo di Aristotele non dicesse il contrario.

Analisi

Secondo te, il nome Simplicio (che deriva da 'semplice') è scelto a caso o indica una valutazione di Galileo su questi intellettuali?

Secondo te, il racconto sul medico aristotelico che preferisce credere ad Aristotele che ai suoi occhi convince Simplicio?

Riflessione

Galileo racconta sorridendo... Ma Simplicio non è un personaggio ridicolo, rappresenta il mondo contro cui Galileo combatte e che dopo questo libro lo condannerà a giurare di essersi sbagliato e a smettere di insegnare. Oggi questo sembra assurdo, almeno in molte regioni del mondo. Sei sicuro che anche oggi non ci siano situazioni in cui vince Simplicio (qualunque sia il testo che prende come fonte della conoscenza) e la persona che cerca la verità deve tacere?

Galileo, come tutti i grandi, parla del suo tempo, ma ciò che dice vale in ogni tempo. Discutine con la classe.

La poesia

Un aspetto caratteristico del mondo barocco è la presenza totalizzante della religione, che contrasta da un lato l'inquietudine per il tempo che fugge, per la decadenza fisica e la morte (che a un cristiano non dovrebbe far paura...), dall'altro l'interesse per l'erotismo e la sensualità.

Un mondo di illusioni

In un mondo di crisi, paura, repressione, vince il desiderio di *illusione*, parola chiave del Barocco, che indica la capacità di immaginare un mondo che va oltre i limiti della realtà.
In molti casi l'illusione prende corpo in una serie di invenzioni stilistiche fini a se stesse, nell'*illusionismo* delle grandi decorazioni degli allestimenti teatrali. Nei casi migliori, il tema dell'illusione, del gioco tra realtà e finzione, tra sogno e vita, si ritrova nei grandi autori dell'epoca, da Shakespeare a Racine, da Molière a Cervantes e Calderon.

Gian Battista Marino

L'Italia non ha nomi di letterati come quelli che dominano in Europa, anche se pittori come Caravaggio o musicisti come Monteverdi segnano il contributo del nostro Paese al barocco europeo.
Il poeta più famoso del suo tempo è G.B. Marino (1569-1625), uomo dalla vita avventurosa, imitato da molti poeti detti *marinisti*. Scrive moltissimo, ma il suo nome è legato a un poema, *L'Adone* (1623), che non tratta di eroi e battaglie come i poemi cinquecenteschi, ma dell'amore sensuale tra la dea Venere e un ragazzo mortale, Adone. Il poema è una specie di fuoco artificiale di invenzioni, figure retoriche, allegorie, 'concetti', presentati con grande abilità tecnica e attenzione alla musicalità dei versi.

Altri poeti del Seicento

Non ci sono grandi figure in questo secolo; tra tutti, ricordiamo **Ciro di Pers** (1599-1663), friulano di nobile famiglia, uno dei poeti più significativi e sinceri della sua epoca. Il tema dominante della sua produzione è il passare del tempo, la tragedia dell'invecchiamento e della morte che si avvicina ogni giorno di più.
C'è anche una poesia comica, satirica, come quella di **Alessandro Tassoni** (1565-1635), che scrive un poema, *La secchia rapita* (1622), in cui modenesi e bolognesi non si combattono per questioni religiose, per amore, per il potere, ma per un secchio (una secchia) di legno che è stato rubato.
Un ruolo particolare è quello di **Claudio Monteverdi** (su cui torneremo a pag. 71), che scrive musica per le poesie, i madrigali, i poemetti di molti poeti del primo Seicento. Nel 1601 compone la sua prima opera per il teatro, un balletto con testi poetici che oggi è perduto, e nel 1607 la sua prima opera di successo, *Orfeo*, cui nel 1608 fece seguito *Arianna*, il cui "Lamento" è ancor oggi una delle arie più eseguite nei concerti di musica barocca. Si tratta di opere teatrali in musica (melodrammi), i cui testi erano scritti da altri, ma sempre sotto la guida molto attenta di Monteverdi.

Il suonatore di liuto di Caravaggio, mostra un giovane che canta un madrigale. Lo strumento è il liuto, simile alla chitarra, ma con un suono molto più dolce e profondo. Fu portato in Europa dagli arabi, che lo chiamavano *al'ud*, da cui 'liuto'.

EDILINGUA

28 Giovan Battista Marino, *Guerra di baci*

Guida alla lettura

Questo è un madrigale, pensato per essere accompagnato dalla musica. Il tema è chiaramente sensuale: si tratta di una 'battaglia' di baci, con le bocche che si fanno giocosamente la guerra, le lingue che sono come frecce che colpiscono l'altra bocca, lasciando ferite che sono in realtà dei baci.

Seicento e Settecento

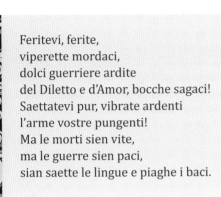

Feritevi, ferite,
viperette mordaci,
dolci guerriere ardite
del Diletto e d'Amor, bocche sagaci!
Saettatevi pur, vibrate ardenti
l'arme vostre pungenti!
Ma le morti sien vite,
ma le guerre sien paci,
sian saette le lingue e piaghe i baci.

Ferite e feritevi l'un l'altra, o bocche che sapete
come dare piacere, piccole vipere capaci di mordere,
guerriere dolci e coraggiose,
del Piacere e dell'Amore.
O bocche brucianti, lanciate l'una all'altra
le vostre armi che entrano nella carne.
Ma le ferite che voi provocate sono vita,
le guerre che combattete sono paci d'amore,
le frecce sono le lingue, e le ferite sono i baci.

Analisi

Il 'concetto' su cui gioca Marino è basato sul contrasto, sull'*ossimoro*, una figura retorica che mette insieme due cose contrarie: "odi et amo", come dice Catullo, "Vergine madre, figlia del tuo figlio" come dice Dante.
Qui gli ossimori sono vari:

a. le bocche devono ferirsi: sono ferite che danno la morte? *Le morti sien* ....;

b. le bocche sono .... *guerriere*: un altro ossimoro;

c. la guerra è vera guerra? *le guerre sien* ....;

d. le frecce sono le .... e le ferite sono i ....

Riflessione

Nelle pagine precedenti hai trovato il termine *concettismo*: è un tipo di ragionamento complicato, capace di mostrare l'abilità dell'autore e di stimolare l'intelligenza del lettore. Per il gusto odierno, i 'concetti' sono quasi ridicoli nel loro sforzo di stupire il lettore, non li accettiamo né in letteratura né nelle canzoni – ma li accettiamo, e ce ne sono spesso, in un tipo particolare di testo che deve suscitare 'maraviglia', come dice Marino. Quale? Discutine con i compagni.

Giuseppe Arcimboldo muore nel 1596, ma è già pienamente barocco nel suo gusto per la *meraviglia*, come nei suoi famosi ritratti fatti con frutta e verdura, in cui mostra un'abilità tecnica enorme. Questo è il ritratto dell'imperatore Rodolfo II costruito con frutta e verdura autunnali.

Online per te
Online trovi il **Testo 29**, *Inizia la battaglia*, di **Alessandro Tassoni**
La possibile risposta alla domanda nella riflessione è: la pubblicità.

30 Ciro di Pers, *Orologio da polvere*

Guida alla lettura

La foto accanto al testo è una 'clessidra', cioè un orologio con la sabbia, che Pers chiama "orologio da polvere", simbolo del tempo che passa, e quindi puoi immaginare il contenuto di questo sonetto. Quello che non puoi immaginare è il tema delle due terzine finali: una disperazione tranquilla, un'angoscia controllata, senza nulla di romantico o di tragico.

Poca polve inquieta, a l'onda, ai venti
tolta nel lido e 'n vetro imprigionata,
de la vita il cammin, breve giornata,
via misurando ai miseri viventi.

Orologio molesto, in muti accenti
mi conti i danni de l'età passata,
e de la Morte pallida e gelata
numeri i passi taciti e non lenti.

Io non ho da lasciar porpora ed oro:
sol di travagli nel morir mi privo;
finirà con la vita il mio martoro.

Io so ben che 'l mio spirto è fuggitivo;
che sarò come tu, polve, s'io mòro,
e che son come tu, vetro, s'io vivo.

*Tu, polvere, scarsa e inquieta, tolta al vento
della spiaggia e chiusa nel vetro, misuri per
noi, poveri uomini, il cammino della vita, la
sua breve giornata.*

*Orologio fastidioso, con parole silenziose
tieni il conto dei guai del mio passato
e conti i passi muti e veloci della Morte,
pallida e fredda.*

*Quando morirò, non lascerò potere e ricchezze:
con la morte abbandonerò soltanto dolori;
il mio martirio finirà con la vita.*

*So bene che il mio spirito non è eterno,
che quando morirò sarò come la tua polvere,
e fin quando vivo sono come il tuo vetro
[che lascia vedere il tempo che passa].*

Analisi

Anche in questo sonetto, molto equilibrato e tranquillo, i contrasti sono fondamentali. Ma non sono esagerati come quelli di G.B. Marino (Testo 28), sono più sfumati, almeno nella forma:

a. versi 5-6: trovi in .... *accenti mi conti i danni*: se gli 'accenti' sono le parole, l'aggettivo è naturale o si tratta di un ossimoro?

b. nel verso 8 avrebbe potuto scrivere: *numeri i passi taciti e veloci*. Ma al posto di *veloci* mette un altro contrasto: ....

c. la morte, lo sappiamo, toglie la vita, toglie tutto; che cosa toglie a Ciro? *sol di* .... *nel morir mi privo*; *finirà con la vita il mio* ....

Riflessione

Si tratta di un testo barocco, certo molto distante dai nostri gusti, almeno in apparenza. Ma è poi così "distante"? Cambiando poche parole, rendendolo più leggibile per i nostri tempi, perderebbe la sua potenza tragica? Discutine con i tuoi compagni.

Nell'arte barocca di tutta Europa troviamo molti *memento mori* ('ricorda che morirai', in latino). Uno dei quadri più famosi è di Champaigne, *Vanitas* (1671): accanto al teschio ci sono una clessidra, il tempo che scorre, e un tulipano, un fiore che invecchia rapidamente, la bellezza che passa.

EDILINGUA

31 Ottavio Rinuccini (per C. Monteverdi), *Il lamento di Arianna*

Guida alla lettura

Arianna (1608) è la seconda opera di Monteverdi, dopo l'*Orfeo*. Racconta di Arianna, principessa di Creta, che tradisce suo padre il Minotauro e che aiuta Teseo a fuggire dal Labirinto. Teseo le promette di sposarla e di farla regina di Atene, ma nell'isola di Naxos l'abbandona al suo destino. Arianna vede la nave di Teseo che va verso Atene ed è disperata.

Lasciatemi morire,	*Lasciatemi morire,*
lasciatemi morire	*lasciatemi morire*
e che volete voi, che mi conforte	*e chi volete che possa consolarmi*
in così dura sorte,	*per un destino così duro,*
in così gran martìre?	*per un martirio così grande?*
Lasciatemi morire.	*Lasciatemi morire.*
O Teseo, o Teseo mio,	*O Teseo, o Teseo mio,*
sì che mio ti vo dir, che mio pur sei,	*sì, perché voglio chiamarti 'mio', perché sei mio*
benché t'involi, ahi crudo, a gl'occhi miei.	*anche se scappi di nascosto, crudele.*
Volgiti Teseo mio,	*Voltati Teseo mio,*
volgiti Teseo, o dio,	*voltati Teseo, oh dio,*
volgiti indietro a rimirar colei,	*voltati a guardare la donna*
che lasciato ha per te la patria e il regno.	*che per te ha lasciato la sua patria e il suo regno.*
[...] ma con l'aure serene	*Ma con il vento [nelle vele] e con il cielo sereno, senza tempeste,*
tu te ne vai felice, ed io qui piango.	*tu te ne vai felice mentre io resto qui a piangere.*
A te prepara Atene	*Atene ti prepara*
liete pompe superbe, ed io rimango	*grandi feste gioiose, e io rimango qui,*
cibo di fere in solitarie arene.	*cibo per le bestie feroci, in questa spiaggia/isola deserta.*
Te l'uno, e l'altro tuo vecchio parente	*I tuoi genitori*
stringerà lieto, ed io	*ti abbracceranno felici, e io*
più non vedrovvi, o madre, o padre mio!	*non vi vedrò più, madre mia, padre mio!*
[...] O nembri, o turbi, o venti	*Nuvole, temporali, venti,*
sommergetelo voi dentr'a quell'onde.	*fatelo finire dentro le onde.*
Correte orche, balene,	*Balene e orche (un altro tipo di balena),*
e de le membra immonde	*con i pezzi schifosi del suo corpo*
empite le voragini profonde!	*riempite la profondità del mare.*

Analisi

I testi teatrali hanno dei *focus*, trattano una cosa per volta, e devono portare al *climax*, al punto culminante in cui lo spettatore si mette a piangere. Vediamo quali sono i tre focus:

a. la prima strofa descrive la misera situazione di ....;

b. per contrapposizione, la seconda strofa ovviamente parla di ....
...................: lei è in una situazione misera mentre lui va verso la gloria;

c. la terza strofa è il *climax*: Arianna fa una cosa comprensibile, lo maledice.

Riflessione

Come noterai, la lingua è molto più semplice di quella di tanti testi letterari contemporanei. Perché, secondo te? Immagina la rappresentazione: c'è la musica, c'è il ballo, ci sono le scene... il testo poteva essere molto complesso? Ascolta questa famosissima 'aria' su YouTube: ci sono belle versioni di Anna Antonacci e di Roberta Mameli.

Il frontespizio del *Lamento di Arianna* stampato a Venezia dall'editore Gardano nel 1623.

Arte e musica nel Seicento

Il Barocco italiano, che fiorisce soprattutto a Roma, non si limita a rappresentare la bellezza ideale dei corpi, come l'arte rinascimentale, ma vuole coinvolgere lo spettatore.

Si tratta di un'arte spettacolare e grandiosa, ma anche ambigua, nata per celebrare i 'trionfi' della Chiesa, proprio mentre si combatte la Guerra dei trent'anni e metà dell'Europa è ormai protestante. È quindi un'arte di contrasti, di chiaroscuri violenti.

La pittura del Seicento

Caravaggio (1571-1610), uno dei più grandi artisti di tutti i tempi, attivo a Milano, Roma, Napoli e Malta, dà il via alla pittura barocca. La sua pittura è fatta di forti contrasti in un gioco di luci e ombre. L'impostazione delle scene è essenziale, i gesti sono drammatici, i corpi sono pronti all'azione. Nella foto a destra vedi la sua interpretazione di *Davide e Golia,* del 1598. Pensa alla calma perfetta del *David* di Michelangelo, scolpito un secolo prima, per capire la rivoluzione di Caravaggio e del Barocco.

Altro grande artista barocco è **Pietro da Cortona**. Nei suoi affreschi le figure, atteggiate in pose classiche, sono spesso inserite nella nuova prospettiva barocca che dà l'illusione di spazi infiniti e libera l'energia del movimento.

Caravaggio, *Davide e Golia*, 1598

Accanto alla rivoluzione caravaggesca, che ebbe grandissima fortuna, resta viva anche una corrente classicista, di ispirazione rinascimentale. I suoi maggiori rappresentanti furono due artisti emiliani, **Guido Reni** e il **Guercino**.

L'architettura del Seicento

L'architettura barocca italiana ed europea si caratterizza per le linee curve e per la ricchezza dei materiali utilizzati (marmo, oro, stucchi). Come il poeta Marino, anche gli architetti vogliono suscitare *meraviglia* con la loro capacità di innovazione tecnica.

Il Portico di Bernini davanti alla Basilica di San Pietro a Roma.

A Roma, i maggiori architetti sono **Lorenzo Bernini** (1598-1680), architetto e scultore ufficiale della Roma papale, che costruisce il colonnato quasi circolare davanti a San Pietro; e **Francesco Borromini** (1599-1667), il suo rivale dalla vita inquieta, autore della chiesa di *Sant'Ivo alla Sapienza* (1650), dove la cupola termina con un movimento a spirale che sembra non finire mai, creando l'illusione di uno spazio infinito.

EDILINGUA

Il Barocco domina il Seicento in tutta Italia. A Venezia il capolavoro di **Baldassarre Longhena** (1597-1682) è la basilica della Salute, una costruzione circolare come era la versione originale di San Pietro fatta da Michelangelo (pag. 56), in cui lo spazio interno dell'enorme cupola diventa infinito. A Torino primeggia **Amedeo di Castellamonte** (1610-1683), architetto e, soprattutto, urbanista, che ridisegna il centro della città; a Milano troviamo **Francesco Maria Richini** (1584-1658), a Napoli **Cosimo Fanzago** (1591-1678); decine di grandi architetti lavorano nel Sud, creando quell'Italia barocca che va dalla Sicilia a Lecce, in Puglia, la città barocca più famosa.

La scultura del Seicento

Parlando di architettura romana abbiamo già incontrato **Lorenzo Bernini**, tra i maggiori scultori di tutti i tempi, che è stato anche pittore, au-

Lorenzo Bernini, *Apollo e Dafne*, 1625

tore e scenografo teatrale. I suoi ritratti in marmo sono delle vere e proprie analisi psicologiche, le sue statue fermano nel marmo il movimento, spesso violento.

Tipico della scultura barocca è il forte contrasto tra luci e ombre, parallelo a quello di Caravaggio; un altro aspetto è la costruzione di gruppi, non più solo di statue individuali: nel gruppo, i vari personaggi sono stretti l'uno all'altro, spesso in lotta, e creano uno spazio vuoto tra loro, proprio come le grandi cupole delle chiese. Nella foto vedi *Apollo e Dafne* (1625): il dio cerca di violentare la ninfa, che si difende trasformandosi in un albero di alloro.

La nascita del melodramma

Mentre la musica sacra prosegue nella tradizione polifonica di Pierluigi da Palestrina (pag. 57), si impone la musica scritta per divertire: i madrigali e, nuova invenzione, il teatro in musica, il melodramma, più noto come 'opera'.

Il più importante è **Claudio Monteverdi** (1567-1643), il primo musicista 'rappresentativo', come egli stesso si definisce. Sappiamo che molti madrigali, cantati con l'accompagnamento di un liuto o di un piccolo gruppo di strumentisti, vengono 'rappresentati', con la logica dei 'quadri viventi' tanto di moda nel mondo barocco.

Monteverdi è il primo musicista ad essere anche uomo di teatro, innamorato della dimensione 'rappresentativa'. La sua prima opera è *Orfeo*, eseguito nel 1607 a Mantova, alla corte dei Gonzaga, che contiene già tutti i più importanti elementi dell'opera: i recitativi, le arie, i ritornelli, gli inserti di danze, il coro, l'orchestra. Nel 1608 compone *Arianna*. Per quarant'anni dirige la Cappella Marciana, cioè il coro di San Marco a Venezia, scrivendo centinaia di musiche religiose, poi il successo lo porta a Vienna. Torna a Venezia dove mette in scena *L'incoronazione di Poppea* (1643) e lo straordinario successo lo trasforma nel modello di autore melodrammatico per tutto il secolo seguente in Europa.

L'Illuminismo lombardo: Cesare Beccaria

Abbiamo visto nell'introduzione a questo periodo che l'Illuminismo entra in tutti gli stati italiani, tranne nello Stato della Chiesa. Gli intellettuali non sono più cortigiani, diventano 'giornalisti' e continuano la tradizione rinascimentale dei trattati, che vengono poi discussi nelle Botteghe del Caffè, luoghi di incontro della borghesia.

Milano è uno dei centri illuministi più importanti e tra le varie figure emerge Cesare Beccaria (1738-1794), autore di un'opera fondamentale per capire la novità del Settecento: *Dei delitti e delle pene* (1764), famosa in tutta Europa, destinata ai sovrani 'illuminati' che fanno del bene all'umanità. Nel 1786 il granduca di Toscana Pietro Leopoldo applicò le idee del pensatore milanese con una riforma della legislazione penale.

L'idea principale di Beccaria è il rifiuto della tortura e della condanna a morte, che non servono a migliorare l'uomo, ma solo ad annullarlo. È uno dei testi che ha contribuito a creare la moderna civiltà europea.

L'Italia e l'Europa del Settecento

In Europa gli avvenimenti principali sono la Rivoluzione industriale in Inghilterra, che segna la vittoria della borghesia produttiva rispetto all'aristocrazia terriera, e la Rivoluzione Francese, che cancella il potere assoluto dei sovrani.

In questo secolo l'Italia soffre ancora per il declino economico del Seicento, è l'oggetto dei giochi diplomatici degli stati europei più potenti, che si scambiano ducati o regioni come se fossero cose e non Stati con una storia e centinaia di migliaia di abitanti. L'Austria domina nel Nord, dove le riforme "illuminate" riorganizzano le strutture economiche e sociali, particolarmente in Lombardia. Anche in Toscana e nel Regno di Napoli c'è una riorganizzazione dello Stato in senso moderno. Ma il potere dei sovrani rimane enorme e quindi anche l'Italia viene travolta dalla rivoluzione borghese nata in Francia.

Nella cartina vedi l'Italia a metà Settecento: ci sono 5 grandi stati (il Regno di Sardegna, guidato dai Savoia, a nord-ovest; la Repubblica di Venezia a nord-est; il Granducato di Toscana e lo Stato della Chiesa al centro, il Regno di Napoli al sud), e un certo numero di ducati, quasi tutti sotto il dominio straniero (Milano, Parma, Mantova, Modena, Piombino, ecc.).

EDILINGUA

32 *Dei delitti e delle pene*

Guida alla lettura

Nelle righe qui sotto trovi il brano più importante del trattato di Beccaria. L'autore vuole convincere i governanti ad abbandonare la pena di morte, dimostrando che non è un diritto del sovrano. Ogni cittadino rinuncia ad una piccola parte della propria libertà e la dà allo Stato, che lo protegge e organizza la sua vita. Certo tra queste libertà che dà alla legge, nessun cittadino include il suo diritto a vivere, perché nessuno vuole dare ad altri il potere di uccidere. Quindi le leggi, che sono la somma di questi pezzetti di libertà individuali dati allo Stato, non hanno il diritto di uccidere.

Nei capitoli successivi Beccaria esamina l'inutilità della pena di morte e critica anche l'uso della tortura, che nel Settecento era ancora un metodo impiegato per far confessare i prigionieri.

Questa inutile prodigalità di supplicii[1], che non ha mai resi migliori gli uomini, mi ha spinto ad esaminare se la morte sia veramente utile e giusta in un governo bene organizzato.

Qual può essere il diritto che si attribuiscono gli uomini di trucidare i loro simili[2]? Non certamente quello da cui risulta la sovranità e le leggi. Esse non sono che una somma delle minime porzioni della privata libertà di ciascuno; esse rappresentano la volontà generale, che è l'aggregato delle particolari[3].

Chi è mai colui che abbia voluto lasciare ad altri uomini l'arbitrio[4] di ucciderlo? Come mai nel minimo sacrificio della libertà di ciascuno vi può essere quello del massimo tra tutti i beni, la vita? E se ciò fu fatto, come si accorda un tal principio coll'altro, che l'uomo non è padrone di uccidersi, e doveva esserlo se ha potuto dare altrui questo diritto o alla società intera?

Non è dunque la pena di morte un diritto, mentre ho dimostrato che tale essere non può[5], ma è una guerra della nazione con un cittadino, perché giudica necessaria o utile la distruzione del suo essere. Ma se dimostrerò non essere la morte né utile né necessaria, avrò vinto la causa dell'umanità.

Un'illustrazione dall'edizione veneziana del 1797 di *Dei delitti e delle pene*.

1. Abbondanza di torture. - **2.** Uccidere altri uomini. - **3.** La somma di queste piccole libertà di ciascuno. - **4.** Il potere assoluto. - **5.** Perché ho dimostrato che non può esserlo.

Analisi

a. Beccaria pone una serie di domande retoriche, cioè domande la cui risposta è ovvia, e in tal modo porta il lettore alla conclusione cui vuole farlo arrivare. Rispondi alle domande che pone Beccaria:
   - chi dà allo Stato il diritto *che si attribuiscono gli uomini di trucidare i loro simili*?
   - chi mai vuole *lasciare ad altri uomini l'arbitrio di ucciderlo*?
   - *nel minimo sacrificio della libertà* che ciascuno dà allo Stato è incluso il potere sulla propria vita?
   - visto che *l'uomo non è padrone di uccidersi*, sarebbe possibile a qualcuno regalare allo Stato il diritto di ucciderlo?

   Siccome la risposta è sempre 'nessuno' o 'no', la conclusione di Beccaria è chiara: *Non è dunque la pena di morte un* ....

b. La frase che segue quella che hai appena completato è ancora più chiara: non solo la pena di morte non è un diritto, *ma è una* .... *della nazione con un cittadino*.

c. I filosofi amano usare le forme impersonali, ciò gli permette in qualche modo di distaccarsi dal loro ragionamento. Quale persona verbale usa Beccaria?

Riflessione

In molti stati di oggi viene applicata la pena di morte. Secondo te, il ragionamento di Beccaria si applica anche alla società d'oggi? Perché sì o no? Discutine con i tuoi compagni.

Un'ultima informazione: l'Italia esclude la pena di morte; perfino nel Codice Penale Militare di Guerra non è prevista la pena di morte, per nessuna ragione – dal tradimento alla diserzione.

L'Illuminismo lombardo: Giuseppe Parini

In America l'Illuminismo porta a rifiutare il potere degli aristocratici coloniali, a favore della borghesia che sta creando la propria ricchezza con il lavoro e l'imprenditoria; in Francia la critica alla nobiltà e al clero (cioè a tutto il 'personale' della Chiesa) prende corpo con la Rivoluzione del 1789, che porta sulla ghigliottina la famiglia reale e moltissimi aristocratici. In Italia non c'è una rivoluzione – anche se la borghesia sarà dalla parte dei rivoluzionari, in particolare di Napoleone, almeno nella sua fase iniziale. Ma gli intellettuali criticano in modo diretto l'aristocrazia, vista come una classe di parassiti che vive alle spalle della borghesia e dei poveri contadini.

Oltre a Beccaria, un grande esponente dell'illuminismo milanese è Giuseppe Parini.

Parini e la poesia civile

La poesia di Parini è poesia illuministica, piena di passione civile. La sua opera principale è *Il giorno*, che descrive la vita superficiale e oziosa della nobiltà, vista come un insieme di persone squallide, arroganti, che vivono come parassiti sfruttando gli altri. È una satira elegante e insieme feroce. *Il giorno* è diviso in quattro parti, in cui Parini descrive un "giovin signore", un ricco, giovane aristocratico che riempie la sua vita di cose stupide (purché costose!), un vuoto senza alcuna dignità ma con tanta arroganza nei confronti degli 'inferiori', senza alcun rispetto per il duro lavoro degli altri. Sembra una guida alla rivoluzione, anche se condotta con raffinatezza e grande eleganza.

Guida alla lettura

Parini descrive il momento della giornata in cui il giovane nobile si mette a tavola con la sua dama. Il tema, trattato con ironia, è il contrasto tra la condizione privilegiata della nobiltà e la miseria senza speranza della plebe, che ha coltivato quel cibo ma non lo può toccare.

Altri illuministi italiani

In queste pagine possiamo dare spazio solo agli illuministi lombardi, piemontesi e veneti ma questa corrente di pensiero si afferma in tutta Italia. C'è una forte presenza illuminista anche a Napoli, una delle grandi capitali europee del Settecento. Qui il re Carlo di Borbone è abbastanza aperto alla riflessione sulla giustizia sociale e quindi trovano spazio economisti che descrivono il nuovo mondo della rivoluzione industriale e dell'imprenditoria (**Antonio Genovesi, Ferrante de Gemmis, Giuseppe Palmieri**) e riflettono sul nuovo tipo di diritto necessario alla nuova società: il maggior giurista è **Gaetano Filangeri**. Il principale intellettuale a Napoli è il filosofo e giurista **Giambattista Vico**, che vede la storia come un processo regolato da sue leggi interne, i "corsi e ricorsi" della storia, che non significano che la storia si ripete, ma che i princìpi che la governano sono sempre gli stessi, e si possono studiare e guidare con il Diritto.

Un altro grande pensatore e storico è **Lodovico Muratori**, modenese, il cui libro *Della pubblica felicità* ispirerà la sezione della Costituzione americana che afferma che ogni cittadino ha diritto alla *pursuit of happiness*.

Giuseppe Parini (1729-1799)

Parini nasce in Lombardia e studia in un collegio religioso a Milano. Pur rimanendo religioso (nel 1754 diventa sacerdote), frequenta i circoli e i caffè dove conosce intellettuali di idee illuministe. Per vivere, lavora come insegnante privato per famiglie aristocratiche, e proprio da questa sua conoscenza diretta trae il materiale per il trattato *Dialogo sopra la nobiltà*, e soprattutto per il suo poemetto satirico *Il giorno*, in cui descrive la giornata del 'giovin signore'. Negli anni Cinquanta scrive *Il mattino*, che è la prima parte del poemetto, e negli anni successivi aggiunge *Il mezzogiorno*, *Vespro* e *Notte*.

Compone anche numerose *Odi*, opere in versi di argomento sociale e politico, oltre a un trattato, *Discorso sopra la poesia*, in cui esalta il linguaggio della poesia.

EDILINGUA

33 *E quasi bovi al suol curvati*

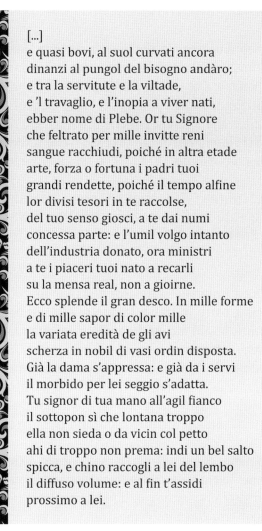

[...]
e quasi bovi, al suol curvati ancora
dinanzi al pungol del bisogno andàro;
e tra la servitute e la viltade,
e 'l travaglio, e l'inopia a viver nati,
ebber nome di Plebe. Or tu Signore
che feltrato per mille invitte reni
sangue racchiudi, poiché in altra etade
arte, forza o fortuna i padri tuoi
grandi rendette, poiché il tempo alfine
lor divisi tesori in te raccolse,
del tuo senso giosci, a te dai numi
concessa parte: e l'umil volgo intanto
dell'industria donato, ora ministri
a te i piaceri tuoi nato a recarli
su la mensa real, non a gioirne.
Ecco splende il gran desco. In mille forme
e di mille sapor di color mille
la variata eredità de gli avi
scherza in nobil di vasi ordin disposta.
Già la dama s'appressa: e già da i servi
il morbido per lei seggio s'adatta.
Tu signor di tua mano all'agil fianco
il sottopon sì che lontana troppo
ella non sieda o da vicin col petto
ahi di troppo non prema: indi un bel salto
spicca, e chino raccogli a lei del lembo
il diffuso volume: e al fin t'assidi
prossimo a lei.

*Quasi come buoi con le schiene curve al suolo,
continuano ad andare avanti spinti dal bisogno con il suo
bastone appuntito; sono nati tra i servi e i poveri,
destinati al duro lavoro e alla miseria:
si chiamano "plebe" (cioè, povera gente). Invece tu,
giovane signore, hai un sangue nobile, filtrato da mille
anni da reni (sta per 'corpi') che non si sono mai piegati (in
segno di sconfitta) perchè in passato la capacità, la forza o
la fortuna hanno fatto diventare grandi i tuoi antenati; e il
tempo, alla fine, ti ha fatto ereditare i loro tesori.
Godi della parte di piaceri che il destino ti ha dato;
mentre la povera gente
ti fa da servitore e ti prepara la tavola regale,
in modo che tu – non loro – possa goderne.*

*Ecco, la tavola è bellissima. In mille forme,
in mille sapori, in mille colori è disposta sulla tavola
la ricchezza della tua famiglia.*

*Ora la nobile signora si avvicina: e
subito la servitù le prepara la sedia, per farla stare comoda.
E anche tu, signore, fai in modo che la dama sia comoda:
che non sia troppo lontana dalla tavola
o troppo vicina, che il suo petto non sia schiacciato;
poi chinati velocemente
per sistemare il grande vestito;
e finalmente siediti
vicino a lei.*

Analisi

La sintassi del Parini è molto complessa e segue lo stile della sintassi latina, per cui l'ordine logico (soggetto, verbo, complemento oggetto, ecc.) scompare.
Cerca di riordinare i seguenti periodi, usando le stesse parole:

a. *e quasi bovi, al suol curvati ancora dinanzi al pungol del bisogno andàro,* ....

b. *arte, forza o fortuna i padri tuoi grandi rendette,* ....

c. *In mille forme e di mille sapor di color mille la variata eredità de gli avi scherza in nobil di vasi ordin disposta.* ....

d. *il morbido per lei seggio s'adatta.* ....

Quale parte del discorso tende a finire in fondo alla frase?

Riflessione

Oggi, un autore che contrappone il ricco, visto come parassita, e il povero, visto come vittima, è considerato di estrema sinistra. Non possiamo applicare i nostri parametri al Settecento – Marx non era ancora nato quando Parini scriveva *Il giorno* – eppure è difficile non leggere questo testo senza vedervi un'accusa sociale violenta, chiara, precisa.
Cosa ne pensi? Esistono ancora i "giovin signori" e le "dame", anche se in abiti griffati anziché in abiti di damasco e seta? Discutine con i tuoi compagni.

Vittorio Alfieri

Il teatro del Settecento

Nel Seicento il contributo del teatro italiano a quello europeo è dato dalla *Commedia dell'Arte*, improvvisazione di attori eccezionali su un 'canovaccio', una linea generale della trama. Ma in Europa il Seicento offre il teatro di Shakespeare e Ben Jonson, di Racine, Corneille e Molière, e quindi nel nuovo secolo comincia il declino della Commedia dell'Arte. In Europa inizia il dominio della tragedia sulla commedia e anche nell'Italia in crisi non si pensa ad altro che a figure eroiche e tragiche.

Il maggior tragediografo del primo Settecento è il veronese **Scipione Maffei** (1675-1755), che scrive la prima tragedia di grande respiro in Italia dopo circa due secoli: *Merope* (1713), che ha un enorme successo e viene tradotta in francese da Voltaire.

La seconda metà del Settecento è dominata da **Alfieri** e **Goldoni** (pag. 78), tragico il primo, realista e ironico il secondo. Per il resto, il panorama del teatro in questo secolo è poverissimo, tranne che per il teatro in musica, legato al nome di **Metastasio** e **Da Ponte** (pag. 83).

Vittorio Alfieri, un uomo libero

Alfieri (1749-1803), piemontese, ha una personalità intensa ed originale che parte dall'Illuminismo francese (il Piemonte è nel ducato dei Savoia, parte in Francia e parte in Italia: la lingua e la cultura francese sono quelle ufficiali della corte) ma va oltre l'Illuminismo, in alcune tragedie si respira già il Romanticismo che stava conquistando l'Europa dalla fine del Settecento.

Questo autore di poesie, trattati e tragedie vive nel periodo della Rivoluzione Francese e non ne apprezza le violenze eccessive, il fanatismo, il tradimento di quella "Dea Ragione" da cui era partito tutto. In un periodo di censura, polizia, violenza politica, Alfieri trasforma la sua passione politica illuminista in un conflitto interiore, suo e dei suoi eroi tragici; è un aristocratico solitario che cerca la tranquillità spirituale, senza trovarla mai.

Quindi, la ricerca della libertà, punto iniziale della pace dell'animo, diventa l'argomento centrale delle sue tragedie e dei suoi saggi politici. In un tempo di rivoluzione, in cui un giovane rivoluzionario come Napoleone prima accende le speranze contro la tirannia e poi si fa imperatore, la libertà non è politica, non è calata nella storia: è una libertà interiore, che i suoi eroi cercano, combattendo contro un tiranno. Proprio per accentuare il valore non-politico del suo pensiero, né le trame né l'ambientazione sono realistiche, i personaggi non sono uomini ma vere e proprie personalizzazioni dell'idea di libertà.

Saul e Mirra: due personaggi ormai romantici

I due capolavori di Alfieri, le tragedie *Saul* (1782) e *Mirra* (1786), non rappresentano una lotta politica, ma una lotta interiore di personaggi inquieti, tormentati, che hanno ideali e desideri infiniti che non potranno mai essere soddisfatti: in questo sono eroi totalmente romantici.

Saul racconta l'ultima giornata di vita del re degli ebrei, un uomo disperato, pieno di invidia per il giovane valoroso David in cui vede insieme il successore che può salvare Israele e il giovane uomo che Saul è stato ma non è più. La tragedia si conclude con il suicidio, che libera Saul da se stesso, dalla propria gelosia, dal rimpianto per la giovinezza.

Allo stesso modo Mirra è sola, non può parlare a nessuno di un sentimento che la domina e di cui, al tempo stesso, si vergogna: è innamorata di suo padre, il re di Cipro, e odia la madre perché è la donna che lui ama. Anche in questo caso la libertà ha un prezzo tremendo, il suicidio.

Così Alfieri conclude l'età della passione politica dell'Illuminismo e apre una nuova epoca culturale, in cui protagonista è l'eroe romantico, sempre in lotta con se stesso e con il mondo.

Online per te
Online trovi il **Testo 34**, un altro sonetto di Alfieri (*Sublime specchio di veraci detti*), e anche la sua scheda biografica.

EDILINGUA

35 *Tacito orror di solitaria selva*

Guida alla lettura

In questo sonetto ed in quello che trovi tra i testi supplementari online (Testo 34), Alfieri descrive se stesso: qui ci mostra il suo carattere, nell'altro si descrive fisicamente (ma non solo). L'immagine che Alfieri vuole dare di sé è grandiosa: un solitario eroe che sfida la natura selvaggia, i potenti, ma soprattutto la morte. Secondo la percezione diffusa, questo è l'inizio di un atteggiamento "romantico", anche se il ragionamento è condotto secondo la razionalità del Settecento.

Tacito orror di solitaria selva di sì dolce tristezza il cor mi bea, che in essa al par di me non si ricrea tra' figli suoi nessuna orrida belva.	Il silenzioso terrore di una foresta solitaria mi riempie il cuore di una tristezza così dolce che nessuno riesce a provare, neanche una belva selvaggia in mezzo ai suoi cuccioli.
E quanto addentro più il mio pie' s'inselva, tanto più calma e gioia in me si crea; onde membrando com'io la godea, spesso mia mente poscia si rinselva.	E quanto più cammino dentro la foresta, tanta più calma e gioia provo; così che ricordando il piacere provato nella foresta, spesso la mia mente ritorna in quel luogo.
Non ch'io gli uomini abborra, e che in me stesso mende non vegga, e più che in altri assai; né ch'io mi creda al buon sentier più appresso;	Non odio gli uomini, né penso di essere senza difetti, anzi ne ho più di altri uomini; né credo di essere più vicino di altri alla strada della saggezza;
ma non mi piacque il vil mio secol mai: e dal pesante regal giogo oppresso, sol nei deserti taccion i miei guai.	ma il mio secolo, così vile, non mi è mai piaciuto: e oppresso dal potere dei governanti, solo nei deserti possono tacere i miei lamenti.

Analisi

a. Il sonetto è costruito in maniera 'circolare', attraverso una forte somiglianza tra il primo e l'ultimo verso del sonetto; scrivi per ogni parola del primo verso la corrispondente dell'ultimo verso:
   - *tacito*: ....
   - *solitaria*: ....

b. Alfieri, uomo di teatro e quindi di parola pronunciata, non solo scritta, è molto attento ai suoni; ad esempio,
   - nel verso 1 c'è una doppia allitterazione: .... *orror di* ...., le due 't' di *tacito* (parola che nella pronuncia si lega a *orror*, quasi fosse *taci torror*) e le due 's' di *solitaria selva*;
   - nel verso 7 c'è il gioco di 'nd' e 'm': .... *com'io la godea*;
   - nel verso 12 torna l'allitterazione: .... *non mi piacque il vil* .... *secol* ....

c. Anche il ritmo diventa uno strumento di espressione: leggi ad alta voce la seconda quartina, che descrive la calma della solitudine: il ritmo è tranquillo, disteso; com'è il ritmo del verso 12, che descrive un mondo 'vile' e brutto?

Riflessione

Alfieri è uno spirito libero, un lupo solitario, una persona chiaramente difficile per chi gli sta intorno e vorrebbe che facesse 'il bravo', si comportasse come un nobile della sua condizione dovrebbe comportarsi. Lo senti vicino all'ideale di molti tuoi coetanei del 21° secolo?
Vorresti essere un po' come Alfieri, almeno come si dipinge in questo sonetto (e in quello online, che ti consigliamo di leggere)?
Discuti questi temi con i tuoi compagni.

Carlo Goldoni

La fine del Settecento è un momento incredibile: la rivoluzione illuminista di Voltaire, Diderot, Beccaria; la rivoluzione scientifica di Newton, Lavoisier, Galvani, Volta e degli altri scienziati; la rivoluzione dell'economia liberista di Adam Smith, dopo secoli di mercato guidato da una ristretta classe dirigente, e la contemporanea rivoluzione industriale; la rivoluzione musicale di Mozart; la Rivoluzione americana che libera un continente; la Rivoluzione francese, che Goldoni vive in prima persona a Parigi fino alla sua morte nel 1793.

Non sono rivoluzioni solo nella storia con la "S" maiuscola, ma anche nella vita delle singole persone, nelle città piccole come in quelle grandi, e Goldoni è forse uno dei più intelligenti interpreti di questo cambiamento.

Teatro di San Samuele, Venezia. Diretto per alcuni anni da Carlo Goldoni, è stato uno dei principali teatri della città.

Goldoni è veneziano e parigino, così come un altro grande intellettuale, **Giacomo Casanova**, anche lui veneziano e parigino insieme: sono gli ultimi cantori della Repubblica Serenissima, che lentamente si spegne, fino a quando Napoleone la vende all'Austria nel 1797, chiudendo così la storia della più lunga repubblica della storia.

Le maschere e la Commedia dell'Arte

La Commedia dell'Arte, nata nel Cinquecento e ancora dominante all'inizio del Settecento, era un modo di concepire il teatro diverso rispetto a quello nostro: non c'era un testo scritto ma solo un 'canovaccio', con la lista degli episodi e delle scene, su cui gli attori improvvisavano. Erano attori professionisti, che lavoravano nei primi teatri a pagamento.

I personaggi non erano realistici, erano 'maschere', cioè dei tipi fissi e conosciuti in tutti gli stati in cui era divisa l'Italia:

Arlecchino, con il vestito di mille colori, servo un po' stupido, un po' ladro, sempre affamato; in origine è una maschera di Bergamo, ma Goldoni la trasforma in un popolano di Venezia.

Il dottor Balanzone, bolognese, l'intellettuale che parla su ogni argomento, convinto di sapere tutto, mentre in realtà dice sciocchezze a non finire, in un italiano pieno di parole latine spesso inventate.

Pulcinella, la maschera napoletana più nota, ha la gobba e la pancia come alcuni personaggi delle commedie latine dei secoli avanti Cristo: è un servo, come Arlecchino, ma mentre quello è sempre allegro, Pulcinella ha un fondo di tristezza.

Pantalone, il mercante veneziano ormai avanti negli anni, che si crede ancora affascinante e cerca di sedurre tutte le donne che incontra, anche se poi viene preso in giro e paga per tutti.

Ci sono molte altre maschere, dal torinese Gianduia al modenese Sandrón, dal bergamasco Brighella (il servo furbo, mentre Arlecchino era quello sciocco), ai romani Meo Patacca e Rugantino.

EDILINGUA

L'innovazione teatrale di Goldoni

La Commedia dell'Arte aveva un realismo volgare, serviva solo per divertire il pubblico.
Goldoni cambia tutto, provocando anche violente reazioni:

a. descrive situazioni reali, con personaggi che rappresentano tipi umani socialmente definiti, ma anche classi sociali in conflitto tra loro, soprattutto borghesi contro nobili; sono personaggi contemporanei, onesti e disonesti, furbi e ingenui, intraprendenti e parassiti, descritti con ironia;

b. c'è attenzione per il mondo femminile, come Mirandolina in *La Locandiera* e molte altre donne delle sue tante commedie; nella Commedia dell'Arte la donna era solo oggetto di tentativi di seduzione, in Goldoni le donne sono più forti e positive dei personaggi maschili;

c. i personaggi usano una lingua moderna, non letteraria, a volte parlano in lingua veneta, ma senza il gusto volgare della Commedia dell'Arte;

d. soprattutto, Goldoni sostituisce l'improvvisazione con un testo scritto per gli attori e con precise indicazioni per il 'capocomico', cioè il regista.

La riforma goldoniana richiede anni e anni, perché sia per gli attori sia per il pubblico si trattava di una vera e propria rivoluzione; all'inizio, Goldoni scrive solo il testo del protagonista, lasciando che gli altri improvvisino, ma dal 1743, con *La Donna di Garbo*, Goldoni scrive interamente le commedie e semplifica gli intrecci, con un'attenzione alla coerenza psicologica dei personaggi.

La nuova commedia borghese

L'Illuminismo spingeva gli intellettuali a descrivere la realtà sociale; a Venezia la classe sociale più importante era la borghesia mercantile, quella dei traffici e dei commerci, mentre i nobili erano in crisi profonda. Il contrasto tra queste classi è l'anima del teatro goldoniano.

La sua commedia, scritta, senza maschere, fatta di personaggi concreti, è tipica di una sensibilità nuova, europea. Goldoni, intellettuale borghese, rappresenta questo mondo in modo lieve, ne descrive i suoi sogni, le idee; è lo scrittore che meglio ha rappresentato la cultura e gli ideali della borghesia italiana del Settecento. Con la sua cultura illuministica, egli riesce a capire e a descrivere le trasformazioni sociali della sua epoca, rinnovando, allo stesso tempo, gli schemi del teatro tradizionale e mettendo in scena personaggi e situazioni moderne.

Nei *Rusteghi* e in *Sior Todero Brontolón*, l'autore presenta in modo comico il contrasto tra la nuova e la vecchia generazione; nella *Locandiera*, la protagonista domina gli altri personaggi non perché segue grandi ideali, ma perché è furba e intrigante. Nelle ultime commedie (*Il Campiello, Le baruffe chiozzotte*) ci saranno nuovi personaggi, pescatori e artigiani che rappresentano una Venezia del popolo, con scene di vita quotidiana molto movimentate e divertenti.

Carlo Goldoni (1707-1793)
Carlo Goldoni nasce a Venezia in una famiglia borghese. A 14 anni fugge dal collegio per viaggiare con una compagnia teatrale. Si laurea in Legge a Padova – ma preferisce il teatro ai tribunali e non farà mai l'avvocato.
Scrive la sua prima commedia nel 1738, *Il Momolo cortesan*. Nel 1743 scrive *La donna di Garbo*; negli anni Quaranta dirige il teatro di San Samuele, poi fino al 1752 lavora per il teatro Sant'Angelo di Venezia: qui mette in scena moltissime commedie, tra cui *Il servitore di due padroni, La vedova scaltra, La Bottega del caffè*, ecc. Nel 1753 scrive una delle commedie più famose, *La locandiera*, e passa ad un altro teatro veneziano, quello di San Luca; è ormai famosissimo e, soprattutto, è conosciuto come grande autore di libretti d'opera. Ne scrive più di 70, anche se oggi spesso si dimentica questa parte della produzione goldoniana.
Nella maturità scrive testi solo apparentemente comici, come *I Rusteghi, Sior Todero Brontolón, Le baruffe chiozzotte*, poi si trasferisce a Parigi, per fuggire dalle violente critiche alla sua riforma teatrale. Nel 1783 inizia a scrivere i *Mémoires*, la storia della sua vita, in francese. Muore a Parigi nel 1793.

36 *La locandiera*, L'innamoramento del Cavaliere

Guida alla lettura

Una *locanda* è un albergo e Mirandolina, la locandiera, è la padrona della locanda.
È una donna giovane, carina e furba. Molti clienti si innamorano di lei. In questa scena lei sta stirando, e continua a mandare Fabrizio, il cameriere innamorato di lei, a prendere un ferro caldo (in quei secoli il ferro veniva scaldato sulla stufa o riempito di carbone acceso). E poi c'è un cavaliere, un uomo anziano, cliente della locanda di Mirandolina. È ricco, non è sposato, disprezza le donne, ma si innamora di Mirandolina, che però vuole solo prenderlo in giro.

Mir. Fabrizio, il Cavaliere.
Fab. (*vedendo il cavaliere, s'ingelosisce*) Son qua.
Mir. (*prende il ferro*) È caldo bene?
Fab. (*sostenuto*) Signora sì.
Mir. (*a Fab., con tenerezza*): Che avete, che mi parete turbato[1]?
Fab. Niente, padrona, niente.
Mir. (*come sopra*) Avete male[2]?
Fab. Datemi l'altro ferro se volete che lo metta nel fuoco.
Mir. (*come sopra*) In verità, ho paura che abbiate male.
Cavaliere Via, dategli il ferro, e che se vada.
Mir. (*al cavaliere*) Gli voglio bene, sa ella[3]? È il mio cameriere fidato.
Cavaliere (*da sé, smaniando[4]*) Non posso più[5].
Mir. (*dà il ferro a Fab.*) Tenete, caro, scaldatelo.
Fab. (*con tenerezza*) Signora padrona...
Mir. (*lo scaccia*) Via, via, presto.
Fab. (*da sé*) Che vivere è questo? Sento che non posso più. (*Parte*)
Cavaliere Gran finezze, signora, al suo cameriere!
Mir. E per questo, che cosa vorrebbe dire?

Cavaliere Si vede che ne siete invaghita[6].
Mir. (*stirando*) Io innamorata di un cameriere? Mi fa un bel complimento, signore; non sono di sì cattivo gusto io. Quando volessi amare[7], non getterei il mio tempo sì malamente.
Cavaliere Voi meritereste l'amore di un re.
Mir. (*stirando*) Del re di spade, o del re di coppe[8].
Cavaliere Parliamo sul serio, Mirandolina, e lasciamo gli scherzi.
Mir. (*stirando*) Parli pure, che io l'ascolto.
Cavaliere Non potreste per un poco lasciar[9] di stirare?
Mir. Oh, perdoni! Mi preme allestire[10] questa biancheria per domani.
Cavaliere Vi preme[11] dunque quella biancheria più di me?
Mir. (*stirando*) Sicuro.
Cavaliere E ancora lo confermate?
Mir. (*stirando*) Certo. Perché di questa biancheria me ne ho da servire, e di lei non posso far capitale di niente[12].

---

1. Preoccupato. - **2.** State male? - **3.** Lei. - **4.** Parlando tra sé e sé, agitato. - **5.** Non ne posso più. - **6.** Innamorata. - **7.** Se volessi innamorarmi. - **8.** Sono i re delle carte da gioco. - **9.** Smettere. - **10.** Preparare. - **11.** Interessa. - **12.** Questa biancheria mi serve per il mio lavoro, mentre voi non mi servite a nulla.

Analisi

a. Anche il testo di Parini (Testo 33) accusa la nobiltà parassita. Ma il linguaggio usato da Parini è comprensibile solo a un nobile istruito in latino e nei classici. Com'è la lingua di Goldoni?

b. Il cavaliere parla, parla, cita i re; Mirandolina è una donna pratica, mentre lo ascolta continua a ...., e quando lui l'accusa di essere più interessata alla biancheria che a lui, lei spiega con chiarezza i suoi valori. Rileggi l'ultima battuta.

Secondo te, che impressione poteva fare su aristocratici e borghesi del Settecento la scelta linguistica di Goldoni?

Riflessione

Il mondo stava cambiando, pochi anni dopo in Francia la nobiltà sarebbe stata decapitata dalla Rivoluzione francese. Secondo te, Goldoni vuole far ridere o ha capito, come Parini, dove stava andando il mondo?
Forse Goldoni non è semplicemente un antico drammaturgo italiano, è più moderno di quanto si pensi. Discutine con i tuoi compagni e l'insegnante.

EDILINGUA

La loncandiera, La conclusione

Guida alla lettura

Siamo alla fine della commedia, Mirandolina ha fatto innamorare il Cavaliere

Mir. (*sola*): Oh meschina me! Sono nel brutto impe-gno[1]! Se il Cavaliere mi arriva, sto fresca[2]. Si è india-volato maledettamente. Non vorrei che il diavolo lo tentasse di venir qui. Voglio chiudere questa porta. (*Serra[3] la porta da dove è venuta.*) Ora principio qua-si a pentirmi di quel che ho fatto. È vero che mi sono assai divertita nel farmi correr dietro a tal segno[4] da un superbo, un disprezzator delle donne; ma ora che il satiro[5] è sulle furie, vedo in pericolo la mia riputa-zione e la mia vita medesima. Qui mi convien risolve-re qualche cosa di grande[6]. Son sola, non ho nessuno dal cuore che mi difenda. Non ci sarebbe altri che quel buon uomo di Fabrizio, che in tal caso mi potesse gio-vare[7]. Gli prometterò di sposarlo... Ma... prometti, pro-metti, si stancherà di credermi... Sarebbe quasi meglio ch'io lo sposassi davvero. Finalmente con un tal ma-trimonio posso sperar di mettere al coperto il mio in-teresse e la mia reputazione, senza pregiudicare[8] alla mia libertà.
Battono a questa porta: chi sarà mai? (*S'accosta[9].*)

Cavaliere Mirandolina. (*Di dentro[10].*)

Mir. (L'amico è qui). (*Da sé[11].*)

Cavaliere Mirandolina, apritemi. (*Come sopra.*)

Mir. (Aprirgli? Non sono sì gonza[12]). Che comanda, signor Cavaliere?

Cavaliere Apritemi... Mirandolina! (*Di dentro.*)

Mir. (L'amico è qui). (*Da sé.*)

Cavaliere Mirandolina, apritemi. (*Come sopra.*)

Mir. Favorisca andare[13] nella sua camera, e mi aspetti, che or ora[14] son da lei.

Cavaliere Perché non volete aprirmi? (*Come sopra.*)

Mir. Arrivano de' forestieri[15]. Mi faccia questa grazia, vada, che or ora sono da lei.

Cavaliere Vado: se non venite, povera voi. (*Parte.*)

Mir. Se non venite, povera voi! Povera me, se vi an-dassi. La cosa va sempre peggio. Rimediamoci, se si può. È andato via? (*Guarda al buco della chiave.*) Sì, sì, è andato. Mi aspetta in camera, ma non vi vado. Ehi? Fabrizio. (*Ad un'altra porta.*) Sarebbe bella che ora Fa-brizio si vendicasse di me, e non volesse... Oh, non vi è pericolo. Ho io certe manierine, certe smorfiette, che bisogna che caschino, se fossero di macigno[16]. Fabri-zio! (*Chiama ad un'altra porta.*)

Fab. Avete chiamato?

Mir. Venite qui; voglio farvi una confidenza.

Fab. Son qui.

Mir. Sappiate che il Cavaliere di Ripafratta si è scoperto innamorato di me.

Fab. Eh, me ne sono accorto.

Mir. Sì? Ve ne siete accorto? Io in verità non me ne sono mai avveduta.

Fab. Povera semplice! Non ve ne siete accorta! Non avete veduto, quando stiravate col ferro, le smor-fie che vi faceva? La gelosia che aveva di me?

Mir. Io che opero senza malizia[17], prendo le cose con indifferenza. Basta; ora mi ha dette certe parole, che in verità, Fabrizio, mi hanno fatto arrossire.

Fab. Vedete: questo vuol dire perché siete una giova-ne sola, senza padre, senza madre, senza nessu-no. Se foste maritata[18], non andrebbe così.

Mir. Orsù, capisco che dite bene; ho pensato di maritarmi!

1. Povera me, sono nei guai. - **2.** Avrò problemi. - **3.** Chiude. - **4.** Fino a questo punto. - **5.** Personaggio mitologico con forte carica sessuale. - **6.** Prendere una decisione importante. - **7.** Che possa aiutarmi in questa situazione. - **8.** Sacrificare. - **9.** Si avvicina alla porta. - **10.** Dall'altra stanza. - **11.** Tra sé e sé. - **12.** Stupida. - **13.** Per favore, vada. - **14.** Tra un momento. - **15.** Clienti che vengono da lontano. - **16.** Ho dei modi, delle dolcezze, che li faccio cadere anche se fossero delle pietre. - **17.** Che sono sincera. - **18.** Sposata.

Analisi

Hemingway dice che i grandi autori *show, don't tell*: mostrano le cose, non le spiegano. Goldoni mostra o spiega?

Riflessione

Secondo te, i nobili potevano sopportare questo finale? Potevano sopportare una donna padrona di sé, un'imprenditrice piccola, ma già borghese nell'anima, che vale perché il suo lavoro è ben fatto e non perché è nata nobile?
E le famiglie borghesi ricche, potevano apprezzare una donna che vuole essere libera? Mirra e Saul di Alfieri (pag. 76) ottengono la libertà nella morte, Mirandolina vince nella vita, è padrona di sé. 250 anni dopo, Mirandolina può ancora essere un modello per le donne di molte parti del mondo?

Seicento e Settecento

Il melodramma in italiano

La parola *melodramma* è stata creata partendo dal greco μέλος, *melos*, 'canto', 'musica' e, δρᾶμα, *dram(m)a*, che significa 'teatro': è dunque un *dramma in musica*, in cui la parola chiave è *dramma*, cioè teatro basato su un testo, il *libretto*.

Il melodramma inizia alla corte fiorentina dei Medici nel 1600; è l'evoluzione di un tipo di spettacolo già molto diffuso nelle corti: testi, spesso scritti da aristocratici, quindi da dilettanti, accompagnati dalla musica.

Goldoni ha lavorato spesso nel Teatro di San Moisè, uno dei più prestigiosi di Venezia. Il teatro non c'è più, ma ne troviamo ancora una traccia nel nome di una corte interna.

Nel 1607, Claudio Monteverdi (pag. 71) mette in scena *Orfeo*, che ha ancora molti *recitativi*, cioè dialoghi parlati, accompagnati da uno strumento musicale di sottofondo; nel 1643, in *L'incoronazione di Poppea*, ormai la musica tende a dominare il testo linguistico.

Nel 1637 a Venezia si inaugura il Teatro di San Cassiano, dedicato all'opera, con uno spazio per l'orchestra, un ampio palco per le coreografie: l'investimento imprenditoriale dimostra che ormai questo tipo di spettacolo aveva conquistato gli italiani.

La diffusione del melodramma in Italia e in Europa

Il melodramma conquista immediatamente le capitali italiane: Venezia, Roma, Firenze, Napoli. Nel giro di pochi anni anche le capitali straniere aprono teatri appositi per questo tipo di spettacolo, che richiede spazi ampi e investimenti importanti.

La Regina Caterina di Francia (una Medici cresciuta a Firenze) importa questo nuovo spettacolo e, negli anni Settanta, Giovanni Battista Lully lancia la *tragédie-lyrique*, nello stile delle grandi tragedie classicheggianti di Racine e Corneille.

In Inghilterra, nel 1689, Henry Purcell scrive la prima opera inglese, *Didone ed Enea*.

A Vienna, Monaco e nelle altre capitali tedesche si importano non tanto le opere quanto i compositori e i librettisti italiani.

Goldoni, Metastasio e i librettisti italiani a Vienna

Per la cultura viennese il tedesco poteva andar bene per i commerci, ma l'arte e la cultura si esprimevano in italiano, la "lingua degli angeli".

Quindi a corte i musicisti ufficiali sono italiani, come ad esempio **Salieri**, e per vari decenni l'italiano è la lingua usata dai due maggiori compositori del periodo, **Gluck** e **Mozart**, la cui trilogia italiana su testi di **Lorenzo Da Ponte** segna il massimo sviluppo dell'opera viennese del Settecento. Alla fine del Settecento, i temi mitologici di **Metastasio** e dei tanti librettisti italiani a Vienna sono ripetitivi. Quindi si afferma in Austria un genere operistico molto in voga in Italia, l'opera buffa di **Paisiello** e **Galuppi**, che spesso avevano come librettista **Carlo Goldoni**, capace di costruire intrecci teatrali perfettamente funzionanti. In soli 7 anni, dal 1783 al 1790, vengono messe in scena a Vienna una settantina di opere, un terzo delle quali commissionata appositamente, e ben 19 di queste con il libretto di Da Ponte, che dal 1783 è "Poeta dei Teatri Imperiali".

La lingua italiana del libretto e quella del teatro

Un testo scritto, per essere cantato, impone al librettista alcuni principi:

a. il libretto è sempre in versi, mentre il teatro buffo è quasi sempre in prosa. Ma, rispetto ai versi delle poesie e dei poemetti, i versi dei libretti sono molto semplici da capire, perché sono pensati per essere ascoltati e non letti;

b. il teatro in versi usa quasi sempre l'endecasillabo, che è un verso troppo lungo per il canto, dove il verso linguistico deve andare insieme al verso musicale, che è breve;

c. il libretto è quasi sempre in rima baciata, AA, BB, per consentire allo spettatore di cogliere le rime, mentre il teatro in versi non aveva quasi mai delle rime;

d. nella metrica del libretto non conta il numero di sillabe ma quello di accenti, che devono coincidere con gli accenti musicali;

e. la sintassi della poesia e del teatro in versi del Settecento, pensati per essere letti, era complessa; il libretto invece deve essere ascoltato e compreso malgrado i 'disturbi' della musica: come hai visto nel *Lamento di Arianna* (pag. 69), scritto in pieno periodo barocco, la sintassi del libretto è semplice, piana;

f. i librettisti italiani all'estero scrivono per stranieri, quindi usano un 'italiano per stranieri', semplice, facile.

Mentre le tragedie in versi, spesso lunghe e complesse, richiedevano all'autore mesi o anni di lavoro, i libretti erano brevi, spesso di poche pagine, perché molte strofe erano cantate più volte, e il tempo in cui c'era solo l'orchestra oppure c'era un balletto non richiedeva parole. Quindi i librettisti scrivevano spesso i loro testi in pochi giorni o settimane... e spesso la qualità era bassa, anche se geni come Metastasio, Goldoni, Da Ponte e altri, che troveremo nell'Ottocento e nel primo Novecento, erano dei grandissimi "poeti da teatro", come venivano chiamati i librettisti.

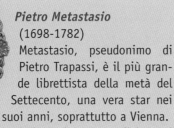

Pietro Metastasio
(1698-1782)
Metastasio, pseudonimo di Pietro Trapassi, è il più grande librettista della metà del Settecento, una vera star nei suoi anni, soprattutto a Vienna.
Precocissimo (a quattordici anni compone una tragedia nello stile del latino Seneca!), tenta la fortuna alla corte dei Papi, senza grande successo; va a Napoli, dove scrive testi per serenate e cantate; a 30 anni scrive testi per i maggiori musicisti dell'epoca, prima in Italia e, dal 1729, a Vienna, dove è anche insegnante di italiano a corte.
Nei 50 anni di carriera Metastasio ha scritto 27 melodrammi, sempre di tema storico o mitologico.

Lorenzo Da Ponte
(1749-1838)
Ebreo, povero, capisce che convertirsi al cristianesimo può aiutarlo e quindi diviene prete a Venezia, ma per la sua libertà sessuale viene espulso dalla Repubblica. Salieri, musicista di Corte, lo chiama a Vienna e Da Ponte diventa il librettista più famoso. I suoi capolavori sono i testi che scrive per Mozart: *Le nozze di Figaro, Don Giovanni* e *Così fan tutte*, perfette macchine teatrali, scritte in un italiano 'per stranieri', quindi semplice ed accessibile. Sono anni di successo, ma il suo comportamento lo fa fuggire anche da Vienna. Va a Londra, poi a Filadelfia e infine a New York, dove crea la prima cattedra di italiano alla Columbia University e introduce l'opera in America.

L'arte del Settecento

L'arte barocca esprimeva la crisi del secolo, era contorta, accentuava il contrasto tra ombra e luce, era innovativa nel tentativo di creare spazi infiniti – estremo desiderio di una società come quella italiana, prigioniera degli eserciti e dei nobili stranieri.

Nel Settecento finisce la lotta tra l'aristocrazia, rivolta al passato, e la borghesia, che costruisce il suo futuro; l'Illuminismo rasserena gli animi con la fiducia nella Ragione, e l'arte esprime questo nuovo stato d'animo con il suo **classicismo**.

L'architettura

L'architettura mostra all'esterno linee classiche, armoniose ed equilibrate, mentre gli interni dei palazzi e dei teatri, nei primi decenni, sono pieni di specchi e di stucchi dorati: è il rococò, forma estrema del gusto barocco. Nella seconda parte del secolo anche gli interni diventano semplici e armoniosi.

Basilica di Superga, Torino

Filippo Juvarra, nasce a Messina nel 1678, cresce artisticamente a Roma e costruisce a Torino la facciata dell'imponente Palazzo Madama e la maestosa Basilica di Superga. Finisce la sua carriera a Madrid, dove muore nel 1736.

L'architettura a Roma è grandiosa, come nella imponente e pittoresca gradinata di Trinità dei Monti, o nella celebre Fontana di Trevi, ricca di decorazioni.

Il palazzo reale più grandioso è opera di un architetto di Napoli, **Luigi Vanvitelli** (1700-1773): è la Reggia di Caserta, costruita per Carlo III, con il celebre parco con cascate, fontane e giochi d'acqua.

Reggia di Caserta

EDILINGUA

La pittura

La pittura nel Settecento è soprattutto veneziana, caratterizzata dai colori vivaci e dalla luce limpida. Il più grande pittore è **Giambattista Tiepolo** (1697-1770), con i suoi grandi affreschi e i suoi quadri per gli altari delle chiese, dai colori splendidi e leggeri. Molte città italiane chiamano Tiepolo, che viene invitato anche ad affrescare i soffitti del Palazzo Reale a Madrid, città dove muore. Tiepolo aveva creato la moda delle

Giambattista Tiepolo, *L'Olimpo e i quattro continenti*, Scalone d'onore, 1751-1753, affresco, Würzburg, Germania

visioni 'da sotto', dipingendo soffitti in modo da far dimenticare la materia ma da far vedere solo aria e cielo (nella foto, un soffitto di Würzburg).

Con lui, altri pittori famosissimi sono Antonio Canal, detto **Canaletto** (1697-1768) che dipinge con perfetto realismo delle *vedute*, grandi 'fotografie' di Venezia e dell'Inghilterra, dove vive a lungo.

Un altro veneziano è **Francesco Guardi** (1712-1793), che dipinge la città, con le sue feste ma anche con la malinconia grigia e azzurra della sua laguna. Mentre Canaletto cura la perfezione tecnica, Guardi è considerato un anticipatore dell'impressionismo, per le sue linee imprecise, più macchie di colore che disegno.

Antonio Canova, *Le tre grazie*, 1812-17

La scultura

L'architettura monumentale, i ricchi palazzi dei borghesi, le nuove chiese richiedevano moltissimi scultori, che spesso erano ottimi *artigiani* ma non certo *artisti*. La definizione di 'artista' vale soprattutto per un altro veneziano, **Antonio Canova** (1757-1822), il massimo scultore neoclassico e il perfetto rappresentante dello 'stile impero'.

Figlio di uno degli scultori-artigiani, di cui abbiamo parlato sopra, cresce a Venezia, ma poi viaggia nelle corti di Roma, Napoli, Vienna, Parigi, diventando lo scultore più famoso del suo tempo. La sua estetica è semplice: una perfezione tecnica impressionante al servizio della bellezza classica dei corpi, che non esprimono alcun sentimento se non la serenità, come *Le tre grazie*. E tutto questo, malgrado già nei primi anni dell'Ottocento il romanticismo esaltasse l'emozione, il sentimento, spesso anche l'imperfezione come segno dell'individualità di ciascuno.

L'economia che sosteneva l'arte nel Sei-Settecento

L'economia del XVIII secolo è legata a un nome, quello di Adam Smith, che definisce le linee del capitalismo dinamico. Gli aristocratici vivevano dei loro enormi feudi, cioè campagne coltivate da contadini poco pagati e molto tassati: avevano un capitale immobile, statico, che poteva crescere o diminuire solo per l'effetto di guerre. Fin dal Trecento, in Italia aveva cominciato a crescere la borghesia dei mercanti, dei grandi commercianti, dei banchieri: il capitale era più dinamico, non serviva solo per vivere nella ricchezza, ma doveva muoversi, allargarsi con l'acquisizione di altre banche, con nuove importazioni.

Adam Smith, perfetto esempio di pensatore illuminista, studia le famose "leggi del mercato" che regolano questo uso dinamico del capitale. Nella sua visione, il capitale che rimane fermo alla fine muore, mentre solo una produttività crescente, in un mondo libero (da cui *economia liberale*) da regole arbitrarie e da protezionismi di stato, può garantire il benessere, e quindi la felicità, o quanto meno la serenità delle persone. Persone che, se intelligenti e piene di iniziativa, possono accrescere il proprio status sociale senza i freni imposti dalla nobiltà, dalla Chiesa, dallo Stato.

L'Italia in pace

Il secondo Settecento regala mezzo secolo di pace: l'economia si riprende, la popolazione passa da 13 a 18 milioni di abitanti.

Napoli è la prima capitale ad accettare – anche se in modo limitato – il pensiero liberale: i re cercano di ridurre il potere dei grandi proprietari terrieri; ma anche la Milano austriaca, il Piemonte dei Savoia e la Toscana di Leopoldo di Lorena creano infrastrutture, canali, strade che consentono all'agricoltura di progredire: l'olio, il grano e il vino *made in Italy* conquistano i mercati europei.

Venezia e Genova, ormai tagliate fuori dai grandi commerci mondiali, si impoveriscono, ma le famiglie dei mercanti sono ancora ricchissime e investono in arte, palazzi, ville – e questo spiega anche perché parlando di scultura e pittura nelle pagine precedenti abbiamo parlato soprattutto di artisti veneziani.

L'unica vera industria in Italia in questo secolo è quella tessile, che al Nord porta grande ricchezza ai capitalisti e un certo benessere ai molti operai che lavorano con telai come questo in figura, usato per la tessitura della seta in Lombardia.

Telaio

L'intellettuale professionista

Tiepolo, Canova, Juvarra, Metastasio, Da Ponte, Salieri, Goldoni sono intellettuali che si mettono 'sul mercato' europeo e vanno dove i ricchi (nobili o borghesi, non importa) possono pagare le loro prestazioni: sono professionisti. Altri, come Vico, Muratori, Malpighi sono scienziati che lavorano nelle Università o, come Parini, sono insegnanti privati.

Una parte della ricchezza prodotta alimenta quindi l'arte, ma non più con la logica dei 'mecenati' rinascimentali, che *regalavano* l'ospitalità agli artisti. I ricchi del Settecento *comprano* la produzione degli artisti.

Pochissimi, come Alfieri, sono economicamente indipendenti.

EDILINGUA

Francesco Hayez, *L'ultimo bacio di Giulietta e Romeo* (1823)

L'Ottocento romantico

Il Neoclassicismo

Nel secondo Settecento e i primi anni dell'Ottocento un 'nuovo' classicismo (dopo quello umanisti-co) domina l'arte e la letteratura in Europa. Nel 1764 Winckelmann pubblica *Storia dell'arte antica*, punto di riferimento del neoclassicismo: l'arte greca torna ad essere modello di bellezza e armonia. **Vincenzo Monti** (1754-1828) è il poeta neoclassico più famoso, cui guardano giovani come Foscolo, Leopardi, Manzoni, ma anche grandi letterati europei. Poeta, drammaturgo, abile nell'esaltare pri-ma i Papi, poi Napoleone, poi gli austriaci, è ricordato soprattutto per la sua traduzione/riscrittura dell'*Iliade* (1810).

Il Romanticismo

La Ragione illuminista non ha portato la felicità e la giustizia, ma solo la rivoluzione e la tempesta na-poleonica, quindi ha deluso. Il Congresso di Vienna (1815), che riporta indietro l'orologio della storia, chiude il mondo settecentesco e apre la strada al Romanticismo (iniziato in realtà a fine Settecento in Germania e Inghilterra), caratterizzato da un grande desiderio di libertà individuale e sociale, dall'eroe solo, gigantesco nelle sue illusioni ed emozioni, destinato alla sconfitta. Per i romantici ogni uomo è un eroe, ogni popolo ha un suo cuore, e tutti, uomini e popoli devono essere liberi e indipendenti: questa idea porterà alle rivolte (i 'moti') che tra il 1820 e il 1848 scoppiano in tutta Italia.

La poesia diventa quindi il genere romantico più diffuso: è la voce dell'autore/eroe, lo specchio della sua anima, senza il controllo delle emozioni che era stato tipico del Settecento e del Neoclassicismo. In nome della libertà d'espressione, i poeti romantici rifiutano le regole della letteratura tradiziona-le, e parlano una lingua moderna, senza più la sintassi alla latina e i continui riferimenti mitologici tipici della poesia precedente. La letteratura romantica deve essere viva e vera, deve mostrare l'ani-mo del poeta, i valori di una società e le azioni eroiche del passato di un popolo.

La poesia di questo periodo, perciò, diversamente da quella classica destinata alle persone colte, è scritta per il 'popolo', costituito in realtà dalla borghesia, la nuova classe sociale in ascesa.

1815

Nel 1815 il Congresso di Vienna cancella l'Europa napoleonica e la riporta a prima della Rivoluzione francese: è la Restaurazione.

1818

Prima edizione della rivista *Il Conciliatore*, voce degli intel-lettuali lombardi anti-austriaci.

1821

Il re di Napoli concede una costituzione nel 1820 e i Savoia nel 1821.

1800

Il Romanticismo italiano

Il Romanticismo italiano è meno 'romantico', meno esagerato di quello europeo; la formazione classica di Foscolo, Leopardi ed altri romantici italiani controlla l'eccesso di emozionalità dello *Sturm und Drang* tedesco, o di poeti 'belli e dannati' come Byron o Shelley. Il Romanticismo italiano è molto legato ai concetti di nazione e popolo; la letteratura sente di dover educare il 'popolo', e lo fa soprattutto attraverso le riviste letterarie e filosofiche, dove si elaborano e si diffondono le nuove idee. Tra le più famose, il *Conciliatore* di Milano, diretto da Silvio Pellico, molto impegnato politicamente (quindi vittima della censura degli Austriaci) e *Antologia* di Firenze, molto aperta alle letterature europee, con traduzioni e recensioni che fanno conoscere gli autori stranieri agli italiani.

Le basi romantiche del Risorgimento

L'esaltazione dell'individuo – e anche un popolo è un individuo, in questo senso – porta a una letteratura patriottica, di esaltazione dell'italianità (visto che metà dell'Italia è sotto la dominazione straniera) e della libertà politica, che porta a continue rivolte e a brevi repubbliche costituzionali. Il Risorgimento è un movimento borghese di 'ri-sorgimento', ri-nascita dell'Italia, che nasce dopo il Congresso di Vienna (1815) e che durerà per mezzo secolo portando, nel 1861, all'Unità d'Italia (anche se il Nord-Est rimane austriaco ancora per anni e Roma viene conquistata solo nel 1870).

Tra gli autori patriottici ricordiamo **Giovanni Berchet** (1783- 1851), una delle anime del *Conciliatore* e primo teorico italiano del Romanticismo; **Goffredo Mameli** (1827-1849) che scrive per dare forza al popolo (è suo l'inno nazionale italiano, *Fratelli d'Italia*) e muore giovanissimo combattendo nella Repubblica Romana; **Silvio Pellico** (1789-1854), anche lui attivo nella rivista *Il Conciliatore*, membro della Carboneria (una società segreta di patrioti che si riunivano fingendosi commercianti di carbone), incarcerato dagli austriaci per quindici anni vicino a Praga. Tornato in libertà, Pellico pubblica *Le mie prigioni* (1832), opera di valore letterario, diventata famosa come manifesto della lotta contro gli stranieri.

Una funzione particolare di sostegno al Risorgimento è svolta dai musicisti, soprattutto da **Giuseppe Verdi**, che in molte opere esalta i popoli che combattono contro gli stranieri per riconquistare la loro libertà.

1820-1840

Tra gli anni Venti e Quaranta, in tutta Italia si succedono dei 'moti', cioè delle rivolte contro il potere assoluto dei re e contro gli austriaci che occupano la Lombardia e il Veneto. Nascono società segrete, tra cui la Carboneria.

1849

Nel 1849 scoppia la prima Guerra di Indipendenza, con i Piemontesi e i Francesi alleati contro gli Austriaci in Lombardia e Veneto.

1831

Giuseppe Mazzini fonda nel 1831 la *Giovine Italia*, un movimento indipendentista e repubblicano.

1848

Nel 1848 "succede un '48", come si dice ancora in Italia per indicare un periodo di violente trasformazioni. In Europa e in Italia ci sono continue rivolte e nascono delle repubbliche, che durano pochi giorni o pochi mesi.

1850

Ugo Foscolo

Basta uno sguardo al ritratto per capire che Foscolo non ha nulla a che fare con i letterati del Settecento: il suo è il viso di un uomo impulsivo e passionale, con un'adolescenza ed una giovinezza che dura molti più anni di quello che era normale per i suoi contemporanei.

Foscolo vive pienamente le contraddizioni di due secoli che Manzoni (pag. 104) descrive come "l'un contro l'altro armati". Uomo dai sentimenti profondi e violenti, quindi già pienamente romantico, continua a cercare l'equilibrio psicologico e artistico tipico del classicismo, l'opposto quindi del romanticismo; è un pessimista, deluso dalla politica e dalla storia, ma crede nelle illusioni, nella bellezza artistica capace di sconfiggere i 'barbari'.

Tra Neoclassicismo e Romanticismo

Ugo Foscolo segna, nella sua vita prima ancora che nelle sue opere, il passaggio dal Neoclassicismo al Romanticismo.

La sua prima opera importante è un romanzo epistolare, nella tradizione di molti romanzi sette-centeschi in tutt'Europa: *Ultime lettere di Jacopo Ortis*, nel quale contrasta il pessimismo storico, politico, razionale, con l'amore per l'Italia che diventa patria comune di tutti i giovani borghesi. Lo *Jacopo Ortis* è in realtà l'opera di un ragazzo – Foscolo ha 24 anni quando viene pubblicato – ed è un brutto romanzo... ma ha un grande successo sia perché dava voce ai nuovi ideali, sia perché, come abbiamo detto, è un romanzo epistolare e in Italia non ne erano mai stati scritti. In un romanzo, le lettere, a differenza della descrizione fatta da un narratore tradizionale, permettono di conoscere con le parole dei personaggi le loro emozioni, i pensieri.

Ma più che romanziere Foscolo è poeta.

Tra i 24 e i 25 anni scrive 12 sonetti, i suoi primi capolavori: sono ancora classici nella forma, nell'e-quilibrio, nell'italiano solenne, ma trattano temi già appassionatamente romantici. La scelta della forma sonetto, cioè la struttura più classica della poesia italiana, è indicativa del fatto che Foscolo non intende rompere con la grande tradizione. Ma sono i contenuti a rompere: sono le confessioni di un uomo nuovo, che ha abbandonato i porti sicuri della religione e della prudenza politica.

Pochi anni dopo, la vita di Foscolo sembra tranquillizzarsi, grazie anche all'incarico di insegnamento all'Università di Pavia. Sono anni in cui traduce poeti latini e greci (tra cui una parte dell'*Iliade*) e questo contatto con i classici emerge nelle due odi, *A Luigia Pallavicini caduta da cavallo* e *All'amica risanata*, che fanno rivivere la grande tradizione settecentesca legata alla mitologia, punto di riferi-

---

L'Italia ai tempi di Napoleone

Tra 1796 e il 1799 Napoleone conquista gran parte dell'Italia e fonda diverse re-pubbliche democratiche, sul modello di quella francese.

Nel 1804, quando Napoleone diventa imperatore, l'Italia è ormai tutta sotto il governo francese e le varie repubbliche si uniscono nel Regno d'Italia.

Dopo la sconfitta definitiva di Napoleone a Waterloo, nel 1815 il Congresso di Vienna apre un periodo di 'restaurazione', cioè di ritorno ai regni, ai ducati, agli stati precedenti.

In pochi anni si passa dall'entusiasmo per le scelte democratiche delle Repubbliche di fine '700 alla delusione per un Regno d'Italia satellite della Francia imperialista e per la restaurazione degli antichi regimi assoluti.

Le conseguenze del periodo napoleonico sono comunque importanti: si conferma il ruolo della borghesia, si rafforza l'idea che l'Italia è un'unica nazione, rimane attiva la modernizzazione giuridica e amministrativa portata dai francesi, ad esempio il 'catasto' che registra tutti gli edifici e ne indica la proprietà.

EDILINGUA

mento della bellezza e della perfezione; anche *Le Grazie*, un poemetto incompiuto, riprende il tema neoclassico dell'armonia che può tenere sotto controllo e dare un senso alle emozioni, alle passioni.

Dei Sepolcri

Il capolavoro di Foscolo è *Dei Sepolcri* (1806), scritto quando non ha ancora 30 anni.

È un poemetto che riprende la tradizione della poesia civile, quella cioè che ricostruisce le basi su cui un popolo può trovare unità e fini comuni. Nel contesto di questi anni, con Napoleone ancora pienamente al potere, quel Napoleone per il quale Foscolo ha combattuto e che in questi anni ha realizzato il Regno d'Italia, *Dei Sepolcri* diventa anche poesia politica: ribadisce che l'Italia, divisa da mille anni in regni e ducati spesso in guerra tra loro, è unita da secoli. Ad unirla sono state la cultura, la letteratura, l'arte, la scienza, l'eredità classica: quindi fare di Santa Croce, una chiesa di Firenze, un tempio con le tombe dei grandi italiani significa trovare un luogo simbolico dell'Italia da sempre unita nella sua vita intellettuale.

Oltre ad essere poesia civile e politica, *Dei Sepolcri* è anche poesia filosofica, che si interroga sulla morte e la vita dopo di lei.

Foscolo era ateo, non credeva nella vita dopo la morte. Quindi, i *Sepolcri* contengono polvere, non c'è nulla di immortale.

Ma anche se non c'è la vita eterna nell'aldilà, è possibile avere fama

Chiesa di Santa Croce, Firenze

eterna in questo mondo, presso il popolo italiano, per il modo in cui alcuni personaggi hanno celebrato e vissuto la gloria, l'amore per la patria e l'eroismo dei grandi italiani, la bellezza e l'arte di questo Paese, l'amicizia, gli affetti, le relazioni umane con altri grandi italiani. Il luogo che raccoglie questi Sepolcri è la chiesa di Santa Croce a Firenze (dove anche le ceneri di Foscolo verranno portate da Londra nel 1871).

Anche la forma stilistica non è più quella classica delle strofe in rima: il poemetto non è diviso in strofe ed è scritto in 'endecasillabi sciolti', cioè endecasillabi senza rima.

Ugo Foscolo (1778-1827)

La dimensione internazionale della sua figura è chiara da due dati: nasce a Zante (Zacinto), isola veneziana nel mar Ionio di fronte alla Grecia, da madre greca e padre veneziano, quando quest'isola è ancora parte della Repubblica Serenissima. Vive a Venezia, poi in Francia, poi a Milano, e passa gli ultimi anni a Londra, povero e malato, dove muore.

A Venezia entra nel mondo dei critici letterari, dei 'giornalisti' del tempo, e viene subito attratto dalle idee rivoluzionarie. Ma nel 1797 Napoleone vende Venezia agli Austriaci e Foscolo, neanche ventenne, vede questo fatto come un grave tradimento umano prima ancora che politico: nel suo romanzo epistolare (cioè costruito con le lettere, 'epistole', dei protagonisti) *Ultime lettere di Jacopo Ortis* descrive questo senso di delusione storica.

Tra il 1799 e il 1804 viaggia per l'Italia; malgrado la delusione per la vendita di Venezia, Foscolo combatte nell'esercito di Napoleone, si dedica ad avventure amorose, ad attività letterarie e all'impegno politico; in questo periodo compone le odi e i dodici sonetti.

A causa dei debiti e delle sue idee politiche, si trasferisce in Francia, per tornare a Milano nel 1806, dove compone i *Sepolcri*; nel 1812 è a Firenze: qui, in un periodo di relativa calma, inizia a comporre le *Grazie*. Nel 1815, con il ritorno degli Austriaci, Foscolo lascia l'Italia ed emigra in Inghilterra, dove muore.

38 *Alla sera*

Guida alla lettura

L'ultimo verso è l'autoritratto, in poche sillabe, dell'animo di Foscolo: *quello spirto* .... *ch'entro mi* ...., dal verbo 'ruggire' (oggi, si direbbe 'ruggisce'): sono i leoni che 'ruggiscono', che emettono un suono tremendo e pauroso.

La sua anima è quella di un leone chiuso nella gabbia del suo petto. Indubbiamente romantico. Ma siamo nel 1802, Foscolo ha ancora un'anima neoclassica, quindi cerca di calmare il leone che ha in sé, e la cosa gli riesce bene la sera perché...

Forse perché della fatal quïete
Tu sei l'imago, a me sì cara vieni,
o Sera! E quando ti corteggian liete
le nubi estive e i zeffiri sereni,

e quando dal nevoso aere inquïete
tenebre e lunghe all'universo meni,
sempre scendi invocata, e le secrete
vie del mio cuor soavemente tieni.

Vagar mi fai co' miei pensieri su l'orme
che vanno al nulla eterno; e intanto fugge
questo reo tempo, e van con lui le torme

delle cure onde meco egli si strugge;
e mentre io guardo la tua pace, dorme
quello spirto guerrier ch'entro mi rugge.

Forse perché sei l'immagine della calma finale, della morte, mi sei così cara, o sera! Sia quando le nuvole estive e i venti calmi ti accompagnano lietamente,

sia quando porti, prendendole dal cielo carico di neve, lunghe ore di buoi, tu vieni da me, sei sempre desiderata, e ti impadronisci con dolcezza delle vie segrete del mio cuore.

Fai viaggiare i miei pensieri su strade che mi portano alla morte, dopo la quale c'è il nulla; e nel frattempo questo tempo crudele va via in fretta, e con lui se ne vanno tutte

le preoccupazioni che il tempo vive insieme a me; e mentre io guardo la tua pace, si tranquillizza quello spirito ribelle che ruggisce dentro di me.

Analisi

a. Foscolo non nomina la morte direttamente, quasi fosse una parola troppo violenta. Usa due perifrasi:

- *Forse perché della* .... / *Tu sei l'imago*
- *Vagar mi fai co' miei pensieri su l'orme* / *che vanno al* ....

b. Quante sillabe ha il primo verso, che hai sopra completato? ◯ 10 ◯ 11

Un endecasillabo dovrebbe averne 11... ma c'è una 'dieresi', i due puntini sulla '*i*', nella parola .... : significa che non si pronuncia *quie/te*, con 2 sillabe, ma *qui/e/te*, 3 sillabe. Secondo te, è solo un modo di risolvere un problema metrico oppure serve a rallentare il ritmo della parola *quïete* e quindi a ridurre l'ansia?

c. Nel verso finale il suono è fondamentale, c'è un'allitterazione basata sulla consonante .... che non dà certo un senso di quiete.

Riflessione

Quali sentimenti suscita in te questa composizione? Ci sono la quiete e i temporali, i ruggiti dei leoni selvaggi e la pace e la serenità della sera. Quale prevale nella tua interpretazione? La quiete classica o il ruggito romantico? Confronta la tua sensazione con la classe.

EDILINGUA

39 *A Zacinto*

Guida alla lettura

Foscolo è nato nell'isola di Zacinto, dove una delle leggende dice che sia nata anche Venere, la dea dell'amore. Zacinto è vicino a Itaca, l'isola di Ulisse. Ulisse è tornato alla sua patria *petrosa*, e torna *bello di fama*, perché ha sconfitto Troia, *e di sventura*, la sofferenza del ritorno – eroe, quindi, assolutamente romantico. Itaca è stata cantata da Omero, Zacinto è stata cantata da Foscolo: ma Zacinto non avrà altro che questo canto, questo sonetto, perché Foscolo non potrà mai tornarci.

Né più mai toccherò le sacre sponde
ove il mio corpo fanciulletto giacque,
Zacinto mia, che te specchi nell'onde
del greco mar da cui vergine nacque

Venere, e fea quelle isole feconde
col suo primo sorriso, onde non tacque
le tue limpide nubi e le tue fronde
l'inclito verso di colui che l'acque

cantò fatali, e il diverso esiglio
per cui bello di fama e di sventura
baciò la sua petrosa Itaca, Ulisse.

Tu non altro che il canto avrai del figlio,
o materna mia terra; a noi prescrisse
il fato illacrimata sepoltura.

Non toccherò mai più le tue rive sacre
dove si coricava il mio corpo di bambino,
Zacinto mia, che ti specchi nelle onde
del mare greco dal quale Venere nacque purissima,

la dea che con il suo primo sorriso fece diventare fertili
quelle isole, per cui Omero con i suoi versi immortali
cantò il tuo cielo limpido e i tuoi boschi, Omero che
descrive il viaggio di Ulisse,

voluto dal destino, e anche l'esilio in diversi luoghi, fino
a quando Ulisse, reso bello dalla fama e dalla sfortuna,
baciò la sua Itaca, isola pietrosa.

Tu, terra nella quale sono nato, avrai solo il canto del
tuo figlio; a me
il destino ha riservato una sepoltura senza lacrime.

Analisi

Zacinto, Itaca: isole circondate dalle acque e dalle onde. Cerchia la parte finale, quella che fa la rima, delle parole conclusive dei primi otto versi: che cosa trovi? .... e
....

Riflessione

L'ultima terzina è la chiave del sonetto: Foscolo lascia Zacinto, il passato, l'infanzia, e guarda al futuro, una tomba chissà dove e soprattutto ...., senza nessuno che lo pianga. Riesci a pensare un modo più semplice per esprimere una disperazione totale?
Un'ultima considerazione: quando ha scritto questi sonetti, Foscolo aveva 24, 25 anni. Il ritratto che vedi qui a fianco è stato dipinto da Andrea Appiani nel 1802, proprio negli anni in cui Foscolo scrive i sonetti.

Online per te
Online trovi il **Testo 40** con le prime strofe del poemetto *Dei Sepolcri*.

41 Ugo Foscolo, *L'urne de' forti*

Guida alla lettura

Nel **Testo 40**, che trovi online, Foscolo inizia *Dei Sepolcri* chiedendosi se

> All'ombra de' cipressi e dentro l'urne
> confortate di pianto è forse il sonno
> della morte men duro?

La risposta è negativa: la morte è morte, ovunque sia il sepolcro, la tomba. Ma allora a che cosa servono i sepolcri? Non a chi è morto, a chi è dentro la tomba, ma ai vivi, che dalle tombe dei grandi uomini possono trarre ispirazione per combattere le loro battaglie.

Nel 1804 Napoleone aveva vietato i cimiteri all'interno delle città e delle chiese, che spesso ospitavano le tombe di grandi personaggi della storia e della cultura. Già nel romanzo *Le ultime lettere di Jacopo Ortis* Foscolo parla di una visita a Santa Croce, la chiesa fiorentina dove ci sono le tombe o i monumenti di grandi spiriti italiani, "l'urne de' forti", attribuendo alle tombe un grande valore educativo.

In questi versi *Dei Sepolcri* Foscolo ti spiega questa funzione delle tombe.

A egregie cose il forte animo accendono
l'urne de' forti, o Pindemonte[1]; e bella
e santa fanno al peregrin la terra
che le ricetta. Io quando il monumento
vidi ove posa il corpo di quel grande[2]
che temprando lo scettro a' regnatori
gli allòr ne sfronda, ed alle genti svela
di che lagrime grondi e di che sangue;
e l'arca di colui[3] che nuovo Olimpo
alzò in Roma a' Celesti; e di chi[4] vide
sotto l'etereo padiglion rotarsi
più mondi, e il Sole irradiarli immoto,
onde all'Anglo[5] che tanta ala vi stese
sgombrò primo le vie del firmamento;
Tè beata – gridai – per le felici
aure pregne di vita, e pe' lavacri
che da' suoi gioghi a te versa Appennino!
Lieta dell'aer tuo veste la Luna
di luce limpidissima i tuoi colli
per vendemmia festanti, e le convalli
popolate di case e d'oliveti
mille di fiori al ciel mandano incensi;
e tu prima, Firenze, udivi il carme
che allegrò l'ira al Ghibellin fuggiasco[6],
e tu i cari parenti e l'idioma
désti a quel dolce di Callìope labbro[7]
che Amore in Grecia nudo e nudo in Roma
d'un velo candidissimo adornando,
rendea nel grembo a Venere Celeste.
Ma più beata ché in un tempio[8] accolte
serbi l'itale glorie, uniche forse
da che le mal vietate Alpi e l'alterna
onnipotenza delle umane sorti
armi e sostanze t'invadeano ed are
e patria e, tranne la memoria, tutto.
Che ove speme di gloria agli animosi

Le tombe dei grandi, o Pindemonte, stimolano l'animo a grandi cose; e il luogo che le ospita diventa bello e sacro per il visitatore.

Quando ho visto la tomba dove riposa il corpo di Machiavelli che, mentre dava forza al potere del principe, gli toglieva il fascino mostrando quante lacrime e quanto sangue costi il potere;

e quando ho visto la tomba di Michelangelo che a Roma innalzò una nuova sede all'Eterno; e quando ho visto la tomba di Galileo, che sotto la trasparente cupola del cielo ha visto che il sole stava immobile e che molti pianeti gli giravano intorno, così che per primo aprì la via dell'universo all'Inglese Newton, che tanto lo studiò; "Fortunata tu, Firenze", ho gridato, fortunata per l'aria felice ricca di vita che ti circonda, per i fiumi che l'Appennino fa scendere verso di te dai suoi monti!

Felice per il tuo clima, la Luna avvolge in una luce limpidissima le tue colline che festeggiano la vendemmia, e le vallate vicine, coperte di case e di uliveti, che fanno salire al cielo il profumo dei fiori;

tu per prima, Firenze, hai ascoltato la poesia che ha reso meno duro il dolore di Dante, il Ghibellino costretto all'esilio; tu hai dato la nascita e la lingua a Petrarca, il dolce poeta ispirato da Calliope, che ha rivestito con un velo bianco quell'Amore che Greci e Romani avevano cantato nella sua sensualità, e lo ha riportato in cielo, fra le braccia di Venere.

Ma tu, Firenze, sei ancora più felice perché conservi in un unico luogo sacro i grandi che sono le glorie dell'Italia, le uniche glorie, forse, da quando la scarsa difesa del confine alpino e le forze che dominano il destino umano ti hanno tolto le armi e le ricchezze, i luoghi sacri e la patria, tutto fuorché la memoria.

In questo luogo, dove la speranza della gloria risplen-

intelletti rifulga ed all'Italia,
quindi trarrem gli auspici. E a questi marmi
venne spesso Vittorio[9] ad ispirarsi.
Irato a' patrii Numi, errava muto
ove Arno è più deserto, i campi e il cielo
desioso mirando; e poi che nullo
vivente aspetto gli molcea la cura,
qui posava l'austero; e avea sul vólto
il pallor della morte e la speranza.
Con questi grandi abita eterno, e l'ossa
fremono amor di patria.

de agli spiriti coraggiosi e all'Italia, nutriremo i nostri sogni. Di fronte a questi monumenti marmorei Vittorio Alfieri è venuto spesso a cercare ispirazione. In collera con gli dèi della patria, lui camminava senza meta, in silenzio, dove l'Arno (il fiume di Firenze) è più solitario, e guardava, pieno di attesa, i campi e il cielo; e siccome nessun essere vivente consolava il suo dolore, veniva a pensare qui, a Santa Croce, severo, portando sul viso insieme il pallore della morte e la speranza.
Diventato immortale, lui ora abita qui con i grandi e le sue ossa vibrano di amor di patria.

Dei Sepolcri, v. 151-197

1. Pindemonte, l'amico di Foscolo a cui è dedicato il carme, il poemetto, è il traduttore dell'*Odissea* di Omero. - **2.** Machiavelli, l'autore de *Il Principe*, in cui spiega i meccanismi del potere. - **3.** Michelangelo, che ha costruito la Basilica di S. Pietro. - **4.** Galileo, che dimostra la validità del sistema copernicano che pone il Sole al centro del sistema. - **5.** Isaac Newton che partendo dagli studi di Galileo scopre la legge della gravità. - **6.** In realtà Dante era un Guelfo, favorevole al Papa, e non un Ghibellino, favorevole all'Imperatore. Ma era un Guelfo che pensava che il Papa non dovesse intervenire nella politica di Firenze, e il suo gruppo è stato esiliato, mandato via dalla città per sempre. - **7.** Petrarca, che dà voce a Calliope, la musa della poesia, e idealizza l'amore. - **8.** La Chiesa di Santa Croce, dove ci sono le tombe dei grandi italiani (ma non quella di Dante). - **9.** Vittorio Alfieri che soggiorna a Firenze.

Analisi

a. Il testo non è certo di facile lettura, perché...

1. è molto ricco di riferimenti storici
2. il linguaggio è distante da quello di oggi
3. la sintassi è molto complessa

In quale ordine metteresti queste difficoltà? ....
Confronta la tua ipotesi con i compagni.

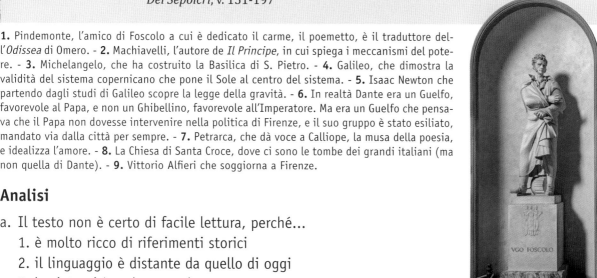

Foscolo muore a Londra a 49 anni e viene sepolto in un cimitero locale; nel 1871 le sue ceneri vengono portate a Santa Croce, e questo è il suo monumento.

b. Come hai potuto notare, il poeta non nomina mai i grandi.
Da che cosa li riconosciamo?

- Di Dante dice che ....
- Di Petrarca dice che ....
- Di Machiavelli dice che ....
- Di Michelangelo dice che ....
- Di Galileo dice che ....

Quindi, Foscolo si rivolgeva ad un pubblico colto, non al popolo.

Riflessione

Il tema della memoria, anche se diversa da quella del Foscolo, è oggi sempre più attuale, ma non tanto per personaggi famosi quanto piuttosto in relazione a eventi storici tragici, dai campi di concentramento nazisti al *memorial* per le torri di New York. Che cosa significa per te la 'memoria'? Quali strumenti possono sostenerla oggi?

Giacomo Leopardi

Giacomo Leopardi è un poeta cresciuto con i classici greci, latini e italiani, che conosce alla perfezione, ma è capace di andare oltre e di arrivare ad una sensibilità romantica, continuamente diviso tra il sentimento e la ragione. Non accetta, però, tutti i valori del Romanticismo: ad esempio, non crede che la poesia possa essere popolare, svolgere una funzione sociale, descrivere la realtà con un taglio sociologico orientato verso gli umili, gli ultimi. Soprattutto, rifiuta la visione romantica della storia, guidata da Dio: ha una posizione assolutamente atea.

Del Romanticismo prende l'idea che il mondo sia una grande illusione, che l'unica cosa che conta sia la riflessione interiore, l'ascolto dei propri sentimenti e che l'eroismo sia il continuare a vivere. Vivere, anche se la vita non mantiene le promesse che fa, o che si crede che faccia. La vita, la natura, sono indifferenti alla felicità delle persone e, quindi, ogni persona che continua a vivere è un grande eroe.

Il pessimismo

Una vita di sofferenza per i dolori fisici, il pericolo di diventare cieco, i problemi economici: sono elementi tragici, ma non sono quelli a fare di Leopardi il poeta del pessimismo totale, prima solo *storico*, con la sfiducia nella possibilità del progresso, e poi *cosmico*, universale.

Il suo rapporto con la natura (che in qualche modo sostituisce l'idea di Dio) inizialmente è buono, quasi fiducioso, e la causa dell'infelicità dell'uomo è la ragione, che gli permette di conoscere la realtà (*pessimismo storico*). Ma nell'evoluzione del suo pensiero, la vera causa dell'infelicità dell'uomo è la natura, che governa anche la storia (*pessimismo cosmico*, universale).

La conclusione è il pessimismo più puro: non esiste la felicità, al massimo si può sperare in una diminuzione del dolore. Essere felici significa soffrire di meno.

Gli *Idilli*

La visione tragica della condizione umana è discussa nei testi filosofici di Leopardi, ma diventa poesia filosofica negli *Idilli.* In greco idillio significa piccola immagine, quadretto che mostra un paesaggio o una scena di vita in campagna. Una piccola cosa, in altre parole.

Leopardi, poeta o filosofo dell'Ottocento?

Quando si pensa alla filosofia dell'Ottocento vengono in mente soprattutto nomi tedeschi, dapprima gli idealisti, guidati da Fichte, e poi i materialisti, guidati da Marx. In Italia si discute molto di filosofia, ma non ci sono grandi filosofi in questo secolo – e in molte sintesi straniere ti stupirai di veder classificato Leopardi come 'filosofo' prima

ancora che come poeta. Leopardi in effetti è un filosofo che si interroga sul senso dell'esistenza, secondo la grande tradizione, e tutte le sue opere sono di contenuto filosofico, dalle poesie (almeno la maggior parte) ai dialoghi delle *Operette morali* allo *Zibaldone di pensieri*.

Carlo Cattaneo (1801-1869)

Se mancano i filosofi esistenziali, nell'Ottocento abbiamo invece grandi pensatori sociali e politici, quali **Carlo Cattaneo**, repubblicano, che ha una visione federale dell'Italia; **Vincenzo Gioberti** (1801-1852), un cattolico che identifica la religione con la civiltà; **Giuseppe Mazzini**, rivoluzionario, repubblicano, che ha una visione della storia non più razionale come quella degli illuministi, ma come risultato dell'interazione, per usare parole sue, tra "Dio e popolo": il popolo, ben guidato, diviene voce di Dio e muove la storia nella giusta direzione.

Giuseppe Mazzini (1805-1872)

EDILINGUA

I primi sei *Idilli* sono scritti poco dopo i 20 anni, tra il 1819 e il 1821: come abbiamo detto sopra, la natura è buona, Leopardi si sente in sintonia con lei.

Tra il 1829 e il 1830, nel periodo più doloroso della sua vita, scrive i *Grandi Idilli*, veri 'trattati' esistenziali. La poesia non è più autobiografica come nei primi idilli, ma descrive la natura, non più madre ma matrigna insensibile e indifferente.

Le *Operette morali*

A Napoli, Leopardi vive anni di tranquillità e di disperazione, amato dagli amici ma sempre più solo per la malattia e il carattere. In questi anni, oltre ad alcuni capolavori come *A se stesso* e *La ginestra*, prepara l'edizione definitiva delle *Operette Morali*, ventiquattro dialoghi tra personaggi immaginari, sul modello dei dialoghi dei filosofi greci.

Queste brevi prose rappresentano un altro esempio del modo in cui Leopardi ha cercato di legare filosofia – perché sono indubbiamente testi filosofici, in cui l'interesse primario è nella discussione delle idee – e forma letteraria, come aveva già fatto in versi negli *Idilli*.

La lingua di Leopardi

La poesia di Leopardi fu un'innovazione totale rispetto alla tradizione italiana, ma pochi lo capirono, almeno nei primi anni.

Da un lato c'era la rivoluzione nelle idee, nella filosofia di totale ateismo e pessimismo che esponeva; e c'era il fatto che il contenuto delle poesie era personale e intimo, quasi un diario personale che casualmente viene fatto conoscere anche ai lettori. Pessimismo, idea negativa della storia, ateismo erano comunque abbastanza comuni tra i Romantici, come reazione all'illusione di *liberté*, *égalité*, *fraternité* degli illuministi francesi e alla *pursuit of happiness* di quelli americani.

Dall'altro lato c'era la grande rivoluzione leopardiana, la sua lingua, che aveva una musicalità che non ha pari nella lingua italiana; e non va dimenticata la rivoluzione nella struttura libera delle poesie, dove le strofe e i versi hanno lunghezza differente, le rime sono talvolta presenti e altre no. Pochissimi tra i suoi contemporanei capirono quello che Leopardi stava portando nella letteratura europea, e i suoi trattati filosofici, le *Operette morali*, furono più apprezzate degli *Idilli*.

Giacomo Leopardi (1798-1837)

Leopardi nasce nelle Marche nel 1798, l'anno in cui Wordsworth e Coleridge pubblicano le *Lyrical Ballads*, manifesto del romanticismo inglese.

Viene da una famiglia nobile, con un padre ossessionante che gli rende infelice l'infanzia e la giovinezza, già segnate dai problemi di salute che lo accompagneranno per tutta la breve vita.

Fin da giovane studia molto, traduce dal greco e dal latino, e ha delle crisi interiori che lo portano ad approfondire i filosofi oltre che i poeti.

A 20 anni esce da una di queste crisi facendo proprie le idee del Romanticismo e trova la forza di lasciare il suo paesino, senza l'approvazione del padre. Cerca un lavoro, va a Roma, poi a Milano e a Firenze, dove conosce Manzoni. A 30 anni torna a Recanati, il suo paese, per una malattia agli occhi che gli rende difficile lo studio ed elabora la sua idea negativa della natura.

Nel 1834 va a Napoli ospite di un amico, e lì muore a 39 anni.

Le sue opere poetiche più importanti sono le poesie chiamate *Idilli*, una serie di brevi scritti filosofici, le *Operette morali*, e una raccolta di pensieri, osservazioni e note che ci permettono di ricostruire il suo pensiero interiore. È un testo senza un ordine preciso, uno *Zibaldone*, che in italiano significa qualcosa di disordinato, caotico, senza un filo logico.

42 L'infinito

Guida alla lettura

L'infinito (1819) è uno dei più famosi tra i primi *Idilli* di Leopardi.

Dalla sua casa a Recanati, ha la vista che trovi in questa foto, con una collina e una siepe (in realtà un boschetto) che nascondono l'orizzonte. Questo ostacolo diventa il punto di partenza per superare la realtà fisica, la collina, il bosco, l'orizzonte, ed entrare nella realtà della mente, della sua capacità di immaginare perfino l'infinito, quello che non conosciamo.

Sempre caro mi fu quest'ermo colle, e questa siepe, che da tanta parte dell'ultimo orizzonte il guardo esclude. Ma sedendo e mirando, interminati spazi di là da quella, e sovrumani silenzi, e profondissima quiete io nel pensier mi fingo, ove per poco il cor non si spaura. E come il vento odo stormir tra queste piante, io quello infinito silenzio a questa voce vo comparando: e mi sovvien l'eterno, e le morte stagioni, e la presente e viva, e il suon di lei. Così tra questa immensità s'annega il pensier mio: e il naufragar m'è dolce in questo mare.	*Ho sempre amato questa collina solitaria e questa siepe, che impedisce allo sguardo di vedere l'orizzonte lontano. Quando mi siedo e guardo, immagino spazi infiniti al di là della siepe, immagino silenzi straordinari, e immagino una pace così profonda che quasi mi spavento. E quando sento il vento agitarsi tra le piante, io paragono questo rumore all'enorme silenzio: e mi tornano in mente l'eternità, il tempo che è passato e il tempo presente che stiamo vivendo e il suo suono. Il mio pensiero sprofonda in questa intuizione dell'immensità dello spazio e del tempo: e in questo mare è bello perdersi.*

Analisi

a. Leopardi deve farti 'vivere' questo paesaggio e queste sensazioni, quindi presenta molte sensazioni visive e uditive. Sottolineale con due colori diversi. Quali sensazioni prevalgono?

b. Qui trovi due degli *enjambement* più famosi della letteratura italiana. Guarda nel glossario come funziona e che scopo ha questa figura retorica, poi, completa questi versi
Ma sedendo e mirando, ... / *spazi di là da quella, e* .... / *silenzi...*
Sei d'accordo sul fatto che separare l'aggettivo dal nome rende davvero più *interminata* la sensazione data dall'aggettivo?

c. Alla fine, gli tornano alla memoria le cose passate, quelle presenti *e il suon di* ....
Chi è 'lei'? la stagione passata? Quella presente? O una ragazza?

Riflessione

Leopardi è il poeta e il filosofo della disperazione di vivere: ma qui, a 21 anni, è ancora capace di infinita serenità. Quali sono le parole della serenità? Individuale e confrontale con quelle scelte dai tuoi compagni.

Tu useresti concetti simili, magari con parole moderne? Se sostituisci le parole di Leopardi con le tue (senza preoccuparti della metrica, del ritmo, del suono) la sensazione di pace rimane?

EDILINGUA

43 *Alla luna*

Guida alla lettura

Scritto un anno dopo *L'infinito*, questo *Idillio* è ancora positivo, anche se già compare un dolore dolce, perché è visto attraverso il ricordo della giovinezza, quando la speranza è ancora grande e la memoria ha ancora poca esperienza. La forza di superare il dolore viene, qui come nell'*Infinito*, viene dalla natura, ancora buona madre.

O graziosa luna, io mi rammento
che, or volge l'anno, sovra questo colle
io venia pien d'angoscia a rimirarti:
e tu pendevi allor su quella selva
siccome or fai, che tutta la rischiari.
Ma nebuloso e tremulo dal pianto
che mi sorgea sul ciglio, alle mie luci
il tuo volto apparia, ché travagliosa
era mia vita: ed è, né cangia stile,
o mia diletta luna. E pur mi giova
la ricordanza, e il noverar l'etate
del mio dolore. Oh come grato occorre
nel tempo giovanil, quando ancor lungo
la speme e breve ha la memoria il corso,
il rimembrar delle passate cose,
ancor che triste, e che l'affanno duri!

O bella luna, io mi ricordo
che un anno fa venivo a guardarti su questa collina,
pieno di angoscia: tu brillavi in cielo sopra il bosco
come fai ora, illuminandolo tutto.

Allora, ai miei occhi sembrava che la tua faccia fosse
coperta da un velo, tremante: avevo le lacrime agli
occhi perché la mia vita era tormentata;
e lo è ancora e non cambia stile, o mia cara luna.
Eppure mi piace ricordare e ripensare
al tempo di quel mio dolore.
Oh come è bello il tempo della giovinezza,
quando la speranza è ancora grande
e la memoria è ancora corta,
ricordarsi delle cose passate,
anche se il ricordo è triste e il dolore continua.

Analisi

a. Essere solo nel bosco rischiarato dalla luna è una sensazione piacevole? La risposta è qui: *E pur mi* .... */ la ricordanza.* Il verbo, oggi poco usato, significa 'fa star bene'. Ma c'è una contraddizione, subito dopo: sotto la luna, Leopardi sta bene anche se ricorda *l'etate del mio* .... È un ossimoro (vedi il Glossario, pag. 241), e descrive la realtà apparentemente illogica delle sensazioni contrastanti, come *odi et amo* di Catullo.

b. Hai lo stesso ossimoro nei versi successivi: *come* .... *occorre* ('grato' sta per 'gradevole') [...] *il rimembrar delle passate cose,* / *ancor che* ....*, e che l'* .... *duri!*

Riflessione

In portoghese si dice *saudade*, che non ha corrispondente in italiano: il ricordo di cose tristi, la sensazione di solitudine, che però non sono dolorosi, ma hanno una loro dolcezza. Ti piace il modo in cui Leopardi descrive questo stato d'animo?
C'è un'altra descrizione fondamentale in questo idillio: la bellezza della giovinezza è dovuta alla *speme*, alla speranza che è ancora tanta, mentre la *memoria*, l'esperienza è ancora poca: sei d'accordo con questa definizione? Discutine con la classe.

44 *A Silvia*

Guida alla lettura

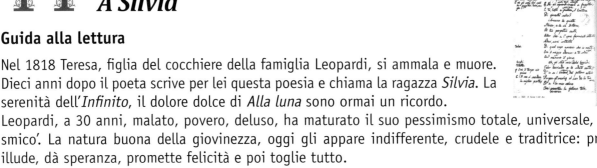

Nel 1818 Teresa, figlia del cocchiere della famiglia Leopardi, si ammala e muore. Dieci anni dopo il poeta scrive per lei questa poesia e chiama la ragazza *Silvia*. La serenità dell'*Infinito*, il dolore dolce di *Alla luna* sono ormai un ricordo.

Leopardi, a 30 anni, malato, povero, deluso, ha maturato il suo pessimismo totale, universale, 'cosmico'. La natura buona della giovinezza, oggi gli appare indifferente, crudele e traditrice: prima illude, dà speranza, promette felicità e poi toglie tutto.

Silvia, rimembri ancora	*Silvia, ricordi ancora*
quel tempo della tua vita mortale,	*il periodo della tua breve vita mortale,*
quando beltà splendea	*quando la bellezza splendeva*
negli occhi tuoi ridenti e fuggitivi,	*nei tuoi occhi gioiosi e timidi*
e tu, lieta e pensosa, il limitare	*e tu, felice, assorta nei tuoi pensieri, stavi per*
di gioventù salivi?	*oltrepassare il confine che introduce alla giovinezza?*
Sonavan le quïete	*Le stanze silenziose e le vie attorno alla casa*
stanze, e le vie d'intorno,	*risuonavano del tuo canto continuo,*
al tuo perpetuo canto,	*quando sedevi occupata nei lavori femminili,*
allor che all'opre femminili intenta	*felice di quel futuro impreciso che avevi in mente.*
sedevi, assai contenta	
di quel vago avvenir che in mente avevi.	
Era il maggio odoroso: e tu solevi	*Era il profumato maggio: e tu di solito*
così menare il giorno.	*passavi così la giornata.*
Io gli studi leggiadri	*Io, talvolta interrompevo i miei amati studi*
talor lasciando e le sudate carte,	*e le mie fatiche letterarie,*
ove il tempo mio primo	*su cui spendevo la prima parte della mia vita*
e di me si spendea la miglior parte,	*e la parte migliore di me stesso;*
d'in su i veroni del paterno ostello	*allora, dai balconi della casa di mio padre*
porgea gli orecchi al suon della tua voce,	*ascoltavo il suono della tua voce*
ed alla mano veloce	*e quello della tua mano veloce*
che percorrea la faticosa tela.	*che tesseva la tela, affaticandoti.*
Mirava il ciel sereno,	*Io guardavo il cielo sereno,*
le vie dorate e gli orti,	*le strade dorate dal sole, gli orti, vedevo*
e quinci il mar da lungi, e quindi il monte.	*da una parte il mare lontano, dall'altra la montagna.*
Lingua mortal non dice	*Nessuna lingua umana può esprimere*
quel ch'io sentiva in seno.	*quello che provavo dentro di me.*
Che pensieri soavi,	*Che pensieri delicati,*
che speranze, che cori, o Silvia mia!	*che speranze, che sentimenti, o Silvia mia!*
Quale allor ci apparia	*Quanto bella ci sembravano allora*
la vita umana e il fato!	*la vita umana ed il destino!*
Quando sovviemmi di cotanta speme,	*Quando mi ricordo quella speranza tanto grande,*
un affetto mi preme	*mi opprime un sentimento doloroso*
acerbo e sconsolato,	*e senza consolazione,*
e tornami a doler di mia sventura.	*e torno a soffrire per la mia sventura.*
O natura, o natura,	*O natura, o natura,*
perché non rendi poi	*perché non mantieni*
quel che prometti allor? Perché di tanto	*le promesse che fai durante la giovinezza?*
inganni i figli tuoi?	*Perché inganni così tanto i tuoi figli?*
Tu pria che l'erbe inaridisse il verno,	*Tu, prima che l'inverno seccasse l'erba,*
da chiuso morbo combattuta e vinta,	*moristi, povera creatura consumata e vinta*
perivi, o tenerella. E non vedevi	*da un male nascosto. E non hai visto*
il fior degli anni tuoi;	*il fiore dei tuoi anni;*
non ti molceva il core	*i complimenti per i tuoi capelli neri*
la dolce lode or delle negre chiome,	*o per i tuoi occhi timidi che fanno innamorare non*

EDILINGUA

or degli sguardi innamorati e schivi;   *hanno potuto addolcire il tuo cuore;*
né teco le compagne ai dì festivi   *né nei giorni festivi le tue amiche*
ragionavan d'amore.   *hanno potuto parlare con te delle cose d'amore.*
Anche perìa fra poco   *Anche la mia dolce speranza*
la speranza mia dolce: agli anni miei   *morì poco dopo:*
anche negaro i fati   *il destino mi negò, mi tolse anche*
la giovinezza. Ahi come,   *la giovinezza. Ahi come,*
come passata sei,   *come sei svanita,*
cara compagna dell'età mia nova,   *cara compagna della mia gioventù,*
mia lacrimata speme!   *mia speranza su cui ho versato lacrime!*
Questo è quel mondo? Questi   *Questo è dunque quel mondo tanto desiderato?*
i diletti, l'amor, l'opre, gli eventi   *Questi sono le gioie, l'amore, le attività operose,*
onde cotanto ragionammo insieme?   *gli avvenimenti di cui tanto abbiamo parlato insieme?*
Questa la sorte dell'umane genti?   *Questo è il destino degli uomini?*
All'apparir del vero   *Non appena si è manifestata la realtà*
tu, misera, cadesti: e con la mano   *tu, povera, sei morta: e mi hai mostrato lontano,*
la fredda morte ed una tomba ignuda   *con la mano, la morte fredda e una tomba nuda,*
mostravi di lontano.   *senza speranze.*

Analisi

a. I versi sono di lunghezza diversa: ci sono molti endecasillabi, ma *mostravi di lontano* ha .... sillabe, *come passata sei* ne ha ...., e così via. Come vedi, questa diversità non toglie nulla alla musicalità!

b. Ci sono rime? Se ci sono, hanno uno schema?

c. Il gioco delle frasi spezzate in due versi (*enjambement*) continua anche qui; ad esempio, nell'ultima strofa trovi *Questo è quel mondo?* .... / *i diletti, l'amor, l'opre, gli eventi*; un altro caso: *agli anni miei / anche negaro i fati /* .... Trovi altri esempi nel testo?

d. Il ritmo è dato spesso da liste di parole, come quella che hai trovato nel punto 'c', oppure (sempre nell'ultima strofa), *Ahi come, /* .... *passata sei*

e. Il nucleo di questa poesia è chiaramente
O natura, o natura, / perché non rendi poi / quel che prometti allor? Perché di tanto / inganni i figli tuoi?
La natura, che in Leopardi ha preso il posto del Dio dei credenti, inganna, tradisce. Leopardi costruisce tutta la prima parte della poesia in modo da arrivare a questi 4 versi; vediamo come:
- La prima strofa, *Silvia rimembri ancora...*, è ◯ serena   ◯ tragica
- La seconda, sul canto di Silvia, è ◯ serena   ◯ tragica
- La terza, quella in cui Leopardi dice come passava i suoi giorni, si apre con *leggiadri studi*: è una definizione ◯ serena   ◯ tragica

Dopo tutta questa parte, che costruisce per mezzo di suoni, colori e ricordi la bellezza della prima giovinezza, arrivano i 4 versi che abbiamo citato sopra. L'effetto sarebbe stato lo stesso se avesse cominciato la poesia con quei 4 versi?

Riflessione

In questo idillio la disperazione, cioè la dis-speranza, la non-speranza, è legata a un fatto: la morte di una ragazza che stava compiendo il passaggio miracoloso dall'adolescenza alla giovinezza; se leggi il Testo 45, *Canto notturno di un pastore errante dell'Asia*, vedrai come lo stesso tema diventi universale. Non c'è più bisogno di un evento spaventoso come la morte di Silvia, è proprio la vita che non ha senso: *Nasce l'uomo a fatica, ed è causa di morte il nascimento*, dice Leopardi.
Che impressione ti fa, alla tua età, con la tua storia, questo pessimismo universale?
Dice qualcosa che in qualche modo senti anche tu, o che temi profondamente?

45 *Canto notturno di un pastore errante dell'Asia*

Guida alla lettura

Questa poesia è del 1829-30; Leopardi aveva letto un articolo in una rivista francese secondo la quale i kirghisi – un popolo nomade dell'Asia Centrale – passavano spesso le notti seduti su una pietra a contemplare la luna, rivolgendole canti o versi malinconici.

Nella parte centrale, che qui abbiamo dovuto togliere per ragioni di spazio, Leopardi descrive con una certa invidia la vita e il destino delle sue pecore, che non hanno desideri irrealizzabili, dimenticano subito i dolori, che non provano mai "il tedio", la noia, la tristezza. E intanto la luna "solinga, eterna peregrina", guarda indifferente. La natura, che nei Testi 42 e 43 era una 'buona madre', in *A Silvia* e nel *Canto notturno* è una matrigna crudele.

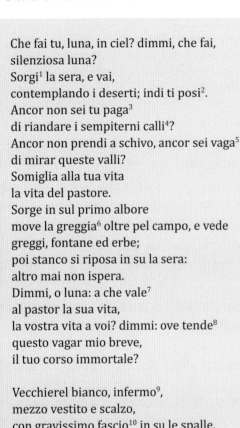

Che fai tu, luna, in ciel? dimmi, che fai,
silenziosa luna?
Sorgi[1] la sera, e vai,
contemplando i deserti; indi ti posi[2].
Ancor non sei tu paga[3]
di riandare i sempiterni calli[4]?
Ancor non prendi a schivo, ancor sei vaga[5]
di mirar queste valli?
Somiglia alla tua vita
la vita del pastore.
Sorge in sul primo albore
move la greggia[6] oltre pel campo, e vede
greggi, fontane ed erbe;
poi stanco si riposa in su la sera:
altro mai non ispera.
Dimmi, o luna: a che vale[7]
al pastor la sua vita,
la vostra vita a voi? dimmi: ove tende[8]
questo vagar mio breve,
il tuo corso immortale?

Vecchierel bianco, infermo[9],
mezzo vestito e scalzo,
con gravissimo fascio[10] in su le spalle,
per montagna e per valle,
per sassi acuti, ed alta rena, e fratte[11],
al vento, alla tempesta, e quando avvampa
l'ora[12], e quando poi gela,
corre via, corre, anela[13],
varca[14] torrenti e stagni,
cade, risorge, e più e più s'affretta,
senza posa o ristoro,
lacero, sanguinoso[15]; infin ch'arriva
colà dove la via
e dove il tanto affaticar fu volto[16]:
abisso orrido, immenso,
ov'ei precipitando, il tutto obblia[17].
Vergine luna, tale
è la vita mortale.
Nasce l'uomo a fatica,
ed è rischio di morte il nascimento.

Prova pena e tormento
per prima cosa; e in sul principio stesso
la madre e il genitore
il prende a consolar[18] dell'esser nato.
Poi che crescendo viene,
l'uno e l'altro il sostiene[19], e via pur sempre
con atti e con parole
studiasi fargli core[20],
e consolarlo dell'umano stato:
altro ufficio più grato
non si fa da parenti alla lor prole[21].
Ma perché dare al sole,
perché reggere in vita
chi poi di quella consolar convenga[22]?
Se la vita è sventura,
perchè da noi si dura[23]?
Intatta luna, tale
è lo stato mortale.
Ma tu mortal non sei,
e forse del mio dir poco ti cale[24].

Pur tu, solinga, eterna peregrina,
che sì pensosa sei, tu forse intendi[25],
questo viver terreno,
il patir nostro, il sospirar, che sia[26];
che sia questo morir, questo supremo
scolorar del sembiante[27],
e perir dalla terra, e venir meno[28]
ad ogni usata, amante compagnia.
E tu certo comprendi
il perché delle cose, e vedi il frutto
del mattin, della sera,
del tacito, infinito andar del tempo.
Tu sai, tu certo, a qual suo dolce amore
rida la primavera,
a chi giovi l'ardore[29], e che procacci[30]
il verno co' suoi ghiacci.
Mille cose sai tu, mille discopri,
che son celate[31] al semplice pastore.
Spesso quand'io ti miro
star così muta in sul deserto piano,

EDILINGUA

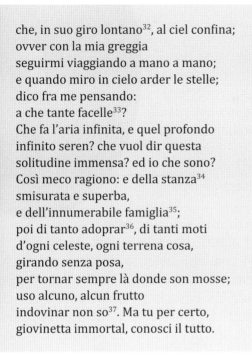

che, in suo giro lontano[32], al ciel confina;
ovver con la mia greggia
seguirmi viaggiando a mano a mano;
e quando miro in cielo arder le stelle;
dico fra me pensando:
a che tante facelle[33]?
Che fa l'aria infinita, e quel profondo
infinito seren? che vuol dir questa
solitudine immensa? ed io che sono?
Così meco ragiono: e della stanza[34]
smisurata e superba,
e dell'innumerabile famiglia[35];
poi di tanto adoprar[36], di tanti moti
d'ogni celeste, ogni terrena cosa,
girando senza posa,
per tornar sempre là donde son mosse;
uso alcuno, alcun frutto
indovinar non so[37]. Ma tu per certo,
giovinetta immortal, conosci il tutto.

Questo io conosco e sento,
che degli eterni giri,
che dell'esser mio frale[38],
qualche bene o contento
avrà fors'altri; a me la vita è male.

[...]
Forse s'avess'io l'ale
da volar su le nubi,
e noverar[39] le stelle ad una ad una,
o come il tuono errar di giogo in giogo[40],
più felice sarei, dolce mia greggia,
più felice sarei, candida luna.
O forse erra dal vero,
mirando all'altrui sorte, il mio pensiero[41]:
forse in qual forma, in quale
stato che sia, dentro covile o cuna,
è funesto a chi nasce il dì natale[42].

1. Ti alzi. - **2.** Tramonti. - **3.** Soddisfatta. - **4.** Le stesse strade. - **5.** Non ti annoi, hai ancora voglia. - **6.** Il gregge, il gruppo delle pecore. - **7.** Che valore ha. - **8.** Dove vanno (i soggetti sono due, la vita del pastore e quella della luna). - **9.** Malato. - **10.** Un pesantissimo carico. - **11.** Sassi pungenti, sabbia alta, cespugli. - **12.** Nell'ora in cui fa caldissimo. - **13.** Spera. - **14.** Attraversa. - **15.** Coperto di stracci e di sangue. - **16.** Là dove era il punto d'arrivo di tanta fatica. - **17.** Un vuoto orribile, enorme, dove lui precipita e dimentica tutto. - **18.** Cominciano a consolarlo. - **19.** Mano a mano che cresce, lo aiutano. - **20.** Cercano di incoraggiarlo. - **21.** I genitori non fanno nulla di meglio per i loro figli. - **22.** È poi necessario consolare perché è in vita? - **23.** Perché la sopportiamo. - **24.** Ti interessa poco di quello che io dico. - **25.** Capisci. - **26.** Che cosa è il nostro soffrire, il nostro sospirare. - **27.** La morte, quando alla fine il viso perde il suo colore. - **28.** Abbandonare. - **29.** A chi faccia piacere il caldo bruciante dell'estate. - **30.** Che cosa ci dia. - **31.** Nascoste. - **32.** All'orizzonte. - **33.** A cosa servono tante stelle? - **34.** Spazio. - **35.** Tutti gli uomini e gli animali. - **36.** Lavorare a fatica. - **37.** Non riesco a vedere alcuna utilità. - **38.** Fragile. - **39.** Contare. - **40.** Andare da una valle all'altra come il tuono. - **41.** Forse sbaglia il mio pensiero guardando il destino degli altri. - **42.** Forse in qualunque forma e situazione, nell'ovile dove nascono le pecore o nella culla dove nascono gli uomini, il giorno della nascita è un giorno di morte.

Analisi e riflessione

a. Osserva anzitutto il titolo: ci sono quattro parole chiave: ...., che ti fa immaginare qualcosa di più forte di una semplice 'poesia'; ...., che è più affascinante di una cosa scritta nella luce del giorno; ...., una figura mitica, il più solo degli uomini; ...., un luogo lontano, sconosciuto.

b. Con queste parole chiave, il lettore potrebbe immaginare qualcosa di molto, molto romantico, fatto di paura, solitudine, tragedia... Ma il contenuto di questo *Canto* è romantico o è estremamente razionale?

c. Il *Canto notturno* è probabilmente il testo più amaro e pessimista della poesia mondiale: c'è una qualche luce? Una speranza?

d. Eppure, questa poesia durissima ha una dolcezza totale di suono, è davvero un canto, una musica nel deserto notturno: versi lunghi e brevi, allitterazioni e rime, assonanze, *enjambement*. Ascolta l'audio seguendo il testo, poi riascoltalo ad occhi chiusi.

Alessandro Manzoni

Manzoni è nipote del grande illuminista milanese Cesare Beccaria (pag. 72), cresce in un ambiente ancora segnato dagli illuministi della rivista *Il caffè* e dal gusto neoclassico. Da questo ambiente deriva un suo forte impegno morale, che lo porta alla conversione al cattolicesimo nel 1810 e ad abbracciare i valori di libertà, di uguaglianza e di fratellanza tra gli uomini. Manzoni partecipa alle sofferenze e alle speranze del popolo, dei cui sentimenti si fa interprete e portavoce: è la via manzoniana al Romanticismo, che si realizza soprattutto nel bisogno di capire e amare gli uomini, di mostrare i loro dolori, gioie, desideri e delusioni.

A differenza, quindi, di Foscolo e Leopardi, che si dichiarano atei e non credono in una vita eterna dove i buoni sono premiati ed i cattivi puniti, Manzoni è profondamente cattolico e, in particolare, segue una corrente del pensiero cattolico molto severa, dura, totalizzante, un po' come quella puritana nel mondo protestante. Secondo lui, sul destino di ogni uomo interviene la Provvidenza, cioè la mano di Dio, che aiuta chi si lascia aiutare: è un Dio severo, dunque, ma pieno di attenzione e di capacità di perdono. Quest'idea è presente in tutte le sue opere. Manzoni sostiene che l'arte e la letteratura devono essere popolari, devono mostrare impegno morale e civile e di conseguenza devono avere un linguaggio nuovo, che parli al cuore e alla coscienza del popolo.

Il suo amore per la libertà e per l'indipendenza nazionale lo rende protagonista nel dibattito sulla rivista *Il Conciliatore*, tanto che viene riconosciuto come principale rappresentante del movimento romantico milanese, anche se Manzoni non ama mettersi in evidenza.

La questione della lingua

Manzoni s'interessa al problema della lingua in molti suoi scritti, fino agli ultimi anni della sua vita. Manzoni pensa che la lingua sia un fattore essenziale per contribuire all'unità dell'Italia, perciò deve essere basata sull'uso ed essere vicina alla realtà storico-sociale del momento.

Decide perciò di "sciacquar la lingua in Arno", cioè prende l'italiano di Firenze come unico possibile modello linguistico, in particolare la lingua parlata dalla classe colta fiorentina.

Questo lo porta anche a forti polemiche con i linguisti più moderni del tempo, che non condividono il suo concetto di lingua stabile nel tempo e assolutamente unitaria, senza varianti regionali.

I promessi sposi

L'opera più famosa di Alessandro Manzoni è un romanzo storico, genere diventato popolare dopo il successo europeo di Walter Scott. La caratteristica principale è la ricostruzione precisa dell'epoca storica, con il racconto di fatti realmente accaduti in cui vengono inseriti i personaggi e gli eventi inventati ai fini del racconto.

Nel romanzo *I promessi sposi* Manzoni realizza pienamente il progetto di creare un romanzo storico-pedagogico, affidando il ruolo di protagonisti a personaggi del popolo e creando una lingua semplice, in grado di raggiungere un vasto pubblico.

Sullo sfondo i fatti storici del 1600: Milano occupata dagli spagnoli, le rivolte popolari in Lombardia, le carestie e la guerra dei Trent'anni, la peste portata dall'esercito tedesco. In questo contesto, Manzoni inserisce una storia d'amore tra due ragazzi del popolo, Renzo e Lucia, amore ostacolato in tutti i modi da un "signorotto", un membro della classe dominante spagnola, che alla fine viene sconfitto.

Manzoni scrive tre versioni del romanzo prima di arrivare a quella definitiva del 1840-42, frutto di una grande revisione linguistica.

EDILINGUA

Le tragedie e le odi

Il Romanticismo di Manzoni lo porta ad un interesse sempre maggiore per gli aspetti della debolezza umana, che formano il tema di due tragedie in versi, pensate più per la lettura che per la messa in scena, *Adelchi* e *Il conte di Carmagnola*, anche queste ambientate nel passato, come *I promessi sposi*.

Il teatro interessa Manzoni perché permette il contatto diretto con il pubblico, ma non è un uomo di teatro, non ne conosce i meccanismi; importante, tuttavia, è il suo uso di cori (cioè brani recitati da un gruppo di persone, come nel teatro greco), che sono momenti in cui la trama si ferma e c'è una riflessione morale, politica e religiosa sui fatti narrati – la stessa logica dei cori nelle grandi opere di Verdi.

Manzoni scrive anche delle *Odi*, cioè poesie solenni spesso dedicate a qualcuno, in cui unisce l'impegno politico e la visione religiosa della storia. In *Marzo 1821*, scritta per i moti carbonari di quell'anno, Manzoni esalta la libertà, dono di Dio, ma che l'uomo può conquistare solamente con il sacrificio personale. In *5 maggio* sintetizza la vita e il ruolo di Napoleone nel giorno della sua morte, mettendo ancora al centro l'intervento della Provvidenza, cioè di Dio, nella storia.

Francesco Gonin illustrò l'edizione dei *Promessi sposi* del 1840. Questo è il lago di Como che i due ragazzi attraversano nel Testo 46.

Alessandro Manzoni (1785-1873)

Nato in una famiglia nobile, cresce nell'ambiente illuminista milanese. A 20 anni va a Parigi dove frequenta vari studiosi, soprattutto storici, ma frequenta anche un ambiente di teologi spesso vicini al protestantesimo.

Nel 1808 sposa Enrichetta Blondel, calvinista molto religiosa, poi cattolica, che porta Manzoni a diventare cattolico a sua volta. Dopo questa conversione compone molte opere di carattere religioso, come ad esempio gli *Inni Sacri* (1815-1822).

A partire dal 1818 ha contatti con gli intellettuali del *Conciliatore* (pag. 88) e si avvicina sempre più al Romanticismo.

Nel 1821 scrive la prima versione di *I promessi sposi*, ma non è soddisfatto e dopo alcuni anni va a Firenze per rivedere la lingua e togliere tutte le forme lombarde. Pubblica la versione definitiva nel 1840-42. Con l'Unità d'Italia viene nominato senatore a vita.

Muore a Milano nel 1873 e per la sua morte Verdi compone lo splendido *Requiem*.

46 *Addio monti*

Guida alla lettura

Renzo e Lucia vogliono sposarsi, ma il signore spagnolo della zona del Lago di Como, a nord di Milano, vuole Lucia e blocca il matrimonio. I due sono costretti a scappare dal loro paese. Qui li vediamo in barca mentre lasciano il loro paesino e attraversano il lago per fuggire verso Milano.

Non tirava un alito[1] di vento: il lago giaceva liscio e piano, e sarebbe parso[2] immobile, se non fosse stato il tremolare e l'ondeggiar leggero della luna, che vi si specchiava da mezzo il cielo. S'udiva soltanto il fiotto[3] morto e lento frangersi[4] sulle ghiaie del lido, il gorgoglìo[5] più lontano dell'acqua rotta tra le pile[6] del ponte, e il tonfo misurato di que' due remi, che tagliavano la superficie azzurra del lago, uscivano a un colpo grondanti[7], e si rituffavano. L'onda segata dalla barca, riunendosi dietro la poppa[8], segnava una striscia increspata, che s'andava allontanando dal lido. I passeggeri silenziosi, con la testa voltata indietro, guardavano i monti, e il paese rischiarato dalla luna, e variato qua e là di grand'ombre. Si distinguevano i villaggi, le case, le capanne: il palazzotto di don Rodrigo, con la sua torre piatta, elevato sopra le casucce ammucchiate alla falda[9] del promontorio, pareva un feroce che, ritto nelle tenebre, in mezzo a una compagnia d'addormentati, vegliasse, meditando un delitto. Lucia lo vide, e rabbrividì; scese con l'occhio giù giù per la china[10], fino al suo paesello, guardò fisso all'estremità, scoprì la sua casetta, scoprì la chioma[11] folta del fico che sopravanzava il muro del cortile, scoprì la finestra della sua camera; e, seduta, com'era, nel fondo della barca, posò il braccio sulla sponda, posò sul braccio la fronte, come per dormire, e pianse segretamente.

Addio, monti sorgenti dall'acque, ed elevati al cielo; cime inuguali, note a chi è cresciuto tra voi, e impresse nella sua mente, non meno che lo sia l'aspetto de'[12] suoi più familiari; torrenti, de' quali distingue lo scroscio[13], come il suono delle voce domestiche; ville sparse e biancheggianti sul pendio, come branchi di pecore pascenti[14]; addio! Quanto è triste il passo di chi, cresciuto tra voi, se ne allontana! Alla fantasia di quello stesso che se ne parte volontariamente, tratto dalla speranza di fare altrove[15] fortuna, si disabbelliscono[16], in quel momento, i sogni della ricchezza; egli si maraviglia di essersi potuto risolvere, e tornerebbe allora indietro, se non pensasse che, un giorno, tornerà dovizioso[17].

Quanto più s'avanza nel piano, il suo occhio si ritira, disgustato e stanco, da quell'ampiezza uniforme; l'aria gli par gravosa[18] e morta; s'inoltra mesto[19] e disattento nelle città tumultuose; le case aggiunte a case, le strade che sboccano nelle strade, pare che gli levino[20] il respiro; e davanti agli edifizi ammirati dallo straniero, pensa, con desiderio inquieto, al campicello del suo paese, alla casuccia a cui ha già messi gli occhi addosso, da gran tempo, e che comprerà, tornando ricco a' suoi monti.

Da I Promessi Sposi, cap. VIII

1. Soffio leggero. - **2.** Sembrato. - **3.** Onda. - **4.** Rompersi. - **5.** Rumore dell'acqua. - **6.** Piloni di sostegno. - **7.** Pieni di acqua. - **8.** La parte posteriore della barca. - **9.** Ai piedi. - **10.** Pendio, discesa. - **11.** Insieme di rami e foglie. - **12.** Dei. - **13.** Rumore. - **14.** Che pascolano, mangiano l'erba. - **15.** In un altro luogo. - **16.** Diventano poco belli. - **17.** Ricco. - **18.** Pesante. - **19.** Entra triste. - **20.** Tolgano.

Analisi

Manzoni vuole far sentire questo momento, nel senso pieno del verbo *sentire*, cioè conoscere attraverso i sensi: vista, udito, olfatto, (con)tatto. Rileggi e sottolinea le parole relative a questi sensi e vedrai che Manzoni ne usa moltissime proprio per farci 'vivere' quello che sta descrivendo.

Riflessione

Che cosa descrive Manzoni in queste righe?
Le descrizioni, nella letteratura precedente ma anche in quella di oggi, mostrano l'ambientazione di una storia, di un evento. Manzoni fa qualcosa di nuovo: secondo te, descrive il paesaggio o lo stato d'animo dei personaggi? Finita la lettura, ti rimane in mente il lago o la tristezza dei due ragazzi?

EDILINGUA

47 *L'assalto al forno*

Guida alla lettura

Arrivato a Milano, Renzo si ritrova per caso in mezzo ad una rivolta del popolo affamato a causa della carestia dovuta al malgoverno spagnolo.

Nella strada chiamata la Corsia de' Servi, c'era, e c'è tuttavia[1] un forno, che conserva lo stesso nome; nome che in toscano viene a dire il forno delle grucce[2], e in milanese è composto di parole così eteroclite, così bisbetiche, così salvatiche[3], che l'alfabeto della lingua non ha i segni per indicarne il suono. A quella parte s'avventò[4] la gente. Quelli della bottega stavano interrogando il garzone tornato scarico, il quale, tutto sbigottito e abbaruffato[5], riferiva balbettando la sua trista avventura; quando si sente un calpestio e un urlio insieme; cresce e s'avvicina; compariscono i forieri della masnada[6]. Serra[7], serra; presto, presto: uno corre a chiedere aiuto al capitano di giustizia; gli altri chiudono in fretta la bottega, e appuntellano i battenti[8]. La gente comincia a affollarsi di fuori, e a gridare: "Pane! pane! aprite! aprite!". Poco dopo, arriva il capitano di giustizia, in mezzo a un drappello d'alabardieri[9]. "Largo, largo, figlioli: a casa, a casa; fate luogo al capitano di giustizia", grida lui e gli alabardieri. La gente, che non era ancor troppo fitta, fa un po' di luogo[10]; dimodochè quelli poterono arrivare, e postarsi[11], insieme, se non in ordine, davanti alla porta della bottega.

"Ma figlioli", predicava di lì il capitano, "che fate qui? A casa, a casa. Dov'è il timor di Dio? Che dirà il re nostro signore? Non vogliam farvi male; ma andate a casa. Da bravi! Che diamine volete far qui, così ammontati[12]? Niente di bene, né per l'anima, né per il corpo. A casa, a casa". Ma quelli che vedevan la faccia del dicitore[13], e sentivan le sue parole, quand'anche avessero voluto ubbidire, dite un poco in che maniera avrebber potuto, spinti com'erano, e incalzati da quelli di dietro, spinti anch'essi da altri, come flutti[14] da flutti, via via fino all'estremità della folla, che andava sempre crescendo. Al capitano, cominciava a mancargli il respiro. "Fateli dare addietro[15] ch'io possa riprender fiato", diceva agli alabardieri, "ma non fate male a nessuno. Vediamo d'entrare in bottega: picchiate; fateli stare indietro". "Indietro! Indietro!" gridano gli alabardieri, buttandosi tutti insieme addosso ai primi, e respingendoli con l'aste dell'alabarde. Quelli urlano, si tirano indietro, come possono; danno con le schiene ne'[16] petti, co'[17] gomiti nelle pance, co' calcagni sulle punte de' piedi a quelli che son dietro a loro: si fa un pigio[18], una calca, che quelli che si trovano in mezzo, avrebbero pagato qualcosa a essere altrove.

Da *I Promessi Sposi*, cap. XII

1. Ancora. - 2. Significa 'forno delle stampelle' (strumento su cui si appoggia per camminare una persona che non può appoggiare i piedi). - 3. Strane, irregolari, rozze. - 4. Corse. - 5. Stravolto dopo una lotta. - 6. Compaiono i primi della folla inferocita. - 7. Chiudi. - 8. Bloccano le porte. - 9. Soldati. - 10. Spazio. - 11. Così che riuscirono a prendere posto. - 12. Ammucchiati. - 13. La persona che dice, che parla. - 14. Onde. - 15. Andare indietro. - 16. Nei. - 17. Coi, con i. - 18. Affollamento caotico.

Analisi

a. Nelle prime righe trovi questa frase, riferita al nome del forno: *nome che in* .... *viene a dire il forno delle grucce.* Questo è l'effetto dello *sciacquar la lingua in* ...., come diceva Manzoni.

b. Il nome del forno in milanese era "prestin di scansc". Manzoni dice che sono parole orribili e *che l'alfabeto della lingua non ha i* .... *per indicarne il* .... Riesci a pronunciare "prestin di scansc" (con la *sc* finale come in *sciare*)? Quindi quello che dice Manzoni è una realtà linguistica o è solo la *sua* percezione della superiorità del toscano?

Riflessione

Il Testo 46 ha un ritmo lento, armonioso. Qui c'è un ritmo frenetico. Manzoni sa costruire e raccontare le scene comunicando perfettamente la sensazione che vuole: là c'è riflessione, qui la sensazione che stia per succedere qualcosa di grave. Sei d'accordo con questa riflessione?

Online per te
Il **Testo 48** online ti presenta l'ode più famosa, *5 Maggio*, dedicata a Napoleone nel giorno della sua morte.

L'Ottocento romantico

Il teatro in musica: Bellini, Donizetti, Verdi

Finita la tempesta napoleonica, nel primo Ottocento il teatro italiano è riassumibile in due nomi, **Silvio Pellico** e **Alessandro Manzoni**, anche se sulle scene sopravvivono anche i drammi tragici di **Alfieri**. Ma il vero teatro ottocentesco italiano è il melodramma, apprezzato dalla borghesia ormai dominante che sogna una rivoluzione contro aristocratici e occupanti stranieri. Pellico inizia come rivoluzionario (il suo capolavoro, *Francesca da Rimini*, 1815, presenta un Paolo che sembra un agitatore politico), poi si converte al cattolicesimo e diventa conservatore. Gli eroi di Pellico e Manzoni non sono più adatti alle speranze dei borghesi. Il melodramma è invece pieno di eroi ribelli.

Un'altra evoluzione rispetto al passato, comune a teatro e melodramma, è nella natura dell'eroe: nelle tragedie neoclassiche il protagonista è un gigante che affronta il mondo, in quelle romantiche è più shakespeariano: ha dubbi, si interroga sul perché delle azioni che è costretto a compiere a causa del suo ruolo sociale o della sua nascita, si sente solo e si chiede perché proseguire nella sua lotta anziché rifugiarsi nell'amore e nel privato. Il conflitto tra 'pubblico' e 'privato' è centrale in molte opere di Rossini, Bellini, Verdi.

Vincenzo Bellini, lo psicologo (1801-1835)

Siciliano, cresciuto musicalmente a Napoli, chiamato alla Scala di Milano a 25 anni e, poco dopo al Théâtre Italien a Parigi (città dove Rossini vive per anni, invitando i giovani musicisti italiani), muore giovanissimo nella città francese, dove ha appena presentato *I puritani*, il suo maggiore successo insieme a *Norma* (1832).

Nelle opere di Gluck, Mozart e Rossini i personaggi sono legati a modelli precostituiti, ma con Bellini tutto cambia:

> *studio attentamente il carattere dei personaggi, le passioni che li predominano e i sentimenti che esprimono... Chiuso quindi nella mia stanza, comincio a declamare la parte del personaggio del dramma e osservo intanto le inflessioni della mia voce... l'accento insomma e il tono dell'espressione che dà la natura all'uomo in balia delle passioni, e vi trovo i motivi e i tempi musicali adatti a dimostrarle e trasfonderle in altri per mezzo dell'armonia.*

Gaetano Donizetti, l'ispirato (1797-1848)

Bergamasco, è il musicista romantico per eccellenza: inizia giovanissimo, a 21 anni mette in scena la prima opera, e compone musica guidato dall'ispirazione: scrive di getto, come fossero improvvisazioni jazzistiche, capolavori come *L'elisir d'amore*, la *Lucia di Lammermoor* e il *Don Pasquale*.

Nel Settecento, più tardi in Rossini e Bellini e in seguito in Verdi, le 'arie' (cioè i brani musicali, di solito con monologhi) hanno una struttura ben precisa, con 'ritornelli' (strofe che ritornano, si ripetono), sono cantabili, fatte per essere imparate a memoria. Al romantico Donizetti non interessa che il pubblico impari subito le sue melodie – gli interessa scavare nella mente e rendere questa indagine con soli strumenti musicali, come ad esempio nell'incredibile duetto finale tra Lucia e il flauto (cerca su YouTube la scena della follia in *Lucia di Lammermoor*).

EDILINGUA

Giuseppe Verdi, l'uomo del Risorgimento (1813-1901)

Le prime opere di Verdi sono la colonna sonora, diremmo oggi, del Risorgimento, del movimento contro gli austriaci e contro il potere assoluto dei re. Il suo ruolo è tale che il suo nome viene usato dai rivoluzionari, scritto sui muri: "Viva Verdi!", in cui Verdi è l'acronimo di "Vittorio Emanuele Re d'Italia".

Nabucco (1842) è un'opera politica, racconta di un popolo esiliato ed ha il primo dei grandi cori, *Va' pensiero*, che diventa un inno della liberazione dagli austriaci; nel 1845 scrive *Giovanna d'Arco*, che racconta la lotta di liberazione dagli inglesi; *Azira* (1845) è la storia della principessa peruviana che lotta contro gli invasori spagnoli, così come in *Attila* (1846) gli abitanti di Aquileia combattono contro l'invasore unno; infine *La battaglia di Legnano* (1849) presenta i Lombardi che si uniscono e sconfiggono i tedeschi: è ambientata nel XII secolo, ma il riferimento alla situazione presente era chiaro a tutti. Gli austriaci non potevano censurare storie ambientate secoli prima, veri e propri 'romanzi storici'... ma Verdi deve comunque fuggire a Parigi, dove compone *I vespri siciliani*, sulla rivolta contro gli invasori francesi, secoli prima, in cui il coro canta:

> *Viva Italia forte ed una*
> *colla* [con la] *spada e col* [con il] *pensier!*

Giuseppe Verdi e l'addio a principi e principesse

Verdi ritorna da Parigi e compone la 'trilogia popolare': *Rigoletto* (1851), *Il trovatore* (1852), *La traviata* (1853), che è ancora oggi l'opera più rappresentata al mondo.

Le trame di queste opere sono una rivoluzione politica e sociale: i protagonisti non sono principi, principesse, dei e dee, ma persone che molti considerano indegne, ma hanno sentimenti di pari dignità e forza di quelli degli eroi tradizionali: Rigoletto è un vecchio buffone di corte, gobbo, brutto; il trovatore è uno zingaro; la 'traviata', come dice il titolo, è una donna perduta, una prostituta. Non solo: per la prima volta nella storia del melodramma, l'ambientazione della *Traviata* è contemporanea: presentata nel 1853, racconta una storia del 1848.

La trilogia popolare di Verdi fa invecchiare in tre anni tutta la tragedia e il teatro italiano precedenti.

Giuseppe Verdi, innamorato di Shakespeare

La trilogia popolare fa di Verdi il maggior compositore italiano, celebre in Europa e in America. Non più pressato dai problemi economici, comincia una ricerca musicale e letteraria: utilizza forme musicali meno popolari, soprattutto in *Simon Boccanegra* (1857), in *Don Carlos* (1865), nel *Requiem* (1874), scritto per la morte di Manzoni, poi in *Otello* (1887) e *Falstaff* (1893).

Gli ultimi titoli sono presi da Shakespeare, l'idolo dei drammaturghi romantici; già quarant'anni prima Verdi aveva scritto *Macbeth*, e nel 1865, quando i parigini criticano la sua interpretazione della tragedia shakespeariana, Verdi scrive:

> *Può darsi che io non abbia reso bene il Macbeth, ma che io non conosco, che io non capisco e non sento Shakespeare, no per Dio, no. È un poeta di mia predilezione, che ho avuto fra le mani dalla mia prima gioventù e che leggo e rileggo continuamente.*

49 Sempre libera, da La traviata, di Francesco M. Piave per Verdi

Guida alla lettura

Violetta, una 'donna di mondo' di Parigi, ha organizzato una festa; dopo il brindisi (*Libiamo, libiamo nei lieti calici*) Alfredo le dichiara ancora una volta il suo amore romantico, visto come battito del cuore del cosmo (qui sotto *Di quell'amor* è all'inizio del testo, ma lo sentirai da lontano mentre lei sta cantando). Lei vorrebbe lasciarsi andare all'amore, per la prima volta sincero e non di professione. Ma decide che vuole vivere libera e a modo suo.

[Di quell'amore è palpito[1]
dell'universo intero,
misterioso, altero[2],
croce[3] e delizia al cor!]

Follie! Follie! Delirio vano[4] è questo!
Povera donna, sola
abbandonata in questo
popoloso deserto
che appellano[5] Parigi,
che spero or più?
Che far degg'io[6]! Gioire,
di voluttà nei vortici perir[7].

Sempre libera degg'io
folleggiar di gioia in gioia,
vo' che scorra il viver mio[8]
pei sentieri del piacer,
nasca il giorno, o il giorno muoia,
sempre lieta ne'[9] ritrovi
a diletti[10] sempre nuovi
dee[11] volare il mio pensier.

1. Ho sentito che l'amore è il battito del cuore. - **2.** Che non si piega a nessuno. - **3.** Sofferenza. - **4.** Inutile illusione, cosa immaginaria. - **5.** Chiamano. - **6.** Devo. - **7.** Morire nella tempesta del piacere. - **8.** Voglio che la mia vita vada avanti. - **9.** Ci. - **10.** Piaceri. - **11.** Deve.

Analisi delle parole e della musica

Siamo nel 1853 a Venezia, governata dagli austriaci, cattolici. Come potevano reagire di fronte a un'eroina che dice *Gioire / di* .... *nei vortici perir*? E, poco dopo, *Vo' che scorra il viver mio / Pei sentieri del* ....? La reazione fu semplice: la censura intervenne e proibì *La traviata*.

Su YouTube trovi decine di incisioni di quest'aria. Cerca *Follie! Follie!* Come è la musica?

- Mentre Violetta dice che è solo una povera donna, ecc., l'orchestra ◯ *fa un semplice accompagnamento* ◯ *fa capire che sta per succedere qualcosa.*

- Violetta decide di accettare i vortici del piacere. Un vortice è un tornado: la parola 'vortice' viene cantata ◯ *normalmente* ◯ *facendo un... vortice.*

- Alla fine della prima strofa e della seconda Violetta non canta parole ma fa dei 'gorgheggi', usa la voce come uno strumento: sono ◯ *un semplice abbellimento* ◯ *un simbolo sonoro della sua libertà.*

Ci sono molte versioni su YouTube. Quale preferisci? Perché? Discutine con la classe.

Come continua *La traviata*

Passa del tempo, Violetta vive felice con Alfredo. Ma il padre del ragazzo, Germont, è preoccupato perché crede che Alfredo mantenga Violetta (che in realtà sta usando i suoi risparmi) e le chiede di rompere la storia d'amore. Alla fine Violetta accetta di aiutare Germont, dice ad Alfredo che non lo ama più e torna alla sua vita di prostituta. Ma la tubercolosi non perdona e lentamente lei si consuma. Quando Alfredo e suo padre scoprono che Violetta si è sacrificata per loro, capiscono che lei è la più pura e onesta di tutti. Ma ormai non c'è più tempo.

EDILINGUA

50 *Cortigiani, vil razza dannata*, da *Rigoletto* di Francesco M. Piave per Verdi

Guida alla lettura

Rigoletto, 1851, fu scritta da Piave partendo da un dramma di Victor Hugo. L'opera è ambientata nella corte del ducato di Mantova. Alcuni cortigiani odiano Rigoletto, il buffone di corte, per la sua lingua tagliente, e decidono di rapire l'amante che lui visita ogni notte. In realtà è sua figlia, tenuta nascosta per salvarla dal Duca, grande seduttore. I cortigiani la rapiscono, la portano nella camera del Duca, mentre Rigoletto la cerca disperato. Quando scopre quel che è avvenuto, canta questa famosissima aria.

Cortigiani, vil razza dannata,
per qual prezzo vendeste il mio bene?
A voi nulla per l'oro sconviene[1],
ma mia figlia è impagabil tesor.

La rendete[2]! o, se pur disarmata,
questa man per voi fora cruenta[3];
nulla in terra più l'uomo paventa,
se dei figli difende l'onor.

Quella porta, assassini, m'aprite!
Ah! voi tutti a me contro venite...

(piange) Tutti contro me!...
Ah! Ebben, piango ... Marullo[4] ... Signore,

tu ch'hai l'alma gentil come il core,
dimmi tu ove l'hanno nascosta?
È là ... non è vero? ... Tu taci ... ahimè!...

Miei signori... perdono, pietate...
al vegliardo la figlia ridate...
ridonarla a voi nulla ora costa,
tutto al mondo tal figlia è per me.

Signori, perdono, pietà...
ridate a me la figlia,
tutto al mondo tal figlia è per me.
Pietà, pietà, Signori, pietà.

1. Nulla vi sembra sconveniente se vi porta denaro (Rigoletto pensa ancora che vogliano un riscatto). - **2.** Ridatemela. - **3.** Sarà crudele. - **4.** Marullo è uno dei cortigiani che hanno organizzato lo scherzo, ma Rigoletto non lo sa.

Analisi del testo cantato

a. L'orchestra ⃝ *fa un semplice accompagnamento* ⃝ *presenta la tempesta nell'anima di Rigoletto.*

b. Arriva il momento in cui Rigoletto piange. Come reagisce l'orchestra?

c. Quando chiede pietà, la solitudine del vecchio è mostrata dall'orchestra: la senti?

Riflessione

Il romanticismo, soprattutto nelle sue versioni inglesi, francesi e tedesche, ha due tipi di eroi: ci sono i giganti, i personaggi che inseguono un sogno grandioso, e ci sono i personaggi umili, i 'fiori di campo' di Wordsworth, che nessuno considera ma hanno profumo e bellezza. Rigoletto è un servo, i ricchi si prendono gioco di lui. Nel momento della sconfitta, è ancora un servo o – brutto e gobbo – diventa un eroe?

Online per te
Online trovi il **Testo 51**, *Va', pensiero*, di Temistocle Solera per Verdi.

I librettisti o "poeti da teatro"

Gli autori dei libretti d'opera erano vittime dei musicisti, che imponevano la psicologia dei personaggi, la divisione in scene, facevano modificare i versi a seconda dei bisogni musicali... Perché quindi i musicisti non si scrivevano i libretti da soli, come faceva Wagner? Perché una cosa è saper fare musica, altra cosa è saper fare teatro, e i librettisti erano registi, direttori artistici, 'poeti da teatro', come venivano chiamati.
Nel Settecento c'erano stati grandi librettisti, come Metastasio, Da Ponte e Goldoni; nell'Ottocento ricordiamo soprattutto Francesco Maria Piave.

Francesco Maria Piave

L'arte del primo Ottocento

Abbiamo detto all'inizio del capitolo che tra fine Settecento e i primi anni dell'Ottocento il neoclassicismo domina l'arte e la letteratura in Europa: l'arte greca torna ad essere modello di bellezza e armonia. L'ideale supremo dello stile 'Impero', cioè dei primi decenni del secolo, è la 'grazia', l'eleganza, l'equilibrio – che spesso diventa solo un vuoto esercizio di stile, un gioco di perfezione formale.

Il Romanticismo invece considera l'arte come espressione assoluta dell'uomo, come dono divino, ed in particolare la pittura e la musica sono considerate arti pure, capaci di esprimere sentimento, religiosità e interiorità.

La pittura romantica italiana

Nel Settecento il paesaggio, cioè la descrizione della realtà, era il principale soggetto; con il Romanticismo, la natura scompare o al massimo viene vista come uno sfondo, quello che conta è la 'storia' raccontata dal quadro, quello che succede alle persone che vi sono rappresentate. Nell'*Ultimo bacio di Romeo e Giulietta* di

Francesco Hayez, *Il bacio*, 1859

Francesco Hayez (pag. 87) lo sfondo ci mostra i cipressi, che in Italia sono gli alberi dei cimiteri e ci anticipano quello che succederà tra poco ai due ragazzi di Verona. Hayez (1791-1882) inizia come neoclassico, ma poi viene a contatto con le nuove idee romantiche; il suo quadro più famoso è *Il bacio*. Hayez fu anche un grandissimo ritrattista e ci ha lasciato i visi di tutti i maggiori personaggi del secolo: qui accanto uno dei suoi autoritratti.

L'altro grande pittore romantico di livello europeo è **Antonio Fontanesi** (1818-1882).

La scultura è dominata dal neoclassicismo di Canova (pag. 85) e praticamente non esiste una scultura romantica in Italia.

Francesco Hayez, *Autoritratto a 69 anni*, 1860

Basilica di San Francesco di Paola, Piazza del Plebiscito, Napoli

L'architettura romantica

Nel primo Ottocento non c'è grande architettura: mancano i capitali, ci sono da restaurare i palazzi e le chiese distrutte dalle guerre napoleoniche, e comunque l'effetto del neoclassicismo – che in letteratura finisce con i primi anni del secolo – dura invece fino alla metà del secolo, quando arriverà l'architettura del Gothic Revival.

Un grande esempio di neoclassicismo, sebbene negli anni Quaranta, è la Basilica di San Francesco da Paola, in piazza del Plebiscito a Napoli, che ricorda il Pantheon costruito a Roma tra il I e il II secolo.

Uno degli esempi maggiori del passaggio da neoclassicismo a neogotico è il Caffè Pedrocchi a Padova: la prima parte, del 1817, è una tipica costruzione neoclassica, ma quando il Caffè viene allargato nel 1832 sta già arrivando il gusto neogotico, come si vede nella foto.

Può essere interessante una riflessione di sociologia dell'arte, partendo da queste due foto. La Basilica di Napoli è l'ultima grande costruzione voluta da un re, da un aristocratico. Il caffè Pedrocchi di Padova, che è degli stessi anni, è invece costruito da un imprenditore borghese, che ha una clientela borghese desiderosa di un luogo di incontro. È il nuovo mondo che avanza.

Caffè Pedrocchi, Padova

113

L'economia che sostiene l'arte nel primo Ottocento

Lo scenario cambiato dopo il Congresso di Vienna

Napoleone sconvolge l'Italia, oltre a tutta l'Europa. Governi che cambiano, monete che cambiano, flussi commerciali che si chiudono, anche perché la maggior parte dei fondi ottenuti con tassazioni sempre crescenti è impegnata nel mantenimento degli eserciti e nella produzione di armi; nuovi flussi commerciali stanno creandosi, soprattutto verso la Francia, quando Napoleone è sconfitto e il Congresso di Vienna cancella la sua Europa e il Regno d'Italia da lui fondato.

Ogni duca, principe o re italiano deve restaurare e ricostruire non solo palazzi, chiese, mura, ma soprattutto le infrastrutture, cioè le strade, i ponti, i porti. Nel 1839 a Napoli, allora città all'avanguardia, viene inaugurata la prima ferrovia italiana.

La prima ferrovia italiana, tra Napoli e Portici, inaugurata nel 1839.

Lentamente l'esportazione di prodotti agricoli e di tessuti in seta riprende. Esportare è fondamentale perché il mercato interno è molto debole e l'Italia è attraversata da continue frontiere, che significano continue tasse d'ingresso, da pagare in monete locali... Ma la seta, che l'Italia esporta grezza, pre-lavorata, è un tessuto ormai perdente di fronte a quello che gli inglesi stanno facendo con il cotone, il nuovo tessuto dell'Ottocento.

Capitalismo e liberalismo

Nel Sud l'agricoltura è ancora medievale, con il 'latifondista' (che ha un 'grande fondo', un vasto terreno) che prende una parte del prodotto dei contadini.

In pianura padana cominciano invece ad esserci ricchi borghesi che hanno comprato le terre dei nobili decaduti o scomparsi con la rivoluzione e che cominciano a lavorare con una logica capitalistica: fanno investimenti nelle campagne, fanno canali che portano via l'acqua quando è troppa e la portano quando serve, e soprattutto usano braccianti, cioè lavoratori che fanno i contadini e vengono pagati con uno stipendio. La produzione quindi aumenta, e la ricchezza borghese pure.

Gli stessi borghesi che sono capitalisti conservatori nelle campagne diventano sempre più liberali e innovativi nell'economia industriale, e questa quindi comincia a rinascere.

L'economia dello spettacolo e dell'editoria

I borghesi capitalisti o liberali, quelli delle professioni autonome – medico, avvocato, funzionario – hanno una cosa in comune: amano la nuova moda dei giornali, che li tiene informati; amano la nuova editoria che traduce i grandi romanzi europei; amano il teatro d'opera, che frequentano in massa, amano ascoltare le figlie che suonano al pianoforte le arie delle opere famose, permettendo la crescita di una forte editoria musicale.

In qualche modo, editoria (di giornali, di libri e di musica) e teatri sono le nuove 'infrastrutture' su cui viaggia la produzione letteraria e musicale.

Telemaco-Signorini, *La toilette del mattino*, 1898

L'Ottocento verista, scapigliato, decadente

Dopo le due guerre del 1848 e del 1859 e la Spedizione dei Mille, guidata da Garibaldi (1860), il Risorgimento raggiunge il suo scopo con la proclamazione del Regno d'Italia (1861), una monarchia costituzionale e parlamentare. Pochi anni dopo entrano a far parte del Regno d'Italia anche il Veneto (1866) e Roma, che diventa finalmente la capitale del Regno (1970).

Il grande romanzo che racconta il Risorgimento è *Le confessioni di un italiano* di **Ippolito Nievo** (1831-1861), un rivoluzionario mazziniano (quindi repubblicano) che prende parte a molte insurrezioni di quegli anni e che partecipa alla Spedizione dei Mille di Garibaldi; muore in un naufragio durante il ritorno dal sud. Il romanzo, pubblicato dopo la morte di Nievo, racconta la vita di un uomo, dall'infanzia fino alla rivoluzione del 1848, ed è costruito come un romanzo storico, in cui la storia del protagonista si intreccia con la storia del Risorgimento. Il libro è importante dal punto di vista letterario ma anche da quello storico, perché è un documento che ci mostra come la borghesia stesse diventando consapevole della necessità di uno stato unitario e come diventasse sempre più diffusa l'idea di libertà politica, individuale ed economica.

Ippolito Nievo

La Scapigliatura

Milanese d'origine, questo movimento rimane legato al Nord negli anni Sessanta e Settanta. Vi partecipano giovani artisti, musicisti, letterati irrequieti che contestano il mondo borghese vestendosi in modo sciatto e mostrandosi 'scapigliati', cioè con i capelli lunghi e in disordine, come i *bohémiens* francesi.

È un movimento anti-romantico, anti-borghese, anti-nazionalista, anti-industriale, i cui principali protagonisti sono i fratelli **Camillo** e **Arrigo Boito** (il secondo fu anche librettista di Verdi e compositore di opere) e lo scrittore **Carlo Dossi**.

1859

La seconda guerra di indipendenza dura pochi mesi. Francesi e Piemontesi vincono, e il Regno di Sardegna conquista la Lombardia; Toscana, Romagna e Parma creano governi filo-piemontesi.

1861

Il Regno d'Italia, al quale tuttavia mancano Roma e il Nord-Est, viene proclamato nel 1861; Vittorio Emanuele II di Savoia è il primo re d'Italia. Firenze diventa capitale.

1866

Nel 1866, nella terza guerra di indipendenza, il Veneto e il Friuli passano all'Italia; mancano ancora Trento e Trieste, rimaste agli austriaci.

1850

Nel 1850 Cavour diventa capo del governo nel Regno di Sardegna (che in realtà è il regno dei Savoia, a Torino).

1860

Nel 1860 Garibaldi conduce la 'Spedizione dei Mille', che conquista il Sud Italia.

1870

Nel 1870, l'esercito italiano entra a Roma, che diventa capitale.

EDILINGUA

Il Verismo

Il Verismo è il movimento più significativo della cultura italiana di fine secolo.

Cresce a Milano, in parte legato alla Scapigliatura. A Milano la filosofia positivista di origine francese e tedesca è molto forte: l'idea di fondo è che l'uomo – la sua psicologia, i vizi e le virtù, le azioni – possa essere analizzato con una logica scientifica, per trovare la verità delle cose, della vita, delle azioni. In questo senso è un movimento parallelo al Naturalismo francese.

Il Verismo, nato a Milano ma influente soprattutto su scrittori del Sud, trova nel romanzo realistico la sua espressione naturale. Ma non vanno dimenticate sia la pittura verista, soprattutto i Macchiaioli toscani (pag. 146), sia l'opera verista di Mascagni, Leoncavallo e Puccini (pag. 133 e pag. 142).

Oltre al principale scrittore verista, il siciliano **Giovanni Verga**, dobbiamo ricordare altri due siciliani, **Luigi Capuana** e **Federico De Roberto**, e i napoletani **Matilde Serao** e **Salvatore Di Giacomo**.

Il Decadentismo

Il verbo 'decadere' in italiano indica qualcosa che sta finendo, che sta rovinandosi; in letteratura, è un movimento di fine Ottocento, che molti videro come 'decadenza' rispetto al Romanticismo e al Verismo. In realtà il nome viene dalla rivista 'scapigliata' francese *Le Décadent*.

Il Decadentismo è una reazione all'illusione positivista (come il Romanticismo aveva reagito all'illusione razionalista, un secolo prima). La realtà non appare più come un oggetto da esplorare scientificamente, ma come un complesso di azioni, percezioni e sentimenti differenti, dominati dall'irrazionalità. Il maggior poeta decadente dell'Ottocento è **Giovanni Pascoli** (pag. 138), al quale farà seguito nel Novecento **Gabriele D'Annunzio** (che aveva iniziato la sua carriera letteraria come verista; pag. 158). Un gruppo di autori che accentuano la malinconia piccolo borghese è quello dei 'crepuscolari' (il crepuscolo è il momento in cui la sera sta per diventare notte), e tra questi emerge **Guido Gozzano** (pag. 137).

L'Ottocento verista, scapigliato, decadente

1892
Nel 1892 nasce il Partito Socialista Italiano.

1900

1878
Umberto I diventa re nel 1878; viene assassinato nel 1900, e gli succede Vittorio Emanuele III.

La Scapigliatura

Hai visto, nell'introduzione al capitolo, che a questo movimento artistico degli anni Sessanta e Settanta nel Nord Italia partecipano giovani che contestano il mondo borghese dell'Ottocento presentandosi trasandati, scapigliati, veri *bohémiens* italiani.

I primi scapigliati sono milanesi, come i fratelli **Arrigo** e **Camillo Boito** ed **Emilio Praga**; pochi anni dopo si uniscono anche altri giovani intellettuali del Nord, soprattutto piemontesi.

Anche gli scapigliati sono dei "vinti", ma non per destino, come quelli di Verga che vedremo nelle prossime

Luigi Conconi, Carlo Alberto Pisani Dossi, Giovanni Giochi ed Emilio Praga.

pagine, bensì per loro scelta: rifiutano l'idea che il progresso migliori le cose; contestano l'inizio della rivoluzione industriale italiana; rifiutano il positivismo e la scienza che entra sempre di più nella vita delle persone e nell'organizzazione della società; si ribellano, ma non propongono un altro modello sociale. Sono antiborghesi, ma appartengono anche loro alla borghesia, che rifiutano come i quattro intellettuali della *Bohème* di Puccini, che dal 1880 vive e studia a Milano. Come quei personaggi, gli scapigliati non si limitano a mostrare personaggi scapigliati, ma hanno una vita spesso sregolata, segnata dalle difficoltà economiche e sociali, dall'eccesso di alcol, che si conclude anche con il suicidio.

L'estetica scapigliata

Gli scapigliati vogliono irritare i borghesi con i loro temi spesso immorali, con le loro posizioni socialiste o anarchiche che li portano a trattare gli aspetti più brutti e dolorosi, più squallidi e quotidiani della vita, ma anche con il loro stile provocatorio, lontano dalla tradizione letteraria, e con il rifiuto dell'artista 'professionista' a favore di quello 'dilettante': ad esempio, Emilio Praga è anche pittore, Arrigo Boito è anche musicista, altri fanno i giornalisti.

Tra i poeti il più significativo è **Arrigo Boito** (1842-1918) con il suo *Libro dei versi*, la leggenda di *Re Orso* e i suoi libretti d'opera (*Simon Boccanegra*, *Otello* e *Falstaff* di Verdi, *Mefistofele* di cui compone anche la musica).

Emilio Praga (1839-1875) è poeta, romanziere e autore di molti libretti d'opera. Il suo testo più interessante è il romanzo incompiuto *Memorie del presbiterio*.

Iginio Ugo Tarchetti (1839-1869) scrive romanzi in cui tutto è strano e anormale.

Il miglior scrittore del gruppo è **Carlo Dossi** (1849-1910), che usa una lingua molto ricercata, ricca di termini insoliti, di neologismi (cioè parole inventate da lui) e di espressioni dialettali. Tra i suoi romanzi che meritano attenzione: *L'altrieri – nero su bianco* del 1868 e *Vita di Alberto Pisani* del 1870, in cui abbandona le strutture tradizionali della narrazione. Negli anni Settanta, il ribelle Dossi diviene segretario particolare del ministro e poi capo del governo della sinistra, Francesco Crispi: si trasferisce a Roma, fa una carriera molto borghese nella pubblica amministrazione e infine diventa diplomatico italiano in America Latina.

52 Arrigo Boito, *Son lo spirito che nega*

Guida alla lettura

Nel *Dr. Faustus* di Marlowe e nel *Faust* di Goethe il mito di Faust è intitolato a quest'uomo assetato di conoscenza; nell'opera di Boito (che scrive il libretto e la musica) il protagonista è il demonio, *Mefistofele*, che qui si presenta come lo spirito del "nichilismo", la filosofia che vede il nulla dappertutto, diffusa nella seconda parte dell'Ottocento, legata spesso all'anarchia in politica.

L'Ottocento verista, scapigliato, decadente

Son lo spirito che nega
sempre, tutto, l'astro, il fior[1].
Il mio ghigno e la mia bega[2]
turban gli ozi al creator[3].

Voglio il nulla e del creato
la ruina universal.
È atmosfera mia vital
ciò che chiamasi peccato,
morte e mal!

Rido e avvento[4] questa sillaba: «No.»
Struggo, tento, ruggo, sibilo[5]: «No.»

Mordo, invischio[6], fischio! fischio! fischio!
(fischia violentemente colle dita fra le labbra)

Parte son d'una latèbra[7]
del gran tutto: oscurità.
Son figliuol della tenèbra
che tenèbra tornerà.

S'or la luce usurpa e afferra
il mio scettro a ribellion[8],
poco andrà la sua tenzon[9],
v'è sul sole e sulla terra
distruzion!

1. Nega anche il sole, i fiori. - **2.** La mia faccia che ride e la mia lotta continua. - **3.** Rovinano la tranquillità di Dio. - **4.** Lancio. - **5.** Ruggisco come un leone e dico a bassa voce come un serpente. - **6.** Catturo. - **7.** Una parte nascosta. - **8.** Se oggi la luce divina mi ruba il mio regno di ribellione. - **9.** La sua guerra durerà poco.

Analisi

C'è una lotta tra Dio e Satana. Come la fa vedere Boito? Completa questi versi:

a. *Son lo spirito che nega / sempre, tutto, l'..............................., il fior.* Il sole ci dà la ....
b. *Parte son d'una latèbra / del gran tutto:* ....
c. *Son figliuol della* .... / *che* .... *tornerà.*
d. *S'or la* .... *usurpa e afferra / il mio scettro*
e. *V'è sul* .... *e sulla terra / distruzion!*

Il modo per rendere visibile la lotta è l'opposizione tra .... e ....

Riflessione

Questo spirito distruttivo è solo la creazione letteraria di uno scapigliato o descrive anche molte filosofie giovanili di oggi? Discutine con la classe.

Arrigo Boito (1842-1918)

Figlio di un pittore impegnato nella rivoluzione veneziana del 1848 e di una polacca, fratello di Camillo Boito, architetto, critico, letterato. A vent'anni riceve una borsa di studio per Parigi, dove incontra Rossini, Berlioz e Verdi, che gli commissiona il testo dell'*Inno delle Nazioni* per l'Expo di Londra del 1862. Poi va in Polonia, a conoscere i parenti della madre e lì scrive il primo libretto d'opera, *Amleto*. Torna a Milano, scrive poesie e racconti, fa il giornalista, il critico teatrale e musicale, 'regna' nei salotti letterari, cerca di assomigliare sempre più a Baudelaire, l'idolo degli scapigliati, ed è l'amante ufficiale della 'divina', l'attrice Eleonora Duse, per la quale traduce Shakespeare. Nel 1868 alla Scala va in scena il suo *Mefistofele*, tratto dal Faust di Goethe: un'opera filo-wagneriana che raccoglie solo fischi... Smette quindi di fare musica e scrive molti libretti. Lavora per decenni a un altro progetto musicale, *Nerone*: non riesce a concluderlo perché muore d'improvviso. Il libretto è un clamoroso successo editoriale e l'opera, dopo che Toscanini e altri la completano seguendo le indicazioni di Boito, trionfa alla Scala nel 1924.

53 Carlo Dossi, *Epilogo*, da *Vita di Alberto Pisani*

Guida alla lettura

Questo testo è tratto da *Vita di Alberto Pisani* (1870), l'(auto)biografia di un adolescente ambiguo, incerto sul futuro, che alla fine si suicida davanti al cadavere della donna amata. È un romanzo ricco di riferimenti letterari (*Le ultime lettere di Jacopo Ortis* di Foscolo, Hoffmann, Sterne).

Notte. Un padiglione[1] di nubi, si stende sulla pianura; il bujo tinge[2]. È una di quelle notti, in cui i viaggiatori sàlgono a contracuore[3] nelle carrozze, e i cavalli agùzzano[4] spesso inquietamente le orecchie, e le perdute vigilie[5] sèntono più che mai il desio di pigliare la fuga[6].

Alberto stà asserragliando[7] la piccola porta in fondo al giardino della casa del mago[8]. Bàrnaba[9] ne è appena uscito con una carriola vuota.

Solo! E se ne stette, un momento, soggiogato dal peso della sua tanta sciagura[10]; poi, corse alla casa, corrèndogli il sàngue ancor più.

Ma, di botto, arrestossi[11]. Era alla porta; e, di là, ella attendeva. S'arrestò còlto da raccapriccio[12], battendo i denti e i ginocchi...

Si vinse. Con uno slancio, aperse le imposte, precipitossi[13] al didentro. Dal davanzale del vasto camino, un lume schiarava[14] sul tavolone di marmo una bara[15], nuda, simbolo di morte il più odioso. Ma il chiaro non arrivava alla volta[16]. Ombre paurose stendevansi sulle pareti. [...]

Apparve una figura di donna, tutta di bianco, dalle mani intrecciate e guantate; i calzari di raso e un fazzoletto sul viso.

Il martello sfuggì[17] ad Alberto. Ei restò presso di lei rannicchiato; immoto e freddo com'essa. Sotto quel fazzoletto, era lo spasimato sembiante[18]; avrebb'egli avuto coraggio di discoprirlo? E, qui, un serrato contrasto di sì e di no. Fe' per stènder[19] la mano; la mano non gli ubbidì. Volea, ma non poteva; i polsi gli rallentàvano[20]; momenti, durante i quali, il legame tra lo spirito e il corpo era interrotto.

Ma, infine, si riappiccò[21]. E Alberto, poté allungare la mano sul fazzoletto. ...

Ella! – Bianca del muto bianco della camelia[22], finamente[23] aperte le labbra, gli occhi velati, si dormia tranquilla, come se[24] in luogo fuor dalle nubi del mondo. Parea sfinita d'amore. Morte, aveala fatta[25] sua con un bacio lievissimo.

E a dire[26] che, proprio in questo momento, egli avrebbe forse potuto – trionfando di lei e di lui – attinger[27] la vita, tra le sue braccia di fuoco!

Oh fosse, quel che vedea, un sogno! ... Sì! lo dovea[28]; sogno ben sensibile, ben agghiacciante, ma sogno. Il ribrezzo lo strinse[29]. E pensò ch'era un sogno, ma il grande, quel della vita, quello di cui ci svegliamo morendo – se ci svegliamo.

La fantasia di lui infiammava; i suoi nervi strappàvano[30].

Sì; ci svegliamo. L'ànima non può finire. Quella di lei, forse lì intorno, tristamente mirava il bel corpo dal quale era stata divisa. ... E se peranco indivisa[31]? E se fluita al cervello, ùltimo spaldo[32]? ... Ma già il nulla si avanza da tutte le parti; ancora un secondo, ed ogni vita è scomparsa; e, sulla vita, si riunisce l'oblio[33].

Senonché, il nulla, come il finito, è inconcepibile. E... se fosse... non-morta?

Quì, Alberto si piegò su di lei, speranzoso, bramoso di un segno che dicessegli[34] sì, di un fuggitivo rossore, un sospiro.

Orribilmente gli battéan le tempie.

Ah! ... egli ha scorto, tra le socchiuse palpebre, rianimàrsele l'occhio[35]. E le apre, o meglio, le straccia, in sul petto, la veste; e le preme la mano sopra il nudo del cuore...

Ed ascolta...

Un battito! ... Vive! – Per lui essa deve rinàscere...

No! Un medaglione che le giace sul seno tosto[36] risponde «vivrà per un altro». Incendia di gelosia. Attorno a lui, tutto gira. Strappa di tasca una terzetta[37] a due colpi, e gliela scàrica[38] contro. Il medaglione, salta in cento frantumi. Poi, volge l'arme a sè. Ci ha un terribile istante, in cui la paura gli aggroviglia[39] le vene: ei serra[40] gli occhi; ma il colpo... parte.

L'arme, piomba fumante, giù dalla tàvola, in una cesta di rose; Alberto, cade sul desiato corpo di lei, morto.

---

1. Un tetto, una copertura. - **2.** L'oscurità (*bujo* usa la *j*, come spesso in questo secolo, per indicare il suono della semivocale *i* tra altre due vocali) dà alla pianura il suo colore. - **3.** Mal volentieri. - **4.** Drizzano, tirano su le orecchie perché hanno sentito qualcosa di strano. - **5.** Le guardie nei luoghi sperduti. - **6.** Il desiderio di fuggire. - **7.** Chiudendo. - **8.** Lo zio da cui Alberto ha ereditato la casa, chiamato 'mago' per i suoi misteriosi esperimenti scientifici. - **9.** Il custode del cimitero, che ha portato la cassa da morto. - **10.** Schiacciato dal peso di una simile disgrazia. - **11.** Si fermò all'improvviso. - **12.** Preso da una sensazione di disgusto. - **13.** Entrò di corsa. - **14.** Una luce illuminava. - **15.** Una cassa da morto. - **16.** Soffitto. - **17.** Alberto aveva in mano un martello, che gli cade, con cui doveva mettere i chiodi alla bara. - **18.** Il viso che aveva tanto desiderato. - **19.** Cercò ('fece' lo sforzo) di allungare. - **20.** I polsi, la parte tra il braccio e la mano, sta per tutte e due queste parti del corpo. - **21.** Il legame si ricreò. - **22.** Un fiore bianco. - **23.** Delicatamente, 'finemente' si direbbe oggi. - **24.** Come se fosse. - **25.** La morte l'aveva presa. - **26.** E pensare che... - **27.** Conquistare il momento più alto della vita. - **28.** Doveva essere un sogno. - **29.** Fu preso dal disgusto. - **30.** Erano tesi fino a rompersi. - **31.** E se anima e corpo erano ancora indivisi, insieme? - **32.** Rifugio. - **33.** Dimenticanza. - **34.** Desideroso di un segno che gli dicesse. - **35.** Un occhio che si rianima, si muove, in lei. - **36.** Una medaglia che si appoggia al seno ancora solido, forte. - **37.** Pistola. - **38.** Spara. - **39.** Contorce, annoda. - **40.** Chiude.

Analisi

Come hai senz'altro notato, Dossi è un forte sperimentatore linguistico:

a. Mette l'accento su parole che di solito non ce l'hanno, soprattutto se sono sdrucciole, cioè se l'accento è sulla terz'ultima sillaba: nelle prime righe trovi *È una di quelle notti, in cui i viaggiatori* .... *a contracuore nelle carrozze, e i cavalli* .... *spesso inquietamente le orecchie.*

b. Dossi mette l'accento anche su molti monosillabi dove di solito non si usa, come nella prima riga del secondo paragrafo: *Alberto* .... *asserragliando la piccola porta in fondo al giardino.*

c. Fai però attenzione: nel quarto paragrafo trovi *S'arrestò còlto da raccapriccio*, dove l'accento serve a distinguere la *ò* aperta, con l'accento grave come in questo caso, dalla *ó* chiusa. Qui *còlto* è il participio passato del verbo *cogliere*; ma con la *ó* chiusa è una persona che ha cultura, cioè una persona ....

d. Ci sono altre cose che certamente hai notato: la punteggiatura, le frasi incomplete, il ritmo sempre più rapido alla fine, ecc. Dossi davvero usava la lingua in maniera sperimentale!

Riflessione

Oggi questo gusto per i dettagli del cadavere, per lo scoppio di gelosia nel buio di una sala, mentre il morto sembra vivo, ecc., ci fanno sorridere, come i film dell'orrore... ma pensa che questo testo è scritto nel 1870, quando i lettori erano soprattutto madri e figlie di buone famiglie borghesi, abituate ad amori sereni o a tragedie 'normali', senza descrizioni di desiderio per un cadavere, che sembra tornare in vita, cui il protagonista spara... Riesci ad immaginare lo shock?

Destra storica e Sinistra storica

Francesco Crispi
(1818-1901)

L'aggettivo 'storica' accompagna Destra e Sinistra per distinguerle dalla destra violenta della prima parte del XX secolo e dalla sinistra marxista che nasceva con il Partito Socialista nel 1892. La Destra storica è votata dalla borghesia tradizionale e conservatrice; è il partito di Cavour e governa l'Italia per i primi 15 anni dopo l'unità con una politica di pareggio di bilancio, quindi senza gli investimenti pubblici di cui aveva bisogno soprattutto il Sud.
La Sinistra va al potere nel 1876 con Agostino Depretis, che ha un programma liberale progressista, allarga il numero di chi ha diritto di voto, cerca di modernizzare il Centro, lo Stato della Chiesa e il Sud, rende obbligatoria l'istruzione elementare. Nel 1887 il re nomina capo del governo Francesco Crispi, nuovo capo della Sinistra storica dopo Depretis. Crispi si sposta verso posizioni di centro, fino alla sconfitta elettorale del 1896. La Destra governerà tra la fine del secolo e la prima guerra mondiale.

Agostino Depretis (1813-1887)

Il Verismo e Giovanni Verga

Come abbiamo detto, il Verismo è il movimento più significativo della cultura italiana di fine secolo, parallelo al naturalismo francese e al realismo vittoriano in Inghilterra.

Alla base di questo movimento c'è la filosofia positivista, razionalista, secondo la quale anche l'uomo può essere analizzato scientificamente da un narratore che non si lascia andare alle emozioni. Il suo punto di vista non deve emergere, non deve essere lui a parlare e spiegare, sono gli eventi e i personaggi quelli che parlano e mostrano la realtà vera. L'autore verista scompare, fa descrizioni oggettive degli ambienti, usa molto i dialoghi.

I romanzi veristi sono sempre ambientati nel presente, abbandonano la tradizione del romanzo storico, e sono legati ad un ambiente regionale, non vogliono essere universali.

Le letteratura di un mondo deluso e rassegnato

Nel 1860 Garibaldi e i suoi Mille portano il Regno di Napoli e di Sicilia a far parte del Regno d'Italia, creando grandi speranze nella borghesia e tra la gente comune.

Ma la nuova classe dirigente non è capace di portare il Sud alla logica europea, che sta vivendo la seconda rivoluzione industriale, quindi la distanza tra Nord e Sud non diminuisce. Il Regno d'Italia porta nel Sud una nuova classe di burocrati, di amministratori, di poliziotti, di insegnanti – ma sono tutti staccati dalla cultura meridionale, non riescono a interagire, vengono sentiti come estranei.

Ai veristi interessano, come dice Verga, i 'vinti', gli sconfitti, che hanno creduto nel cambiamento e devono rassegnarsi a una realtà forse peggiore di quella precedente. C'è quindi una visione pessimista della vita sociale e civile, che prende il posto del pessimismo esistenziale dei romantici come Leopardi.

Gli scrittori veristi non credono neanche nella Provvidenza divina, che aveva aiutato Manzoni e Pellico ad uscire dal pessimismo, e dopo l'esperienza dell'Unità d'Italia non credono più nemmeno nel progresso sociale e nella possibilità del cambiamento, per cui anche le teorie di Marx ed Engels, pubblicate nel 1848, sono lontane, distanti, non applicabili in Italia.

Giovanni Verga

Inizialmente Verga (1841-1922) descrive la società borghese, in romanzi come *Una peccatrice* (1866), *Storia di una capinera* (1869), *Eva* (1873). Sono già dei 'vinti', dei perdenti, anche se la ricchezza li illude di essere dei vincenti.

Nel 1874 scrive *Nedda*, storia di una contadina vittima della miseria: è il suo primo racconto verista, che lo allontana dal mondo borghese e lo porta a contatto con la lotta per la sopravvivenza. Nel 1880 pubblica *Vita dei campi*, cui seguono i due grandi romanzi, *I Malavoglia* (1892) e *Mastro don Gesualdo* (1893) nonché le *Novelle rusticane*. Sono racconti e romanzi ambientati in Sicilia e i protagonisti sono contadini, pastori, pescatori. È una raccolta di cinque romanzi intitolata *I vinti*. Mentre *I Malavoglia* è un romanzo corale, al cui centro c'è la famiglia che dà il nome al romanzo, *Mastro don Gesualdo* è un romanzo centrato sul protagonista, un contadino che riesce a diventare ricco, ma per la paura di perdere tutto vive esattamente come i vinti, gli sconfitti.

A differenza di molti scrittori borghesi innamorati delle nuove idee progressiste, Verga ha un grande rispetto per i poveri, ne apprezza la forza e la dignità, in un mondo dove non c'è Dio, non c'è la Provvidenza divina, non c'è neppure la speranza del movimento socialista che sta nascendo in quegli anni (1892). I suoi personaggi non possono fare altro che accettare il destino con rassegnazione. A Verga non interessa particolarmente l'analisi psicologica dei personaggi, si limita a descrivere le loro azioni e l'ambiente in cui vivono, cercando di essere il più impersonale possibile, senza mai un commento personale.

Per questa operazione Verga usa un italiano con molte espressioni dialettali, tali però da non impedire che i suoi romanzi possano essere letti anche fuori della Sicilia.

La questione della lingua

Scrivere dialoghi e fare descrizioni in una logica verista pone un forte problema sul tipo di lingua da usare. L'idea dell'italiano fiorentino, sostenuta da Manzoni, non convince gli scrittori veristi, che vogliono un italiano più vero e vivo.

Nel 1861, alla nascita del Regno d'Italia, fuori della Toscana e del Lazio, solo il 2,5% della popolazione, cioè borghesia e clero, sapeva l'italiano.

Gli scrittori veristi quindi usano un italiano che richiama la lingua parlata e inseriscono spesso parole dialettali. Alcuni, come il napoletano Di Giacomo o un commediografo veneziano, Giacinto Gallina, usano le lingue locali, dette 'dialetti' ma che sono in realtà lingue autonome rispetto all'italiano.

I principali scrittori veristi

Il narratore verista più importante è il siciliano **Giovanni Verga**, ma ci sono altri due siciliani molto importanti. **Federico De Roberto** (1861-1927) è l'autore de *I Vicerè*, la storia di una potente famiglia siciliana e delle illusioni legate al Risorgimento, della fine dei miti romantici e di quelli storici.

Federico De Roberto

Edmondo De Amicis

Matilde Serao viene dal verismo napoletano (pag. 126), come il poeta **Salvatore Di Giacomo** (1860-1934) che descrive scene di vita vera in luoghi abbandonati dalla speranza come le prigioni, gli ospizi dei vecchi, gli ospedali.

Tra gli autori di teatro quelli che incontrano il gusto del pubblico sono **Giuseppe Giacosa** (1847-1906), autore di *La contessa di Challant* ma anche dei principali libretti per Puccini, e il veneziano **Giacinto Gallina** (1852-1897), che riprende la tradizione goldoniana.

Gli scrittori veristi vogliono fotografare (la fotografia sta diffondendosi in questi anni) ma vogliono anche educare, e in questa linea troviamo il toscano **Carlo Lorenzini** (1826-1890), conosciuto come **Collodi**, autore di *Pinocchio* (1883), e **Edmondo De Amicis** (1846-1908), piemontese, autore di *Cuore* (1886).

Giacinto Gallina

Il Sud nell'Ottocento

La "questione meridionale" emerge con l'Unità, quando la realtà meridionale viene messa a confronto con il Nord. Qui la povertà, l'analfabetismo, lo sfruttamento diminuiscono, al Sud no.

La mafia nasce in questo periodo. Nel primo Ottocento la parola mafia descrive i briganti (uomini violenti, fuorilegge) usati dai grandi proprietari terrieri per controllare i loro fondi. Con gli anni, i briganti si organizzano, creano delle organizzazioni (le 'famiglie' mafiose) che impongono con la violenza la loro volontà ai proprietari terrieri, agli artigiani, ai costruttori, chiedendo loro denaro. Verso il 1900 le famiglie hanno un controllo completo su ogni attività economica nel loro territorio.

Due anni dopo l'Unità viene emanata la legge Pica che dichiara guerra alla mafia usando i tribunali militari per i processi ai briganti, che vengono in gran parte imprigionati (anche se molti emigrano, mettendo le basi per la mafia americana): i grandi proprietari terrieri si salvano, ma le condizioni della popolazione non cambiano.

54. Giovanni Verga, *Ecco cosa siamo! Carne da lavoro!*

Guida alla lettura

I Malavoglia è la storia di una famiglia di pescatori, poveri come tutti i pescatori. Il giovane Antonio, 'Ntoni, il nipote di Padron 'Ntoni, il capofamiglia, non accetta questa vita di fatica e miseria. Ha fatto il servizio militare al Nord e ha visto che la gente vive meglio. 'Ntoni vuole andarsene in cerca di fortuna. Questa pagina mette a contrasto le due mentalità, quella del giovane 'Ntoni e quella del nonno.

Ma d'allora in poi non pensava ad altro che a quella vita senza pensieri e senza fatica che facevano gli altri; e la sera, per non sentire quelle chiacchiere senza sugo[1], si metteva sull'uscio colle spalle al muro, a guardare la gente che passava, e digerirsi la sua mala sorte[2]; almeno così si riposava pel giorno dopo, che si tornava da capo[3] a far la stessa cosa, al pari dell'asino di compare Mosca, il quale come vedeva prendere il basto[4], gonfiava la schiena, aspettando che lo bardassero[5]! — Carne d'asino! Borbottava[6]; ecco cosa siamo! Carne da lavoro! E si vedeva chiaro che era stanco di quella vitaccia, e voleva andarsene a far fortuna, come gli altri; tanto che sua madre, poveretta, l'accarezzava sulle spalle, e l'accarezzava pure col tono della voce, e cogli occhi pieni di lagrime, guardandolo fisso per leggergli dentro e toccargli il cuore. Ma ei diceva di no, che sarebbe stato meglio per lui e per loro; e quando tornava poi sarebbero stati tutti allegri. La povera donna non chiudeva occhio in tutta la notte, e inzuppava di lagrime il guanciale[7]. Infine il nonno se ne accorse, e chiamò il nipote fuori dell'uscio, accanto alla cappelletta[8], per domandargli cosa avesse.

— Orsù, che c'è di nuovo? dillo a tuo nonno, dillo! — 'Ntoni si stringeva nelle spalle; ma il vecchio seguitava ad accennare di sì col capo, e sputava, e si grattava il capo cercando le parole.

— Sì, sì, qualcosa ce l'hai in testa, ragazzo mio! Qualcosa che non c'era prima. «Chi va coi zoppi, all'anno zoppica[9]».

— C'è che sono un povero diavolo! ecco cosa c'è!

— Bè! che novità! e non lo sapevi? Sei quel che è stato tuo padre, e quel che è stato tuo nonno! «Più ricco è in terra chi meno desidera». «Meglio contentarsi che lamentarsi».

— Bella consolazione!

Questa volta il vecchio trovò subito le parole, perché si sentiva il cuore sulle labbra:

— Almeno non lo dire davanti a tua madre.

— Mia madre... Era meglio che non mi avesse partorito, mia madre.

— Sì, accennava padron 'Ntoni, sì, meglio che non t'avesse partorito, se oggi dovevi parlare in tal modo.

'Ntoni per un po' non seppe che dire: — Ebbene! esclamò poi; lo faccio per lei, per voi, e per tutti. Voglio farla ricca, mia madre! ecco cosa voglio. Adesso ci arrabattiamo colla casa e colla dote di Mena[10]; poi crescerà Lia, e un po' che le annate andranno scarse[11] staremo sempre nella miseria. Non voglio più farla questa vita. Voglio cambiare stato, io e tutti voi. Voglio che siamo ricchi, la mamma, voi, Mena, Alessi e tutti.

Padron 'Ntoni spalancò tanto d'occhi, e andava ruminando quelle parole, come per poterle mandar giù.

— Ricchi! diceva, ricchi! e che faremo quando saremo ricchi?

'Ntoni si grattò il capo, e si mise a cercar anche lui cosa avrebbero fatto.

— Faremo quel che fanno gli altri... Non faremo nulla, non faremo!... Andremo a stare in città, a non far nulla, e a mangiare pasta e carne tutti i giorni.

— Va, va a starci tu in città. Per me io voglio morire dove son nato; e pensando alla casa dove era nato, e che non era più sua si lasciò cadere la testa sul petto.

— Tu sei un ragazzo, e non lo sai!... non lo sai!... Vedrai cos'è quando non potrai più dormire nel tuo letto; e il sole non entrerà più dalla tua finestra!... Lo vedrai; te lo dico io che son vecchio!

Il poveraccio tossiva che pareva soffocasse, col dorso curvo, e dimenava tristamente il capo:

— «Ad ogni uccello, suo nido è bello». Vedi quelle passere[12]? le vedi? Hanno fatto il nido sempre colà, e torneranno a farcelo, e non vogliono andarsene.

— Io non sono una passera. Io non sono una bestia come loro! rispondeva 'Ntoni. Io non voglio vivere come un cane alla catena, come l'asino di compare Alfio, o come un mulo da bindolo[13], sempre a girar la ruota; io non voglio morir di fame in un cantuccio[14], o finire in bocca ai pescicani.

— Ringrazia Dio piuttosto, che t'ha fatto nascer qui; e guardati dall'andare a morire lontano dai sassi che ti conoscono. «Chi cambia la vecchia per la nuova, peggio trova». Tu hai paura del lavoro, hai paura della povertà; ed io che non ho più né le tue braccia né la tua salute non ho paura, vedi! «Il buon pilota si prova alle burrasche[15]». Tu hai paura di dover guadagnare il pane che mangi; ecco cos'hai! Quando la buon'anima di tuo nonno mi lasciò la Provvidenza[16] e cinque bocche da sfamare, io ero più giovan di te, e non avevo paura; ed ho fatto il mio dovere

EDILINGUA

senza brontolare; e lo faccio ancora; e prego Iddio di aiutarmi a farlo sempre sinché ci avrò gli occhi aperti, come l'ha fatto tuo padre, e tuo fratello Luca, benedetto! che non ha avuto paura di andare a fare il suo dovere. Tua madre l'ha fatto anche lei il suo dovere, povera femminuccia, nascosta fra quelle quattro mura; e tu non sai quante lagrime ha pianto, e quante ne piange ora che vuoi andartene; che la mattina tua sorella trova il lenzuolo tutto fradicio[17]! E nondimeno[18] sta zitta e non dice di queste cose che ti vengono in mente; e ha lavorato e si è aiutata come una povera formica anche lei; non ha fatto altro, tutta la vita, prima che le toccasse di piangere tanto, fin da quando ti dava la poppa[19], e quando non sapevi ancora abbottonarti le brache, che allora non ti era venuta in mente la tentazione di muovere le gambe, e andartene pel mondo come uno zingaro[20].

Da *I Malavoglia, capitolo 11*

1. Chiacchiere inutili. - **2.** Accettare il suo brutto destino. - **3.** Dal principio, di nuovo. - **4.** Il carico. - **5.** Gli mettessero quello che serve per portare un carico. - **6.** Si lamentava a bassa voce, tra sé e sé. - **7.** Riempiva di lacrime il cuscino. - **8.** Chiesetta. - **9.** È un proverbio: "chi va insieme agli zoppi (persone che camminano male) prima dell'anno zoppica anche lui". - **10.** Lavoriamo tanto per raccogliere qualche soldo per la casa e per la dote, il regalo di matrimonio per la sorella Mena. - **11.** Se non ci sarà abbastanza raccolto in campagna o pesce in mare. - **12.** Femmine di passero, il tipico uccellino. - **13.** Una macchina mossa da un asino per prendere acqua dai pozzi. - **14.** In un angolo. - **15.** Il bravo pilota di una barca lo vedi durante una tempesta. - **16.** La barca della famiglia Malavoglia; la provvidenza è la mano di Dio che aiuta tutti. - **17.** Bagnato dalle lacrime. - **18.** Nonostante tutto questo. - **19.** Il seno per bere il latte. - **20.** Un nomade, una persona di una tribù che non ha case ma solo carri, che si spostano di città in città.

Analisi

a. La cultura popolare siciliana emerge nei proverbi che Padron 'Ntoni cita continuamente. Indica vicino a ogni proverbio il numero della parafrasi corrispondente:

- *Chi va coi zoppi all'anno zoppica*: parafrasi n. ....
- *Più ricco è in terra chi meno desidera*: parafrasi n. ....
- *Meglio contentarsi che lamentarsi*: parafrasi n. ....
- *Ad ogni uccello suo nido è bello*: parafrasi n. ....
- *Chi cambia la vecchia con la nuova, peggio trova*: parafrasi n. ....
- *Il buon pilota si prova alle burrasche*: parafrasi n. ....

   Parafrasi:

1. Non ci si deve lamentare bensì accontentare
2. Nelle difficoltà si capisce chi è davvero bravo ed esperto
3. Non si devono desiderare le ricchezze
4. Le cattive compagnie ci rendono peggiori
5. Bella è solo la propria casa d'origine
6. Se si cambia si trova solo qualcosa di peggio

b. ci sono altre forme popolari; scrivi accanto alla parola usata da Verga la forma corretta:

   avrò   in cui   è sufficiente che   sarebbe stato   vadano

- *così si riposava pel giorno dopo, che* .... *si tornava da capo a far la stessa cosa*
- *prego Iddio di aiutarmi a farlo sempre sinché* ci avrò .... *gli occhi aperti*
- *era* .... *meglio che non mi avesse partorito, mia madre*
- *e un po' che* .... *le annate* andranno .... *scarse staremo sempre nella miseria*

Riflessione

Poco più avanti nel romanzo, una povera donna di Aci Trezza, dice: "Lo so anch'io che il mondo va così e non abbiamo diritto di lagnarcene", di lamentarci. In questa frase è concentrata la concezione di vita di questi umili. Essi sono convinti che il mondo non si possa cambiare e che sia meglio accettarlo senza lamentarsi. Lamentarsi della propria sorte è come ribellarsi al destino e al volere di Dio. 'Ntoni, l'unico che si ribella a quella vita dura, non avrà successo e finirà in carcere per aver pugnalato una guardia. Egli è un 'vinto' perché ha tentato di cambiare il suo destino.
Sono cambiate molto le cose nel mondo d'oggi, nei luoghi e nelle classi dove vince la povertà? Discutine con i tuoi compagni.

L'Ottocento verista, scapigliato, decadente

Matilde Serao

Abbiamo già notato come il Verismo, nato nell'ambiente internazionale di Milano che era aperto al realismo vittoriano e al Naturalismo francese, abbia poi trovato i maggiori protagonisti al Sud.
Napoli era stata una capitale europea per tutto il Settecento e il primo Ottocento: proprio lì, come abbiamo visto, nasce la prima ferrovia italiana.

Matilde Serao (1856-1927) Cresciuta in una famiglia di intellettuali, a 25 anni inizia come giornalista e a 27, con il romanzo *Fantasia* (1883), diventa subito famosa. Vive alcuni anni a Roma, e qui nasce uno dei suoi capolavori, *Il ventre di Napoli*

Dopo il 1848, si apre una stagione di rivolte continue che in pochi anni porta Napoli e il suo regno a far parte del Regno d'Italia – regno lontano, incapace di comprendere il carattere della città, prima ancora che i suoi problemi. E i letterati veristi si prendono il compito di denunciare questi problemi sia nei romanzi, sia in teatro, sia in testi come questo, potentissimo, di Matilde Serao, indirizzato proprio al capo del governo della Sinistra storica, Agostino Depretis.

55   Il ventre di Napoli

Guida alla lettura

Questo è l'inizio di *Il ventre di Napoli*, del 1884, romanzo-*reportage*-cronaca che descrive la realtà di Napoli nell'anno di un'epidemia di colera, mentre il governo Depretis decide di 'sventrare' Napoli, distruggendo interi quartieri per fare una nuova viabilità. Sono quartieri pieni di vita, di umanità. E la Serao invita Depretis a conoscere il *ventre* della città (il ventre è la parte del corpo tra i polmoni e i genitali, ma qui indica l'interno, la parte intima) prima di *sventrare,* cioè di distruggere la città; 'sventrare' è ancora oggi usato per indicare la distruzione di edifici e quartieri.

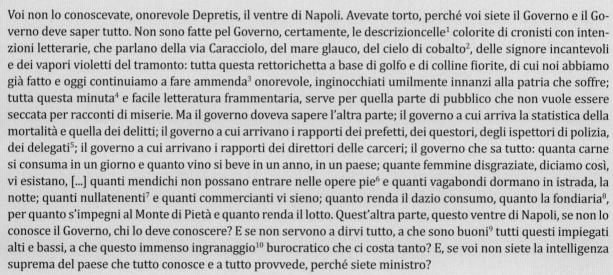

Voi non lo conoscevate, onorevole Depretis, il ventre di Napoli. Avevate torto, perché voi siete il Governo e il Governo deve saper tutto. Non sono fatte pel Governo, certamente, le descrizioncelle[1] colorite di cronisti con intenzioni letterarie, che parlano della via Caracciolo, del mare glauco, del cielo di cobalto[2], delle signore incantevoli e dei vapori violetti del tramonto: tutta questa rettorichetta a base di golfo e di colline fiorite, di cui noi abbiamo già fatto e oggi continuiamo a fare ammenda[3] onorevole, inginocchiati umilmente innanzi alla patria che soffre; tutta questa minuta[4] e facile letteratura frammentaria, serve per quella parte di pubblico che non vuole essere seccata per racconti di miserie. Ma il governo doveva sapere l'altra parte; il governo a cui arriva la statistica della mortalità e quella dei delitti; il governo a cui arrivano i rapporti dei prefetti, dei questori, degli ispettori di polizia, dei delegati[5]; il governo a cui arrivano i rapporti dei direttori delle carceri; il governo che sa tutto: quanta carne si consuma in un giorno e quanto vino si beve in un anno, in un paese; quante femmine disgraziate, diciamo così, vi esistano, [...] quanti mendichi non possano entrare nelle opere pie[6] e quanti vagabondi dormano in istrada, la notte; quanti nullatenenti[7] e quanti commercianti vi sieno; quanto renda il dazio consumo, quanto la fondiaria[8], per quanto s'impegni al Monte di Pietà e quanto renda il lotto. Quest'altra parte, questo ventre di Napoli, se non lo conosce il Governo, chi lo deve conoscere? E se non servono a dirvi tutto, a che sono buoni[9] tutti questi impiegati alti e bassi, a che questo immenso ingranaggio[10] burocratico che ci costa tanto? E, se voi non siete la intelligenza suprema del paese che tutto conosce e a tutto provvede, perché siete ministro?

Vi avranno fatto vedere una, due, tre strade dei quartieri bassi[11] e ne avrete avuto orrore. Ma non avete visto tutto; i napoletani istessi che vi conducevano, non conoscono tutti i quartieri bassi. La via dei Mercanti, l'avete percorsa tutta?

Sarà larga quattro metri, tanto che le carrozze non vi possono passare, ed è sinuosa, si torce come un budello[12]: le case altissime la immergono, durante le più belle giornate, in una luce scialba[13] e morta: nel mezzo della via il ruscello[14] è nero, fetido[15], non si muove, impantanato[16], è fatto di lisciva e di saponata lurida[17], di acqua di maccheroni e di acqua di minestra, una miscela fetente che imputridisce[18]. In questa strada dei Mercanti, che è una delle principali del quartiere Porto, v'è di tutto: botteghe oscure, dove si agitano delle ombre, a vendere di tutto, agenzie di pegni[19], banchi lotto; e ogni tanto un portoncino nero, ogni tanto un angiporto fangoso[20], ogni

EDILINGUA

(1884), più libro di denuncia che romanzo.
Torna a Napoli e insieme al marito fonda *Il mattino*, giornale che ancora oggi è fondamentale per quella città, invitando a collaborare i più grandi scrittori del periodo, quasi tutti fortemente veristi. A causa di uno scandalo (il marito ha un figlio con una cantante, che si suicida davanti alla casa della Serao), la scrittrice deve lasciare *Il mattino*, ma poco dopo fonda, con quello che diventerà il suo secondo marito, *Il giorno*. Muore di infarto seduta alla sua scrivania di giornalista.

L'attività di giornalista è fondamentale, come lo era stato pochi decenni prima per il realista inglese Dickens: il giornalismo insegna a guardare la realtà, da un lato, e a comunicarla ai lettori in maniera semplice ed efficace, dall'altro. E in questa capacità sta la grandezza della Serao.

tanto un friggitore, da cui esce il fetore dell'olio cattivo, ogni tanto un salumaio, dalla cui bottega esce un puzzo di formaggio che fermenta e di lardo fradicio[21].

Da questa via partono tante altre viottole, che portano i nomi delle arti [...] molto più strette dei Mercanti, ma egualmente sporche e oscure; e ognuna puzza in modo diverso: di cuoio vecchio, di piombo fuso, di acido nitrico, di acido solforico. Varie strade conducono dall'alto al quartiere di Porto: sono ripidissime[22], strette, mal selciate[23]. La via di Mezzocannone è popolata tutta di tintori[24]: in fondo a ogni bottega bruna, arde un fuoco vivo sotto una grossa caldaia nera, dove gli uomini seminudi agitano una miscela fumante; sulla porta si asciugano dei cenci[25] rossi e violetti; sulle selci disgiunte, cola sempre una feccia di tintura[26] multicolore. Un'altra strada, le così dette Gradelle di Santa Barbara, ha anche la sua originalità: da una parte e dall'altra abitano femmine disgraziate, che ne hanno fatto un loro dominio [...]

In sezione[27] Vicaria, vi siete stato?

Sopra tutte le strade che la traversano, una sola è pulita, la via del Duomo: tutte le altre sono rappresentazioni della vecchia Napoli, affogate, brune, con le case puntellate[28], che cadono per vecchiaia. [...]

1. È una parola creata dalla Serao, così come rettorichette poco dopo, per indicare descrizioni e retorica scadente, fatta male. - **2.** Il glauco è il colore biancastro dell'acqua non trasparente; il cobalto è blu intenso. - **3.** Ci siamo scusati e ci scusiamo. - **4.** Di livello basso, piccola. - **5.** Il prefetto rappresenta lo Stato; il questore è il capo della polizia; i delegati sono inviati speciali del governo per studiare un aspetto, in questo caso lo sventramento di Napoli. - **6.** Mendicanti, senzatetto che non sono ammessi negli ospizi per poveri, gestiti di solito da suore (per questo 'pie', sante). - **7.** Persone che non hanno nulla. - **8.** Il dazio è una tassa sui consumi, la tassa fondiaria invece è sul patrimonio. - **9.** A cosa servono. - **10.** Un insieme di parti meccaniche, di ruote dentate, che fa funzionare un meccanismo. - **11.** Poveri. - **12.** È tutta curve, si contorce come l'intestino (che è nel ventre di una persona). - **13.** Senza vita. - **14.** Un ruscello è un piccolo corso d'acqua; in molte città antiche le strade hanno la parte più bassa proprio al centro, in modo che l'acqua possa scorrere. - **15.** Puzzolente, che emana cattivo odore. - **16.** Fatto di fango, che non scorre. - **17.** La lisciva era un detersivo fatto di cenere e acqua, è terribilmente sporca, 'lurida'. - **18.** Un misto di cose che puzzano e marciscono. - **19.** Monte di pietà, cioè istituti dove si lascia un oggetto a garanzia di un piccolo prestito di denaro. - **20.** Spazio d'ingresso, pieno di fango. - **21.** Grasso di maiale umido. - **22.** Salgono molto in fretta. - **23.** Hanno la pavimentazione rotta. - **24.** Negozi dove si tingono, si colorano le stoffe. - **25.** Stracci. - **26.** Sulle pietre unite male della strada scendono gli avanzi delle sostanze usate per colorare. - **27.** Quartiere. - **28.** Tenute su con dei pali.

Analisi

a. La sintassi è semplicissima: frasi breve, dirette. Il lessico invece è molto raffinato, la scelta delle parole chiave, che fanno vivere la descrizione, è eccezionale.

Scrivi vicino alle parole della Serao il numero del significato che trovi in questa lista:

1. *Pieno di fango*; 2. *Che marcisce*; 3. *Pezzo di intestino*; 4. *Avanzo, parte di scarto*;
5. *Molto sporco*; 6. *Puzza*; 7. *Umido*; 8. *Di un colore incerto, non vivace*

budello ....   feccia ....   fetore ....   fradicio ....
impantanato ....   imputridisce ....   lurido ....   scialbo ....

b. C'è una sensazione che viene ripetuta più volte: molte cose sono oscure, nere, brune. Sottolinea queste parole nel testo e vedrai che servono per farti 'vedere' le cose.

Riflessione

Pensa alla letteratura che hai letto finora in questo volume: hai trovato un testo con una potenza sociale come questo?

Ci sono città del mondo d'oggi che – cambiando i nomi delle strade – possono essere descritte con queste parole di 150 anni fa?

Giosuè Carducci

L'educazione di Carducci è classica, fondata su autori greci e latini e sulla tradizione italiana fino al Settecento, quindi disprezza gli scrittori romantici, per non parlare degli scapigliati. Gli interessano poco anche gli scrittori stranieri del suo tempo, che inizia ad apprezzare solo negli ultimi anni.

Questo 'chauvinismo' è legato al suo sforzo per la costruzione di una letteratura italiana totalmente inserita nella tradizione, che viene vista come la principale forza che ha tenuto insieme il nostro Paese nei secoli della frantumazione in tanti piccoli stati – idea condivisa con il primo ministro dell'educazione nonché primo storico della letteratura italiana, **Francesco de Santis**.

Carducci è un uomo vitale, ma anche malinconico, combattivo ma anche solitario, rivoluzionario ma distante dalla violenza, cui preferisce la forza della poesia, sensibile alla sofferenza del popolo ma lontano da ogni forma di letteratura verista.

Un uomo del suo tempo: prima repubblicano e anticlericale, poi monarchico e disponibile verso la Chiesa

La vita di Carducci è molto legata agli eventi politici italiani dei primi 40 anni dopo l'Unità del 1861. All'inizio è un oppositore del governo: da un lato, appartiene al partito repubblicano e quindi è contrario al fatto che l'unificazione dei vari stati venga fatta nel nome dei Savoia; dall'altro è, come molti toscani, anticlericale (cioè contrario all'intervento nella vita dello stato da parte del clero, delle persone legate alla Chiesa); inoltre anche se il marxismo non ha ancora trovato spazio in Italia, è già socialista, totalmente dalla parte del popolo.

In seguito le sue posizioni diventano meno radicali, Carducci si fa più vicino alla posizione borghese mano a mano che lui stesso si inserisce nella borghesia.

Dopo l'incontro con la regina Margherita nel 1878 anche il suo repubblicanesimo perde forza e Carducci diventa un sostenitore della monarchia, con grave scandalo dei circoli giovanili repubblicani che si sentono traditi.

Anche la sua posizione anticlericale si indebolisce fino al riconoscimento del valore storico e civile del Cristianesimo.

Giosuè Carducci (1835-1907)

Nasce in Versilia, la costa toscana, e cresce nella Maremma, una delle zone più 'selvagge' della Toscana: due luoghi che tornano spesso nelle sue poesie.

Inizia fin da piccolo lo studio dei classici latini e italiani e si laurea nel 1856. Nel '57 il fratello Dante si suicida e l'anno dopo muore il padre, due episodi che richiamano Carducci alla realtà, così diversa dagli studi letterari. Anche se è ancora giovane mantiene la famiglia facendo l'insegnante e lavorando in editoria. Due anni dopo, nel 1860 gli viene affidata la cattedra di letteratura italiana all'Università di Bologna, dove insegna fino al 1904. Nel 1890 è nominato senatore e nel 1906 gli è conferito il Premio Nobel.

Dal padre eredita la forte passione politica. In un primo tempo Carducci è repubblicano, in seguito diventa monarchico e il suo iniziale anticlericalismo si attenua.

EDILINGUA

Le opere

L'inizio della sua attività letteraria è legato al suo interesse per i classici (*Juvenilia*, che raccoglie le poesie scritte nel decennio 1850-60, e *Levia Gravia*, 1861-71).

Lentamente, Carducci arricchisce il modello classico con elementi più moderni, soprattutto quando usa la poesia per attaccare governanti e clero. La scoperta di scrittori come Hugo o Heine lo convince del valore di una letteratura vicina alla lingua parlata, a volte con espressioni persino dure e volgari.

Rime Nuove, del 1887, è il punto di passaggio: ci sono sia poesie ispirate ai classici, sia poesie molto più vive in cui parla di eventi della sua vita privata, come la morte del figlio Dante (in *Pianto antico*) o un viaggio in Maremma (*Traversando la maremma toscana, Davanti a San Guido*) o ancora il ricordo di una donna amata in gioventù. Più si inserisce nel nuovo Stato italiano, più forte diventa l'insofferenza di Carducci per la mediocrità della classe dirigente del suo tempo, per cui cerca rifugio nel sogno e nell'arte, soprattutto nella classicità greca.

Sempre nel 1887 escono anche le *Odi barbare*, chiamate così perché seguono la metrica moderna anziché quella greco-latina, quindi sono 'barbare' (i 'barbari' erano coloro che non parlavano bene la lingua della Grecia o di Roma: gli invasori, gli stranieri). I temi sono quelli delle *Rime Nuove* ma con un accentuarsi del motivo dell'evasione nel passato o nell'arte. Nel 1897 e '98 viene composta l'ultima raccolta *Rime e Ritmi* in cui si percepisce un'inquietudine e un nervosismo, dietro l'ottimismo ufficiale, che anticipa il clima del Decadentismo. Dietro la solennità classica si affaccia già il 'verso libero' che verrà usato nel Novecento per esprimere, in forme metriche nuove, la sensibilità irrequieta dell'epoca.

Lontano dalla Scapigliatura e dal Verismo, non ancora Decadente, è il primo poeta italiano a ricevere un riconoscimento mondiale, il Premio Nobel.

Casa natale di Carducci

Il diritto di voto e la crisi economica negli anni Ottanta e Novanta

Nel 1861 nasce il Regno d'Italia, ma bisogna aspettare il 1866 perché includa il Veneto e il 1870 per la conquista di Roma, che diviene capitale d'Italia. Nel 1882 viene esteso il diritto di voto; restano ancora esclusi gli analfabeti e coloro che non hanno proprietà, oltre a tutto il mondo femminile.

In questo periodo la crisi economica causa sempre più proteste delle classi più povere. Nel 1898 è l'aumento del costo della vita a scatenare le proteste. La reazione del governo Rudinì è durissima e a Milano vengono uccisi molti dimostranti a colpi di cannone. Il generale Beccaris, responsabile della strage, viene premiato dal re Umberto I, provocando ulteriori proteste, alle quali partecipano anche i liberali moderati. Molti socialisti vengono arrestati.

Il 29 luglio 1900 l'anarchico Gaetano Bresci ritorna dall'America per vendicare i morti di Milano e uccide Umberto I. Gli succede Vittorio Emanuele III che affida il governo al liberale Zanardelli, che inaugura un periodo di forte sviluppo economico, dovuto soprattutto alla diffusione dell'industria.

Moti di Milano, 1898

L'Ottocento verista, scapigliato, decadente

129

56 San Martino

Guida alla lettura

È una tipica poesia-quadro, che ricorda molto la pittura toscana dei Macchiaioli (pag. 146): siamo in autunno (il giorno di San Martino è l'11 novembre); il vino 'ribolle', fermenta nelle cantine; la carne cuoce sulle braci. Il poeta descrive un mondo di serenità senza tempo, lontano dalla città e dalla modernità.

La nebbia a gl'irti colli
piovigginando sale[1],
e sotto il maestrale[2]
urla e biancheggia il mar;

ma per le vie del borgo
dal ribollir de' tini[3]
va l'aspro odor de i vini
l'anime a rallegrar.

Gira su' ceppi accesi
lo spiedo scoppiettando[4]:
sta il cacciator fischiando
su l'uscio a rimirar

tra le rossastre nubi
stormi[5] d'uccelli neri,
com'esuli pensieri,
nel vespero migrar[6].

1. *Sale* è il verbo, *la nebbia* il soggetto. - **2.** Vento nel nord. - **3.** Dal vino che 'bolle', che fermenta nelle botti. - **4.** Sui legni che bruciano e scoppiettano gira lo spiedo, un'asta di metallo in cui sono infilzati pezzi di carne da cuocere. - **5.** Gruppi. - **6.** Pensieri che vanno via, vanno in esilio, emigrano nella sera.

Analisi

Nella poesia vi sono riferimenti a suoni, odori e colori, proprio per rendere sensibile il paesaggio:
a. suoni ....; b. odori ....; c. colori e sensazioni visive ....;
d. tatto, sensazioni di pelle ....

Come abbiamo visto nel Testo 46, *Addio monti* di Alessandro Manzoni, i grandi scrittori descrivono gli ambienti usando tutti i sensi e uniscono la descrizione *oggettiva* di quello che i protagonisti stanno osservando con la descrizione *soggettiva*, cioè quella delle sensazioni che essi provano di fronte a quello che vedono.

Riflessione

Tutti e 55 i testi che hai potuto leggere finora sono densi di pensiero, vogliono far riflettere, denunciare, spiegare. Qui l'intellettuale rinuncia a questa tradizione: i suoi pensieri sono 'esuli', emigrano lontano, e lui trova la pace nel godere il mondo così com'è. È una posizione comune anche oggi in canzoni e poesie? Discutine con la classe.

Carducci, primo Nobel italiano

Quali sono i letterati italiani che hanno ricevuto il premio Nobel?

1906 Giosuè Carducci, "per i profondi insegnamenti, per l'energia creativa, la purezza dello stile e la forza lirica".

1934 Luigi Pirandello, "per il coraggioso rilancio dell'arte del teatro".

1975 Eugenio Montale, "per la grande sensibilità artistica con cui interpreta i valori umani in una vita senza illusioni".

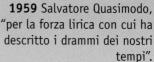

1926 Grazia Deledda, "per la potenza di scrittrice, sostenuta da un alto ideale, che ritrae la vita nella sua isola natale trattando problemi di interesse umano generale".

1959 Salvatore Quasimodo, "per la forza lirica con cui ha descritto i drammi dei nostri tempi".

1997 Dario Fo, "perché, seguendo le orme dei giullari medievali, prende in giro i potenti e dà dignità alle persone oppresse, sfruttate".

EDILINGUA

57 *Pianto antico*

Guida alla lettura

La lunghezza, la metrica, la struttura sono le stesse del Testo 56. Ma nulla può esserci di più distante di questi due testi. Nel primo c'è la pace, nel secondo la tragedia, la morte del figlio bambino. Conoscendo un po' Carducci, secondo te leggerai versi disperati o equilibratamente classici? Il dolore esploderà o troverà una forma equilibrata?

L'albero a cui tendevi
la pargoletta[1] mano,
il verde melograno
da' bei vermigli fior[2],

nel muto orto solingo[3]
rinverdì tutto or ora[4],
e giugno lo ristora
di luce e di calor.

Tu fior de la mia pianta
percossa e inaridita[5],
tu de l'inutil vita
estremo[6] unico fior,

sei ne la terra fredda
sei ne la terra negra;
né il sol più ti rallegra
né ti risveglia amor.

1. Da bambino, da pargolo. - **2.** Il melograno è un albero con i fiori rossi. - **3.** Solitario. - **4.** È appena tornato ad esser verde. - **5.** Io sono una pianta colpita, sterile, seccata. - **6.** Ultimo.

Analisi

La poesia è divisa in due parti in perfetto equilibrio:

a. la prima parte descrive ....

b. la seconda parte descrive ....

c. un verso nella prima parte anticipa la situazione della seconda. Quale? ....

d. l'ultima parte della poesia è basata su ripetizioni continue:

   - tu .... / ....

   - sei .... / sei ....

   - né .... / né ....

Riflessione

Il poeta intitola la poesia *Pianto antico*: perché "antico", secondo te? Cosa ha di "antico" la sofferenza dell'uomo Carducci? E in che modo, il poeta Carducci trasforma quel pianto ben preciso del padre Carducci, a Bologna, a fine Ottocento, in un pianto antico ed universale?

La casa di via Broccaindosso, a Bologna, con il melograno, in una vecchia cartolina illustrata.

Bologna, città di letterati

Quando si parla di città e letteratura vengono in mente subito Milano, Firenze, Roma e Napoli. Bologna – la città dove hanno vissuto e insegnato i due maggiori poeti tra l'Ottocento e il Novecento, Carducci e Pascoli – non viene considerata. Eppure a Bologna hanno vissuto Guinizelli e Dante, qui è nato Pasolini, e molti scrittori e filosofi hanno insegnato nell'università più antica d'Europa, già attiva nel 1088.

Ci sono due generi letterari che oggi hanno forti radici a Bologna: da un lato i 'gialli', cioè i romanzi polizieschi, con autori come Loriano Macchiavelli, Daniela Comastri Montanari e, oggi, uno dei più importanti giallisti italiani, Carlo Lucarelli; dall'altro, la canzone d'autore, da Lucio Dalla a Vinicio Capossela, da Francesco Guccini a Samuele Bersani, e molti altri.

Queste sono le due torri ancora esistenti a Bologna; nel Medioevo erano più di cento: le ricostruzioni al computer ti mostrano una città che sembra... New York!

Il melodramma realista

Come hai visto nel capitolo precedente, nell'Ottocento il melodramma è il teatro, è molto più seguito dal pubblico di quanto non sia il dramma in versi o in prosa.

Nella seconda parte dell'Ottocento e, soprattutto, a cavallo tra i due secoli le cose cambiano: il teatro borghese si afferma, ma per una trentina d'anni la grande opera e il grande teatro coesistono. Il Verismo era entrato nel teatro ad opera di attori di prosa come Gustavo Modena, che usavano una recitazione meno artificiale, più naturale di quella romantica; ma bisogna aspettare il 1881 per trovare *Il naturalismo nel teatro* di Émile Zola, che costituisce il principale contributo teorico all'evoluzione dal teatro romantico a quello novecentesco.

L'eroe romantico, spesso aristocratico, viene sostituito dall'uomo e dalla donna comuni, prevalentemente borghesi, con le loro fragilità, psicopatie, angosce, passioni; nel Romanticismo il conflitto era tra grandi forze politiche e grandi passioni, qui il campo di battaglia è quasi sempre la famiglia, con le sue tensioni e le sue complessità.

L'opera a cavallo tra i due secoli

In questi decenni si supera la tradizionale divisione in generi – opera buffa, comica, giocosa, seria ecc. I librettisti non sono più "poeti di teatro", legati alla tradizione, ma sono drammaturghi che, come Goldoni un secolo prima, scrivono anche libretti, intesi come copioni teatrali.

I due librettisti preferiti da Puccini sono **Luigi Illica** (1857-1919), che da vero uomo di teatro scrive didascalie precisissime, complesse, guidando il regista, e **Giuseppe Giacosa** (1847-1906), direttore del supplemento letterario del *Corriere della sera* e docente di letteratura drammatica al Conservatorio di Milano. Per vent'anni Giacosa è uno dei catalizzatori della vita intellettuale milanese.

Ma i tre grandi musicisti veristi non hanno bisogno di grandi librettisti: **Arrigo Boito** (pag. 119) scrive il testo di *Mefistofele* (1868) oltre alla musica, **Ruggiero Leoncavallo** scrive il libretto di *Pagliacci* (1892), **Pietro Mascagni**, giovanissimo, scrive insieme al suo insegnante di liceo la versione teatrale di una novella di Giovanni Verga, *Cavalleria Rusticana* (1890).

La copertina di *Mefistofele*

Ruggero Leoncavallo (1857-1919)

Cresce al Sud, perché il padre magistrato viene continuamente trasferito dove ci sono processi scottanti, ed entra in contatto con quella che sarà l'ambientazione di molta letteratura verista. Da giovane studia a Bologna con Carducci e frequenta il conservatorio; dopo alcuni tentativi musicali falliti, la *Cavalleria* gli ispira la via dell'opera verista e Leoncavallo scrive il libretto e la musica di *Pagliacci*, presentata a Milano nel 1892 per la direzione di Toscanini. Le opere successive non ottengono lo stesso successo e Leoncavallo cambia genere, diventando il maggior compositore italiano di operette (opere a lieto fine in parte recitate e in parte cantate, con arie semplici e memorizzabili: l'opera *pop* dell'epoca).

Insieme a Francesco Paolo Tosti, Leoncavallo fu il maggior autore italiano di '*romanze*', vere e proprie canzoni. La più famosa è *Mattinata*, scritta per Enrico Caruso, è stata ripresa anni fa, con successo mondiale, dal cantante Al Bano: se la ascolti scoprirai che l'hai nella tua memoria, anche se non ne ricordi il nome.

EDILINGUA

Prima che si apra il sipario e inizi *Pagliacci*, Leoncavallo presenta un personaggio unico nella storia del teatro, il Prologo (cioè 'Introduzione'), che spiega, cantando, che cosa è il (melo)dramma verista:

L'autore ha cercato	[L'autore ha cercato
invece pingervi	di dipingervi
uno squarcio di vita.	un momento di vita.
Egli ha per massima sol:	Il suo principio guida è solo questo:
che l'artista è un uom	l'artista è un uomo
e che per gli uomini	e per gli uomini,
scrivere ei deve.	deve scrivere
Ed al vero ispiravasi.	ispirandosi alla verità, alla realtà]

I temi dell'opera verista

Cavalleria rusticana e *Pagliacci*, di cui trovi due testi nelle pagine seguenti, sono due atti unici che vengono quasi sempre eseguiti uno dopo l'altro; nel 1890 **Mascagni** e **Leoncavallo** partecipano allo stesso concorso per un'opera prima, vince Mascagni e Leoncavallo è secondo, e insieme sconvolgono il mondo dell'opera per i temi trattati.

Cavalleria rusticana è una novella di Verga ambientata in un paesino siciliano, con l'introduzione in dialetto (Testo 58), i personaggi sono i contadini, con i loro riti violenti (un morso all'orecchio per sfidare a duello, ad esempio), con le loro regole d'onore. Anche *Pagliacci* racconta una storia di tradimento, all'interno di una compagnia di attori 'girovaghi', che fanno spettacolo ogni sera in un paesino diverso; l'ambientazione è in Calabria (Testo 59).

Francesco Cilea è il compositore de *L'Arlesiana* (1897), che racconta una storia 'romantica' (lui ama lei, lei sposa l'altro, lui si suicida), ma non l'ambienta tra eroi medievali ma in campagna, nella dura vita dei contadini: il suicidio del protagonista non ha nulla di eroico, si limita a buttarsi dal fienile, quasi in un quadro di Fattori.

Umberto Giordano fu molto famoso nei suoi anni per *Andrea Chénier* (1886) e *Fedora* (1889). Della Francia rivoluzionaria di *Andrea Chénier* non vediamo tanto gli ideali quanto la corruzione, la violenza gratuita, e dell'Europa cosmopolita di *Fedora* non vediamo lo sfavillio delle feste ma le lettere anonime e le delazioni.

Giacomo Puccini (pag. 142), per anni compagno di stanza di Mascagni, a Milano, inizia con temi realisti, soprattutto in *Bohème* (1896), ma come vedremo si evolve in maniera molto più complessa.

Pietro Mascagni (1863-1945)

Livornese, figlio di un fornaio, lascia Livorno da adolescente per frequentare il conservatorio a Milano, dove affitta una stanza insieme al lucchese Puccini, di qualche anno più anziano. Ma il conservatorio milanese è troppo tradizionalista e Mascagni lo lascia, diventando direttore di un'orchestra da operette.

Nel 1888 l'editore musicale Sonzogno lancia un concorso per un'opera in atto unico. Mascagni chiede aiuto a un amico livornese, Giovanni Targioni-Tozzetti, che trae un libretto da una novella di Verga, *Cavalleria rusticana*: vince il concorso e a 27 anni mette in scena a Roma l'opera che lo consacrerà in tutto il mondo – l'unica opera veramente di successo di Mascagni, che in seguito ne scriverà molte altre, oltre a romanze, cantate, musica per cinema: Mascagni e la *Cavalleria* sono tutt'uno, così come la *Cavalleria* è tutt'uno con *Pagliacci* (pag. 135), l'atto unico di Leoncavallo cui di solito è accoppiata nelle esecuzioni, in modo da riempire la serata a teatro.

Particolare successo ha avuto e ha ancor oggi l'*Intermezzo*. Ascoltalo e vedrai che l'hai sentito mille volte, in sigle televisive, pubblicità, colonne sonore: è di una semplicità estrema ed è uno dei vertici della musica 'cantabile', cioè della melodia tipica della musica italiana.

58 Pietro Mascagni, *O Lola ch'ai di latti la cammisa*, da *Cavalleria rusticana*

Guida alla lettura

È facile immaginare lo sconcerto della buona borghesia romana nel 1890 che partecipa alla prima esecuzione dell'opera di un giovane compositore ventisettenne e, in apertura, sente questo testo: non potevano capire nulla, forse neppure intuivano che era dialetto siciliano. Mascagni voleva provocare... e ci riuscì benissimo!

Ma questo prologo è fondamentale per delineare i tratti fondamentali del Verismo derivato da Verga: la lingua popolare, i sentimenti elementari, la morte violenta, il sangue, un amore esagerato: "se muoio e vado in paradiso, se non ci sei tu io neppure ci entro!" (anche la sintassi, come vedi non è quella dell'Accademia della Crusca...).

Altro elemento sconvolgente: questo testo crudo e violento è accompagnato da una semplicissima arpa, fino all'esplosione orchestrale che lo segue: ascolta questo prologo per immaginare meglio la sorpresa dei poveri spettatori del 1890!

O Lola ch'ai di latti la cammisa[1]
si bianca e russa comu la cirasa[2],
quannu t'affacci fai la vucca a risa[3],
biato cui ti dà lu primu vasu[4]!

Ntra[5] la porta tua lu sangu è sparsu[6],
e nun me mporta si ce muoru accisu[7]...
e s'iddu[8] muoru e vaju m paradisu[9]
si nun ce truovo a ttia, mancu ce trasu[10].

1. La camicia bianca come il latte. - 2. Ciliegia. - 3. Accenni a un sorriso. - 4. Beato chi ti dà il primo bacio. - 5. Dentro. - 6. Sparso. - 7. Se muoio ucciso. - 8. Io. - 9. Vado in paradiso. - 10. Neppure ci entro.

Riflessione

Insieme alla classe prova a tradurre questo testo in italiano e poi, ascoltandolo, prova a cantarlo in italiano. Funziona? Ha la stessa forza? Parla dello stesso amore totale, violento?

La storia di *Cavalleria rusticana*

Turiddu e Lola si amano, in un paesino del catanese; lui va militare e quando torna trova che Lola ha sposato Alfio, il boss del paese (è il carrettiere che porta i prodotti della campagna a Catania). Turiddu si fidanza con Santuzza, ma corteggia ancora Lola, e in un'occasione in cui Alfio è a Catania viene visto di notte vicino alla casa di lei.

È Pasqua, in piazza si fa festa e si beve, Turiddu invita Alfio a brindare con lui ma Alfio, che sa tutto, rifiuta. È uno sgarbo plateale che gela tutti. Turiddu capisce come stanno le cose, si comporta come prescrivono i codici di comportamento tradizionale (si abbracciano e lui morde l'orecchio di Alfio), si danno appuntamento dietro l'orto per il duello d'onore.

Turiddu saluta la madre, ignara, affida Santuzza prima, indirettamente, ad Alfio e poi alla madre, e va. Dopo poco una voce fuori campo grida "Hanno ammazzato compare Turiddu".

EDILINGUA

59 Ruggero Leoncavallo, *Vesti la giubba*, da *Pagliacci*

Guida alla lettura

Leoncavallo, autore del libretto, narra di una compagnia teatrale che recita la commmedia dell'arte in piccoli paesini del Sud. Nedda, la moglie del capo della compagnia, Canio, è innamorata di un contadino della zona; Canio scopre che Nedda lo tradisce e vede la moglie insieme al contadino. È disperato, è furioso, ma gli altri attori lo chiamano in scena e lui deve 'vestire la giubba', mettere la lunga camicia bianca del suo personaggio, e recitare una commedia in cui impersona un marito tradito. Realtà e finzione si sovrappongono e durante la recita Canio uccide Nedda. Solo allora gli spettatori si rendono conto che non è finzione.

Le ultime parole di Canio guardando gli spettatori sono il climax dell'opera: "la commedia è finita!".
In questa famosissima aria, Canio sta per andare in scena, sta mettendo farina sulla faccia per farla bianca come la giubba.

Recitar! Mentre preso dal delirio,
non so più quel che dico,
e quel che faccio!
Eppur è d'uopo[1], sforzati!
Bah! sei tu forse un uom?
Tu se' Pagliaccio!

Vesti la giubba,
e la faccia infarina.
La gente paga, e rider vuole qua.
E se Arlecchin t'invola Colombina[2],
ridi, Pagliaccio, e ognun applaudirà!
Tramuta in lazzi lo spasmo ed il pianto[3]
in una smorfia il singhiozzo e 'l dolor.

Ah, ridi, Pagliaccio,
sul tuo amore infranto!
Ridi del duol, che t'avvelena il cor!

1. È necessario. - **2.** La commedia narra di Arlecchino che ruba Colombina al Pagliaccio. - **3.** Trasforma gli spasimi del dolore in risate e battute.

Riflessione

Pensa a questa canzone dei Queen:

The show must go on
Inside my heart is breaking
My make-up may be flaking
But my smile still stays on

Vedi a chi si sono ispirati? È un'aria famosissima: il disco di *Vesti la giubba* cantata da Enrico Caruso fu il primo nella storia a superare il milione di copie vendute.

È una tragedia totale, per Canio, è la tragedia universale di tutti gli attori... osserva però la lingua: c'è qualcosa di tragico, romantico, oppure è semplice, diretta, quotidiana? In effetti, il dolore, in quest'aria, non è affidato alle parole, ma alla musica e all'interpretazione. Ti consigliamo quella di Jonas Kaufmann (scegli una registrazione fatta in teatro, non in un concerto).

Il Decadentismo, i Crepuscolari

A pagina 117 abbiamo sintetizzato le principali caratteristiche della letteratura a cavallo tra il XIX e il XX secolo, di solito chiamata 'decadente', dal titolo della rivista letteraria francese *Le décadent*, alla quale i poeti 'maledetti' di fine secolo (Tristan Corbière, Stéphane Mallarmé e Arthur Rimbaud) avevano provocatoriamente dato questo nome. È un termine negativo, che dà un'idea di perdita della purezza e della grandezza originarie.

In realtà **Giovanni Pascoli**, **Guido Gozzano** (Testo 60 online), **Gabriele D'Annunzio** (pag. 158) potevano sembrare 'decadenti' a chi aveva come punto di riferimento Manzoni, Pellico, Carducci – ma erano in realtà grandissimi poeti e scrittori, totalmente in sintonia con quello che stava succedendo nella letteratura europea.

In realtà a 'decadere' non erano la letteratura o l'arte, ma tutto il mondo ottocentesco nato dal Congresso di Vienna del 1815 e tutta l'illusione scientifica e positivistica del secondo Ottocento. Anche l'idea borghese e solida di uomo va in pezzi sotto i colpi di Freud, Nietzsche, Bergson.

L'artista in un mondo senza certezze

L'intellettuale ottocentesco aveva descritto e rappresentato la società borghese e, in Italia, la spinta verso l'unità del Paese; gli scapigliati (pag. 118) avevano avuto una prima reazione al crollo delle illusioni nella scienza, nella ragione, nell'Unità d'Italia, ma il loro era stato un movimento locale, limitato al Nord, e troppo 'anti-', troppo distruttivo, quindi non aveva costruito una scuola artistica.

Le linee curve dello stile liberty italiano, casa Guazzoni a Milano.

Alla fine del secolo invece è tutta l'Europa ad andare in crisi, e l'espressione più chiara e visibile di questo stato d'animo è data dall'abbandono, in pittura e nelle decorazioni di case e palazzi, delle linee rette, solide, precise, a favore delle curve dell'*art nouveau*, dello *jugendstil,* dello *stile liberty*. L'artista, il musicista (sono gli anni di Mahler), il letterato perdono le certezze, si sentono sempre più lontani dalla società e dall'uomo comune, si isolano, in molti casi diventano dei *maudit*, dei 'maledetti', interessati al loro simbolismo privato, sempre più pronti a confondere arte e vita, come nel caso limite di Oscar Wilde e, in un certo senso, anche di Gabriele D'Annunzio.

In Europa il Decadentismo ha vari aspetti, dall'*estetismo,* cioè la ricerca della bellezza pura, fine a se stessa, come in D'Annunzio, al *simbolismo*, la sensazione che tutto sia simbolico, significhi qualcosa di diverso da quello che apparentemente è – e il più grande simbolista italiano è senza dubbio Giovanni Pascoli.

Su questa base si svilupperanno, all'inizio del nuovo secolo, le esperienze di molti movimenti artistici quali l'Impressionismo e il Surrealismo, ma anche di movimenti che in apparenza reagiscono con violenza e 'virilità' alla 'effeminatezza' del Decadentismo, ma ne conservano molte caratteristiche, come nel caso del Futurismo (pag. 156).

Il Crepuscolarismo

Una corrente decadente propria dell'Italia è il Crepuscolarismo, dalla parola 'crepuscolo', che indica quel momento particolare della giornata in cui il sole è già tramontato ma c'è ancora luce, e i pensieri si perdono nella nostalgia e nella malinconia o, come diremmo in portoghese, nella *saudade*, una parola che non ha corrispondente in italiano.

Non si tratta di un movimento artistico strutturato, quanto piuttosto di un gruppo di poeti che rifiutano sia la solennità di Carducci, sia l'estetismo di D'Annunzio, sia il simbolismo di Pascoli – quasi che fossero dei 'soli' ormai tramontati, lasciando tutti senza luce.

In questa penombra, i crepuscolari descrivono la loro 'noia' (erede dell'*ennui* e dello *spleen* di Baudelarie e dei francesi), il vuoto di ideali, il senso di delusione sia per il modo in cui avanza la loro vita sia per quello che succede nella storia, nel mondo. Quindi si allontanano dalla modernità, dal tempo in cui vivono, e ritornano all'infanzia, ai ricordi, esaltano "le buone cose di pessimo gusto", come dice Gozzano, descrivono le cittadine di provincia, che non hanno nulla di eccezionale, dove la vita scorre sempre uguale a se stessa, giorno dopo giorno, anno dopo anno.

Guido Gozzano e "le buone cose di pessimo gusto"

Per i poeti crepuscolari non c'è la possibilità di una consolazione, ma non vogliono neppure essere consolati: descrivono la loro vita crepuscolare, a metà tra luce e oscurità, con lucidità e ironia, senza neppure cercare di modificare la situazione. I romantici si ribellano; i personaggi dei veristi si rassegnano, convinti che non sia possibile cambiare; i crepuscolari non si muovono, per loro è troppo faticoso anche solo pensare di cambiare il mondo.

Tra i principali poeti crepuscolari ricordiamo **Sergio Corazzini** (1886-1907), morto giovanissimo di tubercolosi, il principale esponente del gruppo di crepuscolari romani; **Corrado Govoni** (1884-1965) che inizia all'interno della tradizione simbolista, ma poi canta i temi del crepuscolarismo; ma il grande esponente di questa scuola è **Guido Gozzano** (1883-1916; trovi la scheda biografica nel Testo 60 online).

Sergio Corazzini

Gozzano condivide i temi degli altri poeti crepuscolari, cioè la sensazione di essere isolati e incompresi, la delusione per la vita e quindi la malinconia, il ritorno al passato – ma a differenza di molti altri è insieme razionale e ironico, senza alcuna caduta nel 'patetico', che tanto interessa altri autori di questi anni, come i tardo-romantici **Giovanni Prati** e **Aleardo Aleardi**, tra i poeti più famosi del loro tempo.

Un crepuscolo dipinto da Giorgio Belloni (1861-1944), che intorno alla fine dell'Ottocento e all'inizio del Novecento produce molti quadri che mostrano l'ultima luce della giornata.

Online per te
Online trovi il **Testo 60**, *Totò Merùmeni*, di **Guido Gozzano**.

Giovanni Pascoli

La scheda biografica di Pascoli mostra, senza bisogno di ulteriori spiegazioni, le cause della solitudine di un uomo chiuso, segnato dalla morte dei genitori e dei fratelli e dal senso di ingiustizia individuale (la polizia che non cercò mai realmente l'assassino del padre) e sociale della fine dell'Ottocento.

Come Verga, come gli scapigliati, Pascoli non ha fiducia nell'uomo e nel progresso, e quindi si chiude nel suo mondo di ricordi e in una realtà in cui ogni cosa, anche la più piccola, è simbolo di qualcosa di intimo, che si può comprendere solo con grande sforzo.

L'opera di Pascoli

Fin da ragazzo Pascoli scrive poesie, ma pubblica la sua prima raccolta solo poco prima dei quarant'anni, nel 1891. Il titolo è *Myricae*, nome latino di piccole piante che crescono a fatica vicino alle spiagge sulla costa dell'Adriatico, quasi a indicare l'umiltà della sua poesia che tratta temi minimi e ricordi della sua Romagna.

Nel 1897 pubblica i *Poemetti*, che mostrano come Pascoli in quegli anni avesse studiato la poesia straniera, in particolare quella inglese, aprendo la letteratura italiana a quella europea. Nel 1903 vengono pubblicati i *Canti di Castelvecchio*, nel 1904 i *Poemi conviviali*, e due anni dopo *Odi e Inni*, raccolte in cui, accanto alle piccole cose di ogni giorno e ai ricordi, compaiono riflessioni sui grandi personaggi dell'antichità, da Alessandro Magno a Ulisse. La poesia di Pascoli, vincitore di molti concorsi di poesia in latino, è influenzata infatti dalla sua cultura classica: ma a differenza di Carducci, Pascoli non imita lo stile del mondo antico, bensì riprende i grandi personaggi del mito e della storia, attribuendo loro modernissimi sentimenti di inquietudine.

Le ultime tre raccolte sono pubblicate solo dopo la morte di Pascoli, dimostrando anche in questo caso come egli ritenesse la sua poesia un fatto personale, intimo.

I temi

Abbiamo già detto che *Myricae* canta le cose semplici, la natura, la famiglia, il mondo quotidiano, l'infanzia nella campagna della sua Romagna, cose 'pulite' contrapposte all'idea del male e dell'irrazionalità dell'uomo e della società.

Ma quella di Pascoli non è poesia descrittiva: le piccole cose, la natura, gli eventi dell'infanzia sono simboli da comprendere in profondità, come se dentro di loro fosse possibile capire la verità dell'esistenza, della realtà, della vita – realtà che solo il bambino che è dentro ognuno di noi, il *fanciullino*, può comprendere: "[c']è dentro di noi un fanciullino: noi cresciamo e lui resta piccolo, e senza lui, non solo non vedremmo tante cose a cui non badiamo per solito, ma non potremmo nemmeno pensarle e ridirle".

Pascoli ventenne, anarchico e rivoluzionario: A destra, Pascoli sessantenne, professore universitario.

Pascoli si rifugia quindi nel suo mondo interiore, nel mito dell'infanzia, in quelle che in Gozzano erano solo "buone cose di pessimo gusto", ma che in Pascoli diventano invece simboli profondi della possibile vittoria della tranquillità sull'inquietudine e l'insoddisfazione.

Se gli esiti della poesia di Pascoli risultano a volte eccessivi nella commozione, nell'infantilismo patetico, nel moralismo e nel populismo retorici, il rifiuto della società, la fuga dalla realtà, la sensazione della continua presenza del mistero e dell'irrazionalità ne fanno a pieno titolo un rappresentante del decadentismo europeo.

EDILINGUA

La modesta casa della famiglia Pascoli a San Mauro, in Romagna, dà il senso dell'umiltà e della concretezza contadina di questo poeta raffinatissimo e sofisticato: le due facce di una persona complessa.

La lingua, i simboli

La poesia di Pascoli è 'simbolista', nella tradizione europea di quegli anni: ogni cosa, dalla più appariscente alla più umile, viene descritta nei minimi dettagli, che piano piano la deformano e la trasformano in immagini della vita di Pascoli, della vita in generale, del continuo modificarsi delle cose e del loro essere sempre uguali a se stesse.

Come in tutti i decadenti, per Pascoli la musicalità è fondamentale: rime, allitterazioni, onomatopee non sono fini a se stesse ma offrono un'immagine sonora delle cose descritte; usa molto la 'sinestesia', (vedi glossario pag. 241) che descrive una cosa *vista* parlando di *suoni*, un *odore* parlando di *vista*, e così via, per cui ogni cosa apre la porta a sensazioni distanti e impreviste.

C'è un altro aspetto della lingua di Pascoli che bisogna notare: accanto al sofisticato conoscitore della lingua latina e dell'italiano classico, e insieme al decadente europeo capace di giocare da maestro con il suono della lingua, Pascoli è uomo di campagna, che inserisce parole ed espressioni dialettali, termini presi dalla tecnologia che sta entrando nella vita quotidiana, capace di inventare l'anglo-italiano degli emigranti in America (vedi il poemetto *Italy*, Testo 64 online).

Giovanni Pascoli (1855-1912)

Pascoli nasce a San Mauro di Romagna in una famiglia numerosa. Nel 1867 il padre viene ucciso da un assassino rimasto sconosciuto. Ovviamente per il dodicenne Giovanni è un trauma, al quale si aggiungono negli anni successivi la morte della madre e di ben quattro fratelli.

Pascoli viene mandato in collegio a Urbino e nel 1873, con una borsa di studio, si iscrive all'università di Bologna, dove frequenta attivamente ambienti socialisti ed anarchici, partecipando a manifestazioni di protesta, per cui perde la borsa di studio, viene arrestato e messo in prigione.

La tragedia familiare, insieme alla vicenda politica, sconvolge la vita di Pascoli. Si chiude in se stesso, lascia la politica e rinuncia alla vita sociale, si laurea e diventa insegnante di latino, greco e letteratura italiana, prima nei licei in varie parti d'Italia, da Messina, in Sicilia, a un paesino in Toscana. Spesso si trasferisce da una parte all'altra del Paese portando con sé le due sorelle ("le mie angioline", i miei piccoli angeli), che sono la sua famiglia da quel momento in poi e delle quali è innamorato.

Negli anni successivi lascia l'insegnamento nei licei e diviene professore in diverse università prima di essere chiamato a Bologna, come successore di Carducci nella cattedra di letteratura italiana.

Pubblica molte raccolte di poesie in italiano ma anche in latino: è considerato il maggior poeta latino dopo la classicità.

Guida alla lettura

Queste poesie sono due piccole *myricae*, due rametti di un albero di campagna, apparentemente semplici ma densi di vita, di profumo. Sono due quadri, il primo mostra delle lavandaie (*lavandare*, nell'italiano di fine Ottocento), che lavano i panni lungo un canale. In un attimo, entriamo nell'anima di una di queste donne, che ricorda l'amato che è dovuto andar via, e sentiamo esplodere la sua solitudine simboleggiata da un aratro abbandonato in un campo. Il secondo quadro mostra un'osteria di paese, a mezzogiorno, con un vecchio che ricorda i tempi andati – solo un cenno di una frase – che gli sembrano migliori di quelli attuali, ma in realtà solo perché lui era giovane.

Preparati a conoscere l'anima – non il nome, la figura fisica, il ruolo sociale – di due esseri umani, dipinta con due rapidissimi colpi di pennello.

 Lavandare

 Mezzogiorno

Nel campo mezzo grigio e mezzo nero
resta un aratro senza buoi, che pare
dimenticato, tra il vapor[1] leggero.

E cadenzato dalla gora[2] viene
lo sciabordare[3] delle lavandare
con tonfi spessi[4] e lunghe cantilene[5]:

Il vento soffia e nevica la frasca[6],
e tu non torni ancora al tuo paese!
quando partisti, come son rimasta!
come l'aratro in mezzo alla maggese[7].

1. Nebbia. - 2. Canale. - 3. Rumore dell'acqua mossa. - 4. Colpi forti. - 5. Canto ripetitivo. - 6. Il pergolato, una vite usata come tetto di un cortile, è coperto di neve. - 7. Terreno povero preparato e lasciato a riposo in attesa che diventi fertile e coltivabile.

L'osteria della Pergola è in faccende,
piena è di grida, di brusìo[1], di sordi
tonfi[2]; il camin fumante a tratti splende[3].

Sulla soglia, tra il nembo[4] degli odori
pingui[5], un mendico[6] brontola: Altri tordi
c'era una volta[7], e altri cacciatori.

Dice, e il cor s'è beato[8]. Mezzogiorno
dal villaggio a rintocchi lenti squilla[9];
e dai remoti[10] campanili intorno
un'ondata di riso empie la villa[11].

1. Rumore di voci, delle quali non si capiscono le parole. - 2. Rumori come quelli di qualcosa che cade, e non ha un suono chiaro, ma impreciso. - 3. Ogni tanto fa una fiammata luminosa. - 4. Nuvola. - 5. Grassi. - 6. Mendicante, povero. - 7. Ai miei tempi c'erano altri tordi (un tipo di uccellino). - 8. Si è messo in pace il cuore. - 9. La campana di mezzogiorno suona lentamente. - 10. Lontani. - 11. Un'onda di allegria riempie i villaggi.

Analisi

a. Ci sono luci, odori, rumori, che si mescolano e ti fanno davvero 'sentire' i due paesaggi:

Lavandare	vista	olfatto	tatto	odorato
grigio, nero	○	○	○	○
leggero	○	○	○	○
cantilene	○	○	○	○
cadenzato	○	○	○	○
sciabordare	○	○	○	○
tonfi	○	○	○	○
spessi	○	○	○	○
vento	○	○	○	○

Mezzogiorno	vista	olfatto	tatto	odorato
grida, brusio	○	○	○	○
sordi tonfi	○	○	○	○
fumante	○	○	○	○
splende	○	○	○	○
odori pingui	○	○	○	○
brontola	○	○	○	○
rintocchi lenti	○	○	○	○
squilla	○	○	○	○

Riflessione

La pittura della fine dell'Ottocento – gli Impressionisti in Francia, i Macchiaioli in Italia (pag. 146) – amano dipingere la campagna con poche pennellate. Lo stesso fa Pascoli in queste poesie. Ma sono solo 'quadretti' o dietro queste poche pennellate intravedi un'attenzione vivissima alle piccole tragedie umane: l'amante lontano, la vecchiaia, in questo caso.

EDILINGUA

63 Il gelsomino notturno

Guida alla lettura

La poesia è stata scritta per il matrimonio di un amico di Pascoli e descrive dei fiori, una casa in lontananza e il rapporto tra i due amanti, in maniera delicatissima.

Come in un film, in primo piano vedi un fiore profumatissimo, fatto a calice; un'ape (l'insetto che feconda i fiori) gira lì vicino; in secondo piano una casa che 'bisbiglia', che parla a bassa voce, con una luce che prima è nella sala, poi sale le scale e poi si spegne.

Sopra i fiori e la casa, nel cielo, la costellazione delle Pleiadi ricorda una chioccia, cioè una gallina madre, con tutti i suoi pulcini/stelle che la seguono.

Il mattino dopo, il fiore è 'gualcito' come le lenzuola dopo una notte d'amore, e nel fiore, come forse nella donna, è nascosta una nuova vita.

E s'aprono i fiori notturni[1],
nell'ora che penso a' miei cari.
Sono apparse in mezzo ai viburni[2]
le farfalle crepuscolari[3].

Da un pezzo si tacquero i gridi:
là sola una casa bisbiglia.
Sotto l'ali dormono i nidi,
come gli occhi sotto le ciglia.

Dai calici aperti si esala[4]
l'odore di fragole rosse.
Splende un lume là nella sala.
Nasce l'erba sopra le fosse[5].

Un'ape tardiva sussurra[6]
trovando già prese le celle[7].
La Chioccetta per l'aia azzurra
va col suo pigolìo di stelle[8].

Per tutta la notte s'esala
l'odore che passa col vento.
Passa il lume[9] su per la scala;
brilla al primo piano: s'è spento...

È l'alba: si chiudono i petali
Un poco gualciti[10]: si cova,
dentro l'urna molle e segreta,
non so che felicità nuova[11].

1. I gelsomini sono fiori molto profumati che si aprono dopo il calar del sole. - **2.** Arbusti. - **3.** Farfalle notturne, falene. - **4.** Dai fiori aperti, a forma di calice, vien fuori. - **5.** Anche sulle tombe, simboli della morte, c'è un segno di vita. - **6.** Un'ape che è rimasta fuori fino a tardi si lamenta a bassa voce. - **7.** La 'cameretta' in cui dormire. - **8.** Nel cortile azzurro (il cielo) la costellazione delle Pleiadi, che i contadini chiamano Chioccia (la chioccia è una gallina con dei pulcini) cammina con il suo seguito di stelle/pulcini che pigolano, fanno il 'pio pio' dei pulcini. - **9.** Una luce portata a mano. - **10.** Non più perfetti, come un abito dopo qualche ora. - **11.** Nell'ovario del fiore, tenero e invisibile, che è stato fecondato nella notte, sta crescendo una nuova vita.

Analisi

Pascoli fa della lingua quello che vuole, senza preoccuparsi delle regole:
- strofa 1: *nell'ora* .... *penso a' miei cari*. "*Che*" è decisamente sbagliato, si dovrebbe dire ...., ma Pascoli ama le forme di italiano popolare;
- strofa 2: *là sola una casa* .... Una casa può parlare a bassa voce? E, subito dopo, *Sotto l'ali* .... *i nidi*. Un nido può dormire?

Riflessione

Questa poesia è un 'epitalamio', cioè una poesia 'nuziale' come molti dei sonetti di Shakespeare: invita gli sposi a fare l'amore e a creare una nuova vita.
Se tu non l'avessi saputo fin dalla guida alla lettura, te ne saresti reso conto?
Sapendolo, ti rendi conto di quanta sensualità c'è in questo apparente quadretto con un fiore, una casa, le stelle?

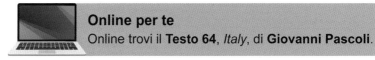

Online per te
Online trovi il **Testo 64**, *Italy*, di **Giovanni Pascoli**.

Puccini e l'internazionalizzazione della cultura italiana

In questa storia della letteratura abbiamo dedicato alcune pagine al melodramma romantico e a quello verista, perché l'opera è il vero teatro italiano dell'Ottocento: quindi abbiamo visto l'opera lirica come letteratura teatrale. Perché quindi dedichiamo queste pagine a un compositore anziché a un letterato?

Per due ragioni:

a. Puccini è una star internazionale, invitato in tutta Europa e in America, che segna l'internazionalizzazione della nostra cultura, che con il verismo si era molto regionalizzata;

b. il teatro italiano (e gran parte della letteratura, del resto) aveva focalizzato l'attenzione sugli uomini, lasciando le donne in secondo piano; il teatro di Puccini, e dei suoi grandi librettisti Giuseppe Illica e Giovanni Giacosa, mette invece le donne al centro dell'attenzione.

Sul piano musicale Puccini fa una sintesi dei vari movimenti dell'Ottocento e, a modo suo, li propone al nuovo secolo: conserva il gusto verdiano, e più in generale romantico, per le arie cantabili; riprende la lezione di Wagner nell'uso dell'orchestra e del *leit motiv* (un tema musicale che ritorna continuamente durante l'opera); accetta la lezione del verismo sulla necessità di non presentare principi e principesse ma gente 'normale' o spesso anche il sottomondo sociale dell'epoca. Non segue le nuove idee musicologiche di Schoenberg, Alban Berg ecc.: Puccini scrive per il pubblico, è un autore di teatro che deve soddisfare gli spettatori, non un musicista da sala da concerto che compone per esperti di teoria musicale.

Da uomo di teatro, Puccini cura ogni dettaglio della struttura drammaturgica delle sue 9 opere, più le 3 del trittico, per cui ogni opera gli richiede anni di lavoro: di *Madama Butterfly* abbiamo ben 4 versioni.

L'*Italietta* a cavallo dei secoli

La sintesi originale condotta da Puccini divide le valutazioni del pubblico e della critica: il pubblico lo ama, gli dà un successo planetario che fa di lui il musicista più pagato e, ancor oggi, il secondo compositore più rappresentato al mondo, dopo Verdi; la critica dei suoi tempi lo attacca, considerando la sua sintesi di tutto l'Ottocento come incapacità di scegliere da che parte stare. Ma soprattutto, nel crescente nazionalismo di fine Ottocento e del primo Novecento, viene attaccato per la sua apertura internazionale, in un'Italia che con la Scapigliatura ed il Verismo aveva scoperto le culture regionali, la vita e l'italiano della gente comune.

Giacomo Puccini

Nasce a Lucca nel 1858, figlio di un musicista, ma rimane orfano da bambino e iniziano anni di difficoltà economiche; per guadagnare qualcosa, a 14 anni Puccini comincia a fare l'organista nelle chiese; a 18 anni la sua *Messa a quattro voci e orchestra* attira l'attenzione della borghesia di Lucca. La regina Elena viene coinvolta e gli assegna una borsa di studio che gli consente di andare al Conservatorio a Milano, dove divide la camera con Pietro Mascagni.

A 26 anni scrive *Le villi* e poi *Edgar*, ma sono opere che non funzionano sul piano teatrale. La terza opera, *Manon Lescaut* (1893), con libretto di Illica e di Mario Praga, scrittore di successo, dà a Puccini la fama e mette le basi del benessere economico. Illica, insieme a Giacosa, scrive il libretto di *Bohème* (1896), *Tosca* (1900) e *Madama Butterfly* (1904), anche oggi tra le opere più rappresentate al mondo.

Se la vita artistica di Puccini è un successo, la vita privata è piena di problemi: nel 1903 ha un incidente in automobile (Puccini era un fanatico dei motori e della velocità); nel 1906 muore Giacosa, che gli era molto amico oltre che collaboratore; nel 1909, una domestica di casa Puccini, di cui la moglie è gelosissima, si suicida.

Nel frattempo il successo diventa planetario: nel 1910 la prima di *La fanciulla del West* è rappresentata a New York, città dove nel 1918 Puccini presenta anche l'opera successiva, *Trittico*, composta di tre atti unici (*Il tabarro*, *Suor Angelica*, *Gianni Schicchi*) rispettivamente verista, romantico e comico. Nel 1924 muore a Bruxelles per un tumore alla gola, senza riuscire a concludere *Turandot*, che verrà completata sui suoi appunti da Adami e Toscanini.

EDILINGUA

Manon è la storia di una ragazza borghese che si innamora di un rivoluzionario francese e, ridotta a fare la prostituta, viene portata in America, dove muore fuggendo nel deserto; *Bohème* è ambientata tra gli intellettuali 'scapigliati' di Parigi; *Butterfly* descrive il Giappone, e mette la sua cultura a contrasto con quella americana, in anni in cui Giappone e Stati Uniti erano quasi sconosciuti agli italiani; *La fanciulla del West* è ambientata nella California della corsa all'oro; *Turandot* mostra la Cina imperiale.

Il teatro pucciniano fu un bagno di internazionalizzazione per l'Italia provinciale di quegli anni.

Un teatro di donne

Suor Angelica, uno degli atti unici del *Trittico*, ha solo personaggi femminili – ma in tutte le altre opere di Puccini gli uomini sono contorno, servono per gli eventi, ma il fulcro drammaturgico sono le donne, che tra l'altro forniscono quasi tutti i titoli delle opere di Puccini, come vedi dalle copertine originali, tutte in perfetto stile liberty.

A cavallo tra i secoli esplode la psicanalisi freudiana, che analizza preferibilmente la psiche femminile: a Puccini non sfugge né questo risvolto nuovo, né il fatto che la sua vena melodica è perfetta per il canto femminile, e che quindi devono essere queste donne, forti anche nel dolore e nella malattia, a costituire il *pivot* intorno a cui ruota tutto il gioco teatrale. È una posizione della donna che distacca Puccini da tutta la tradizione operistica dell'Ottocento, e certamente non è quella di un'*Italietta* provinciale.

65 Illica e Giacosa, *Che gelida manina - Mi chiamano Mimì*, da *Boheme*

Guida alla lettura

Rodolfo, un poeta senza un soldo che con altri ragazzi vive in una soffitta di Parigi, sente bussare alla porta. È Mimì, la sua vicina: chiede una candela perché la sua lampada si è spenta. Ma il vento spegne anche la candela di Rodolfo; a lei cade la chiave di casa e i due si mettono a cercarla nel buio. In queste due arie si presentano.

Rodolfo

Che gelida manina,
se la lasci riscaldar.
Cercar che giova[1]?
Al buio non si trova.
Ma per fortuna
è una notte di luna,
e qui la luna
l'abbiamo vicina.

Aspetti, signorina,
le dirò con due parole
chi son, e che faccio,
come vivo. Vuole?
Chi son? Sono un poeta.
Che cosa faccio? Scrivo.
E come vivo? Vivo!

In povertà mia lieta
scialo da gran signore
rime ed inni d'amore.
Per sogni e per chimere
per castelli in aria,
l'anima ho milionaria.
Talor dal mio forziere
ruban tutti i gioielli
due ladri, gli occhi belli.
V'entrar con voi pur ora[2],
ed i miei sogni usati[3]
e i bei sogni miei,
tosto si dileguar!
Ma il furto non m'accora[4],
poiché v'ha preso stanza
la speranza!

Or che mi conoscete,
parlate voi, deh! Parlate. Chi siete?
Vi piaccia dir[5]!

Mimì

Sì. Mi chiamano Mimì,
ma il mio nome è Lucia.
La storia mia è breve.
A tela o a seta
ricamo in casa e fuori...
Son tranquilla e lieta
ed è mio svago
far gigli e rose.
Mi piaccion quelle cose
che han sì dolce malìa[6],
che parlano d'amor, di primavere,
di sogni e di chimere,
quelle cose che han nome poesia...
Lei m'intende?

Mi chiamano Mimì,
il perché non so.
Sola, mi fo
il pranzo da me stessa.
Non vado sempre a messa,
ma prego assai il Signore.
Vivo sola, soletta
Là, in una bianca cameretta:
Guardo sui tetti e in cielo;
Ma quando vien lo sgelo[7]
Il primo sole è mio
Il primo bacio dell'aprile è mio!
Germoglia in un vaso una rosa...
Foglia a foglia la spio[8]!
Così gentile il profumo d'un fiore!
Ma i fior ch'io faccio,
ahimè! non hanno odore.

Altro di me non le saprei narrare.
Sono la sua vicina che la vien
fuori d'ora a importunare.

1. A che cosa serve? - **2.** ci sono entrati; anche adesso. - **3.** Soliti. - **4.** non mi preoccupa. - **5.** per piacere, ditemi chi siete. - **6.** Fascino, magia. - **7.** Il disgelo. - **8.** La guardo crescere.

Per capire meglio

Cerca in internet i film che sono stati realizzati su quest'opera: il più famoso è del 2009, di Nikos Katenoglou, dove queste due arie iniziano al minuto 20:30.
Nota che all'inizio ogni aria ha un accompagnamento leggero e poi l'orchestra esplode quando sottolinea l'emozione dei due ragazzi.

66. Illica e Giacosa, *E lucevan le stelle*, da *Tosca*

Guida alla lettura

Siamo nella Roma dei Papi, il 14 giugno 1800. L'azione si svolge tutta in un giorno, scandita dal trascorrere inesorabile delle ore.

Tosca, cantante famosa, è amante di Mario, pittore illuminista che aspetta Napoleone come salvatore dell'Italia e nasconde nella sua casa un altro rivoluzionario. Scarpia, capo della polizia, usa Tosca per scoprire il nascondiglio. La sera, a Palazzo Farnese c'è una festa dove Tosca canta; nel mezzanino del Palazzo, Scarpia fa chiamare Tosca e le propone un patto: se lei sarà la sua amante, Mario sarà fucilato 'a salve' (cioè con pallottole finte) e i due potranno lasciare Roma. Scarpia cerca di prenderla con la forza e lei lo accoltella. Tosca va a Castel Sant'Angelo, dove Mario è tenuto in prigione, e gli dice che l'esecuzione sarà finta, ma in realtà Scarpia ha dato l'ordine di uccidere Mario; quando Tosca capisce di essere stata raggirata, si suicida gettandosi dal castello.

In questo testo Mario rivive il suo amore con Tosca.

E lucevan le stelle
e olezzava[1] la terra,
stridea[2] l'uscio dell'orto
e un passo sfiorava[3] la rena.
Entrava ella, fragrante[4],
mi cadea fra le braccia.
Oh! dolci baci, o languide[5] carezze,

mentr'io fremente[6]
le belle forme discioglea dai veli[7]!
Svanì[8] per sempre il sogno mio d'amore...
l'ora è fuggita,
e muoio disperato!
E non ho amato mai tanto la vita!

1. Profumava. - 2. Un rumore aspro, di due cose che si sfregano. - 3. Camminava toccando appena. - 4. Profumata. - 5. Sensuali. - 6. Eccitato. - 7. Liberavo dai vestiti. - 8. È svanito, finito come un sogno al risveglio.

Analisi

Illica e Giacosa erano uomini di teatro, quindi sapevano bene che un'aria cantata in una prigione rimane 'schiacciata' tra i muri, se non si usa la lingua per far vedere, vivere, sentire la scena. Facciamo la stessa attività che hai trovato nei Testi 61 e 62, di Pascoli:

	vista	olfatto	tatto	odorato
- lucevan	○	○	○	○
- olezzava	○	○	○	○
- stridea	○	○	○	○
- sfiorava	○	○	○	○
- fragrante	○	○	○	○
- cadea	○	○	○	○
- baci, carezze	○	○	○	○
- belle forme	○	○	○	○

Online per te
Online trovi il **Testo 67**, *Vissi d'arte, vissi d'amore*, di **Illica e Giacosa**.

Guida all'ascolto

Gli spettatori del 14 gennaio 1900, alla prima, era già abituati alle durezze dell'opera verista – ma il capo della polizia del Papa che cercava di stuprare una donna fragile, e l'assassinio in scena furono un vero scandalo. Puoi vedere la scena in uno dei tanti film realizzati su quest'opera, in particolare *Tosca, nei luoghi e nelle ore di Tosca*, un film del 1992 con la regia di Patroni Griffi, che trovi sul sito della RAI, e un film molto bello di Benoît Jacquot del 2001.

Se cerchi *E lucevan le stelle* su YouTube troverai decine di interpretazioni, da quelle più intimistiche a quelle più declamate, a tutta voce: quale preferisci? Perché? Tu come la canteresti? Discutine con i compagni.

L'arte del secondo Ottocento

L'arte italiana, come quella europea e americana del periodo, è caratterizzata da un passaggio net-tissimo da uno stile al suo opposto. Da un lato c'è l'arte solida, tradizionale, sia che si costruiscano i grandi palazzi dello stato e dei ricchi industriali sia che si dipingano quadri con la povera gente e i contadini: sono 'testi' artistici solidi, equilibrati, costruiti razionalmente, in cui anche le speri-mentazioni, ad esempio il 'puntinismo', hanno basi scientifiche; dall'altra parte, c'è l'esplosione delle curve, della decorazione, che hai visto nei manifesti per le opere di Puccini o nello stile liberty.

I Macchiaioli e gli altri pittori realisti

Il movimento dei macchiaioli è il più importante movimento artistico del secolo in Italia. Da ogni parte d'Italia arrivano a Firenze giovani artisti che si incontrano al Caffè Michelangelo. Nel 1856 arri-va da Parigi Domenico Morelli, che racconta con entusiasmo quello che sta succedendo nella capitale francese e che sta portando all'impressionismo.

I giovani italiani interpretano a loro modo questa innovazione, cioè pittura costruita con la luce e usano la "macchia" di luce (da cui il nome, un po' sprezzante, di 'macchiaioli') come struttura di base dei loro quadri.

Il più brillante esponente del gruppo è il livornese **Giovanni Fattori** (1825-1908). Come molti altri macchiaioli partecipa ai moti risorgimentali per la liberazione dell'Italia e l'unificazione.

Un altro importante macchiaiolo è **Telemaco Signorini** (1835-1901), critico e teorico del gruppo.

Si distinguono anche **Silvestro Lega** (1826-1895), che riesce a comunicare nei suoi quadri una pro-fonda emozione per mezzo di macchie di colore, e **Giuseppe Pellizza da Volpedo** (1868-1907) che anziché alla 'macchia' si rifà al 'divisionismo', per cui la luce viene divisa in mille colori che, visti insieme, danno una luminosità sorprendente. Il suo quadro più famoso – nonché uno dei più famosi dell'Ottocento – è *Il quarto stato* (1901), che mostra una marcia di protesta di poveri contadini.

Gli altri pittori e illustratori

Accanto ai macchiaioli e ai loro temi sociali e legati al Verismo, c'è un'arte nuova, che adatta al gusto liberty (o *Jugedstil, Art Nouveau*) una nuova forma artistica, la pubblicità commerciale, come in questo caso, oppure i manifesti teatrali, le copertine dei libri. Inoltre, questi decoratori liberty lavorano in molte delle grandi case dei nuovi ricchi che sono nati con la rivoluzione industriale. In queste case, ci sono anche i ritratti di **Giovanni Boldini** (il suo ritratto di Verdi è famosissimo; foto a destra) e di altri pittori che usano le tecniche degli impressionisti per riprodurre la luce degli abiti di seta, dei salotti pieni di oggetti, dei lampadari di cristallo.

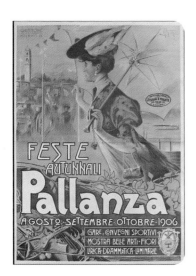

Le due facce dell'architettura

Hai visto a pagina 136 un esempio di architettura liberty; c'è anche un'architettura ufficiale, molto classica, forte, solida: è il simbolo del nuovo potere che sta affermandosi in Italia, quello dei ministeri, dei palazzi di giustizia (cioè dei tribunali), ma riguarda anche le stazioni e i grandi palazzi delle poste.

Il più famoso – e forse il più brutto... – è l'imponente *Altare della Patria* (foto in basso) o *Monumento a Vittorio Emanuele II*, enorme, che sorge accanto ai preziosi resti del foro romano.

L'economia che sostiene l'arte nel secondo Ottocento

L'Unità d'Italia è il fatto centrale di questi decenni:

a. nasce un mercato unico, al posto della frantumazione in tanti mercati regionali, con leggi diverse da stato a stato; scompaiono quindi i dazi, le tasse di ingresso che ogni stato imponeva sulle merci in arrivo dagli altri stati vicini;

b. la lira diventa la moneta di tutto il Regno, al posto delle diverse monete nei singoli stati; il sistema metrico decimale diventa ufficiale, anche se bisognerà aspettare decenni prima che metri, chili e litri diventino realmente la base dei conteggi;

c. si costruisce la rete di ferrovie che ancora oggi serve l'Italia: un asse est-ovest, da Trieste a Torino, e un doppio asse nord-sud: da Bologna a Roma e Napoli, sulla costa tirrenica, e da Bologna a Bari su quella adriatica. Tuttavia, mentre al Nord nasce una rete di ferrovie locali che portano a queste grandi ferrovie nazionali, al Sud ci sono solo le due grandi linee principali. Si costruiscono anche le ferrovie che uniscono l'Italia all'Europa;

d. nasce un sistema bancario unitario, che può fare credito ai nuovi industriali, al Nord.

Nuovi fondi bancari, nuove infrastrutture, un nuovo mercato unico consentono, al Nord, l'arrivo della seconda rivoluzione industriale europea, soprattutto nel cosiddetto 'triangolo industriale: Torino, Genova, Milano. Veneto ed Emilia rimangono fuori da questa nuova ricchezza, Roma vive del fatto di essere diventata capitale, il Sud rimane lontano dagli investimenti, continua a vivere di agricoltura, pastorizia, pesca, e inizia la sua decadenza economica, alla quale si lega quella sociale.

La povertà ha solo una soluzione: milioni di italiani, spesso trasportati gratuitamente da navi della marina militare, emigrano in America, creando le *little Italies* del nord e i quartieri italiani nelle città dell'America Latina.

L'artista è ormai un professionista che si forma spesso con borse di studio (come Pascoli, Puccini, Mascagni), che poi viene pagato da chi può commissionare un'opera teatrale, un palazzo, una scultura, o dalla nuova borghesia che acquista i libri e gli spartiti musicali.

Le costruzioni industriali di questi anni, come il Mulino Stucky a Venezia, costruito tra il 1845 e il 1895, cercano di assomigliare a grandi palazzi urbani.

EDILINGUA

Umberto Boccioni, *Forme uniche della continuità nello spazio*, 1913

Il primo Novecento

L'Italia liberale

Giovanni Giolitti è il politico liberale che governa l'Italia tra l'attentato al Re Umberto I e la prima guerra mondiale; ma non è solo un uomo politico: con le sue idee, i suoi scritti, i suoi interventi influenza la vita intellettuale tra la fine dell'Ottocento e il primo Novecento.

Giolitti rilancia il percorso verso uno stato liberale, dopo le rivolte sociali degli ultimi anni del secolo e soprattutto dopo le repressioni dei militari nel 1900; non è un liberale puro, ha una forte sensibilità sociale, cerca di aiutare la trasformazione degli operai più attivi ed esperti in piccoli imprenditori, mentre le condizioni di vita dei contadini e dei braccianti (gli operai dell'agricoltura) che non riescono a fare il salto sociale rimangono terribili.

Si realizza in questo periodo un forte sviluppo nel triangolo industriale (Milano, Torino, Genova) e quindi al Nord le condizioni di vita degli operai migliorano e aumenta il ruolo della borghesia liberale, mentre nel Sud senza industrie la povertà aumenta e centinaia di migliaia di italiani lasciano il nostro Paese per cercare fortuna in America.

Giovanni Giolitti (1842-1928)

La cultura nell'età giolittiana

Le disuguaglianze tra Nord e Sud, la presenza di nuove classi sociali, la politica coloniale in Africa, che richiede molti fondi per le spese di guerra, sono l'oggetto di un forte dibattito culturale.

Da un lato, ci sono intellettuali che rifiutano l'impegno sociale e si chiudono nel loro mondo (i crepuscolari e i simbolisti, ad esempio), dall'altro ci sono intellettuali impegnati politicamente (ad esempio, i futuristi e Gabriele D'Annunzio) e c'è tutto un mondo di giornalisti e pensatori che

1903

Nel 1903, con Giolitti inizia un periodo di governo liberale che si conclude nel 1914.

1912

Nel 1912 il diritto di voto è esteso a tutti, escluse le donne. L'esercito italiano conquista la Libia ed alcune isole greche.

1921

Nel 1921 viene fondato il Partito Comunista Italiano, guidato da Antonio Gramsci.

1900

1900

L'esercito spara sui dimostranti a Milano. A Monza, un anarchico spara a Umberto I, Re d'Italia.

1915

Inizia la prima guerra mondiale; nel 1915 l'Italia entra in guerra a fianco di francesi e inglesi. Nel 1918 la guerra finisce.

1922

Nel 1922 Mussolini e i fascisti organizzano la "marcia su Roma" e conquistano il potere.

EDILINGUA

esaltano l'italianità, nazionalisti che immaginano il nostro Paese come potenza mondiale. Quindi rimarranno molto delusi quando, alla fine della guerra, il trattato di pace di Versailles ci considera solo una modesta potenza regionale (da qui nascerà l'idea della 'vittoria mutilata', privata di una parte, idea su cui Mussolini costruirà il consenso al suo governo).

Le riviste in cui si discute su questi temi diventano importantissime, e anche i quotidiani cominciano a dedicare una pagina intera (la 'terza pagina') al dibattito politico e sociale. Tra le riviste ricordiamo *Il Marzocco* (fondato nel 1896); *Critica,* diretta dal maggior filosofo del tempo, Benedetto Croce, fin dal 1903; *Leonardo* (1903-1907); *Il Regno,* che dal 1903 inizia la campagna nazionalistica; e soprattutto *La voce,* che ha tra i suoi autori i maggiori pensatori del periodo.

La letteratura dell'età giolittiana

L'aumento del numero degli italiani che sanno leggere e la nascita del 'ceto medio' (la classe sociale che sta tra il mondo operario e la grossa borghesia) desideroso di informazione e di cultura aiutano molto la diffusione di giornali e riviste.

Abbiamo visto nel capitolo precedente che **Carducci**, **Gozzano**, **Pascoli** sono ancora attivi in questi primi anni del nuovo secolo, e vedremo che **Pirandello** (pag. 162) e **D'Annunzio** (pag. 158) hanno già cominciato a scrivere; quindi è difficile fare separazioni chiare tra i vari movimenti letterari: il mondo ottocentesco, infatti, finisce nel 1914, con l'inizio della guerra.

Il genere letterario più apprezzato dal ceto medio e dalla borghesia è la narrativa: si pubblicano sia romanzi che riflettono sul mondo e sulla vita, sia opere di puro divertimento, che servono per dimenticare la realtà che sta intorno. Nella narrativa migliore si smette di studiare la società, tema tipico del Verismo, e ci si focalizza sulla psiche umana.

Accanto a questa prosecuzione dei temi dell'Ottocento, nel 1909 esplode il **Movimento Futurista** (pag. 156).

1929
Nel 1929 la Chiesa e il governo fascista firmano un accordo in cui stabiliscono i loro ruoli in Italia.

1939
Nel 1939 inizia la seconda guerra mondiale; l'Italia invade l'Albania e nel 1940 entra in guerra a fianco della Germania nazista.

1943
Nel 1943 il governo Badoglio chiude l'alleanza con Hitler e passa dalla parte degli Alleati; l'Italia è occupata dai tedeschi, contro i quali combattono i partigiani.

1936
Nel 1936 l'Italia, che aveva già colonizzato la Somalia, conquista anche l'Etiopia; si crea l'Impero italiano.

1946
Nel 1946 un referendum fa nascere la Repubblica; nel 1948 viene approvata la Costituzione.

1950

Quanto alla poesia e al teatro, essi sono già dominati dalle figure di D'Annunzio e Pirandello, ma tra i poeti non possiamo dimenticare **Dino Campana** (1885-1932), un tardo scapigliato che muore in manicomio, l'ospedale psichiatrico. Nel 1914 pubblica i *Canti orfici*, caratterizzati da linguaggio fortemente ermetico, difficile da interpretare, e visionario, come suggerisce l'aggettivo "orfico", che rinvia ai riti misterici collegati alla figura mitica di Orfeo (Testo 69).

L'Italia fascista

L'idea della 'vittoria mutilata' di cui abbiamo parlato sopra, l'inflazione che riporta alla povertà il ceto medio, la borghesia terrorizzata dalla Rivoluzione russa del 1917, l'incapacità dei governi post-bellici, cioè dopo la guerra, di rispondere alla realtà completamente cambiata, sono tra i principali elementi che consentono all'ex-socialista Mussolini di prendere il potere nel 1922.

Il fascismo riduce progressivamente le libertà, fino ad arrivare all'eliminazione fisica degli oppositori, alle leggi razziali del 1938, alla proibizione dell'insegnamento delle lingue straniere, all'isolamento dell'Italia dal resto del mondo, esclusa la Germania di Hitler.

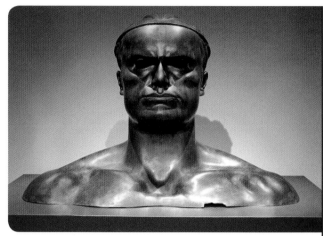

Uno dei maggiori scultori del periodo, Adolfo Wildt (1868-1931), ha scolpito vari busti (cioè teste, collo e spalle) di Mussolini; questo è del 1923. Una copia era a Milano, nella sede del Partito Fascista: fu distrutto dalla popolazione alla fine della guerra.

Il governo fascista finisce il 25 luglio del 1943, quando Mussolini viene sostituito al governo, che meno di due mesi dopo lascia l'alleanza con i nazisti e passa dalla parte degli Alleati. Lentamente, gli americani dal Sud e i partigiani nel Nord liberano l'Italia dal fascismo.

La letteratura dell'età fascista

Emilio Cecchi (1884-1966)

Nel ventennio (20 anni) fascista la letteratura abbandona ogni ricordo del Verismo: realtà e memoria si mescolano, talvolta con l'aggiunta di sogni e fantasie. È la posizione dei 'rondisti', cioè gli scrittori che pubblicano nella rivista *La Ronda*, fondata nel 1919 da **Vincenzo Cardarelli** (1887-1959), autore di prose quasi neoclassiche, come *Viaggi nel tempo*, *Il sole a picco* (Testo 68), *Il cielo sulle città*. Cardarelli è il sostenitore più vivace di un "Neoclassicismo" formale ed accademico che si ispira a Leopardi e al Cinquecento. Tra i fondatori di *La Ronda* c'è anche **Emilio Cecchi**, autore esemplare di questo tipo di "prosa d'arte" (Testo 70 online), noto soprattutto come critico d'arte.

Un altro rondista, famoso in quel periodo, è **Antonio Baldini** (1889-1962), autore di fantasie e diari scritti in un italiano che vuole meravigliare per la sua eleganza.

Un ultimo gruppo di scrittori collabora con la rivista *Solaria*: sono autori che tendono a mettere al centro dei romanzi se stessi anche se i loro personaggi hanno altri nomi; tra questi: **Giovanni Comisso** (1895-1969) e **Gianna Manzini** (1896-1974), che scrivono in un italiano bellissimo, ma sono distanti da quel che succede sotto il governo di Mussolini.

L'influsso della rivoluzione letteraria europea degli anni Venti

Negli anni Venti in Europa il romanzo tradizionale viene 'distrutto' dalle sperimentazioni di Joyce (che aveva a lungo vissuto e insegnato in Italia), di Musil, di Virginia Woolf e, in un certo senso, anche di Proust, sebbene la sua tecnica rimanga tradizionale. La scrittura realistica, che riproduce la realtà e i suoi eventi, lascia spazio al 'flusso di coscienza', lo *stream of consciousness*, all'analisi psicologica guidata dalla psicanalisi di Freud e di Jung.

Italo Svevo (1861-1928)

Il principale scrittore che realizza in lingua italiana queste nuove tendenze è di Trieste, città di cultura mitteleuropea che diventa italiana solo nel 1918. È **Italo Svevo**, pseudonimo di Aron Hector Schmitz, autore di tre romanzi, di molti racconti e di alcune opere teatrali. Il primo romanzo è *Una vita* (1892); il secondo, *Senilità*, pubblicato a puntate nel 1898 e integralmente a Milano solo nel 1927; il suo capolavoro è *La coscienza di Zeno* (1923) che, come gli altri due, viene ignorato dalla critica e dal pubblico. Nel 1925 Eugenio Montale (pag. 172) scrive *Omaggio a Italo Svevo*, aprendo la strada al riconoscimento di questo straordinario scrittore, e James Joyce, amico di Svevo, nel 1926 fa conoscere i tre romanzi ad alcuni critici francesi che li giudicano capolavori: se consideri che due dei tre romanzi sono scritti ancora nell'Ottocento, capirai quanto moderno fosse Svevo rispetto ai suoi tempi.

Uno dei temi centrali della letteratura di questi anni è la solitudine degli uomini in una società soffocata dal fascismo e dalla sua polizia. Una delle tecniche usate per questa descrizione è la 'deformazione', che descrive il mondo governato dall'irrazionalità, dal caso e dall'indifferenza. Quest'ultima è al centro del primo romanzo del ventiduenne **Alberto Moravia** (pag. 188), *Gli indifferenti*, mentre l'irrazionalità della vita è al centro dei romanzi di **Federico Tozzi** (1883-1920), *Con gli occhi chiusi* (1919), *Tre croci* (1920), *Il podere* (1921), i cui protagonisti sono degli incapaci, che non riescono a capire ed accettare il mondo reale.

Altri autori che iniziano la loro carriera in questi anni sono **Tommaso Landolfi** (1908-1979), che

Dino Buzzati (1906-1972)

scrive il suo capolavoro *La pietra lunare* nel 1939; **Dino Buzzati**, vicino al movimento surrealista, che focalizza il tema dell'attesa: "tutti vivono come se da un'ora a un'altra dovesse arrivare qualcuno", scrive nel suo primo romanzo, *Bàrnabo delle montagne* (1933), e l'attesa è al centro del suo capolavoro *Il deserto dei Tartari* (1940), la storia di un ufficiale che passa tutta la vita in una fortezza militare nel deserto dei Tartari, in attesa di un attacco che non arriverà mai.

Ignazio Silone (1900-1978)

Infine, **Ignazio Silone**, molto più realista, che ricordiamo in questo capitolo perché il suo *Fontamara* (1945, edizione italiana) è ambientato nel 1929 ed è un quadro eccezionale della vita durante il periodo fascista (Testo 71 online).

68 Vincenzo Cardarelli, *Sole a picco*

Guida alla lettura

Cardarelli ama la 'prosa d'arte', cioè una scrittura in cui la bellezza della forma linguistica è più importante del contenuto del testo. Le sue parole sono così rare e ricercate che le note sono tantissime... Per un italiano colto questo testo è un magico recupero della lingua classica, ma un ragazzo italiano di oggi considererebbe questo testo difficile e inutile. Qui, quello che interessa a Cardarelli è il suono della lingua che descrive i suoni di una cittadina in riva a un lago.

Chi ha vissuto una sera d'estate in riva a un lago sa che cosa sia la beatitudine[1]. Un calore fermo, avvolgente sale in quell'ora dalle acque che sembrano lasciate lì, immobili e qua e là increspate[2], dall'ultimo fiato di vento che il giorno andandosene ha esalato[3], e il loro aspetto è morto e grigio.

Si prova allora, più che in qualunque altro istante della giornata, quella dolce infinita sensazione di riposo auditivo[4] che danno le lagune, dove i rumori non giungono che ovattati[5]. Come sanno d'acqua le parole che dicono i barcaioli che a quell'ora stanno a chiacchierare sulla caletta[6]! Come rimbalzano chiocce[7] nell'aria! I rintocchi delle squille[8] lontane arrivano all'orecchio a grado a grado[9] e rotondi, scivolando dall'alto del cielo pianamente a guisa di lentissimi bolidi[10].

La sera scorre placida[11], è tutta un estatico bambolarsi[12], un fluire di cose silenziose a fior d'acqua. Naufraga d'un tratto[13] in un chiacchericcio alto, intenso, diffuso, simile al clamore[14] d'una festa lontana, appena s'accendono i lumi, tra le risate e le voci varie e gaie che escono dagli alberghi dopo cena e il fragore[15] allegro e plebeo d'un pianoforte meccanico[16] che giunge dall'altra riva.

Poi tutto sfuma e rientra ben presto nel gran silenzio lacustre, dove più non si ode che il battere degli orologi che suonano ogni quarto d'ora, a poca distanza l'uno dall'altro, da tutti i punti della sponda[17], e quel soave, assiduo scampanio[18] delle reti che i pescatori lasciano andare di sera alla deriva, che fa pensare insistentemente a un invisibile gregge[19] in cammino.

1. Serenità, tranquilla felicità. - **2.** Con piccole onde create da soffi improvvisi di vento. - **3.** 'Esalare l'ultimo respiro' è usato per indicare l'ultimo respiro (fiato) di una persona che muore; qui è il giorno che, morendo, ha creato qualche soffio di vento. - **4.** Dell'udito. - **5.** Meno forti, meno distinti. - **6.** Lo spazio dove le barche vengono calate in acqua o tirate all'asciutto. - **7.** Ripetitive, come le 'voci' delle galline. - **8.** I suoni delle campane. - **9.** Poco a poco. - **10.** Come se fossero lentissime stelle cadenti, meteoriti. - **11.** Serena, tranquilla. - **12.** L'estasi è lo stato quasi di trance di chi vede qualcosa di divino; 'imbambolato' è chi resta fermo, con la mente altrove, o senza pensieri, come una bambola. - **13.** La sera muore improvvisamente, come una barca che fa naufragio, scompare sott'acqua. - **14.** Rumore forte e disordinato. - **15.** Come il 'clamore' della nota 14. - **16.** Il piano non è suonato da una persona, è meccanico, quindi 'plebeo', popolare, di cattivo gusto. - **17.** Riva. - **18.** Le reti dei pescatori galleggiano sull'acqua con delle piccole boe, delle palle che le tengono a galla. Battendo l'una contro l'altra, queste boe fanno un rumore soave (dolce), assiduo (continuo), come di campanelle. - **19.** Gruppo di pecore.

Analisi e riflessione

Non serve un'analisi approfondita per notare che è tutto un gioco sui rumori: sottolinea le parole che indicano suoni e lo vedrai da solo.

C'è, nella letteratura della tua lingua, un movimento letterario o un autore che ama la lingua in sé, come strumento con cui giocare, come Cardarelli?

Vincenzo Cardarelli (1887-1959) è figlio illegittimo. Viene abbandonato dalla madre e per lui crescere in una cittadina di provincia come Tarquinia che glielo fa pesare come una vergogna non è per nulla facile. A 17 anni scappa di casa e si reca a Roma, fa mille mestieri e diventa giornalista. Si sposta poi a Firenze dove incontra i principali intellettuali del tempo e diventa critico teatrale. Accetta il regime fascista, a differenza di alcuni dei suoi amici, e scrive molti articoli di viaggio. Diventa però famoso come poeta, soprattutto con *Il sole a picco* (1929), illustrato dal grande Giorgio Morandi. Trascorre la vita in modo solitario, sempre più malato, e muore povero nel 1959.

EDILINGUA

69 Dino Campana, *La petite promenade du poète*

Guida alla lettura

Campana, poeta maledetto, forse un po' ubriaco, cammina a San Frediano, un quartiere di Firenze, in una stradina malfamata in cui ci sono prostitute. È un mondo squallido, dove tutto puzza ed è brutto. Secondo te, Campana giudica questo mondo, questa gente?

Me ne vado per le strade
strette oscure e misteriose:
vedo dietro le vetrate
affacciarsi Gemme e Rose[1].
Dalle scale misteriose
c'è chi scende brancolando[2]:
dietro i vetri rilucenti
stan le ciane[3] commentando.
La stradina è solitaria:
non c'è un cane[4]; qualche stella
nella notte sopra i tetti:
e la notte mi par bella.

E cammino poveretto
nella notte fantasiosa,
pur mi sento nella bocca
la saliva disgustosa. Via dal tanfo[5],
via dal tanfo, e per le strade
e cammina e via cammina,
già le case son più rade[6].
Trovo l'erba: mi ci stendo
a conciarmi[7] come un cane:
Da lontano un ubriaco
canta amore alle persiane[8].

1. Nomi di donna che però richiamano alla mente pietre preziose (gemme) e fiori. - **2.** Camminando a fatica. - **3.** Donnette, prostitute. - **4.** Non c'è nessuno. - **5.** Puzza. - **6.** Ci sono meno case. - **7.** Sporcarmi. - **8.** Alle finestre chiuse.

Analisi

a. Tutto è squallido, ma a Campana non interessa: per qualche ragione (la vita che ha intorno? le stelle?) *la notte mi par* .... Ma è solo un momento: *mi sento nella bocca la saliva* .... e quindi fugge a coricarsi sull'erba, *a conciarmi come un* ....

b. Il contenuto è provocatorio in quegli anni, ma la forma è ancora classica: se dividi il testo in quartine, vedrai che ci sono anche delle rime e delle assonanze.

Riflessione

Questo testo è del 1914, subito prima della guerra; il testo di Cardarelli è del 1929, cioè 15 anni dopo. Quale dei due ti pare più moderno? Capisci perché Campana viene rifiutato dagli ambienti letterari?

Online per te
Online trovi il **Testo 70**, *Colori*, di **Emilio Cecchi**
Online trovi il **Testo 71**, *Fontamara*, di **Ignazio Silone**

Dino Campana nasce nel 1895 a Marradi, in provincia di Firenze. La sua vita è sregolata, inquieta, classico esempio di 'genio e sregolatezza', molto simile a quella del francese Arthur Rimbaud. Frequenta la facoltà di chimica, ma la interrompe più volte per attacchi di depressione, che lo portano a fuggire, a scappare continuamente, in Italia e anche all'estero; quando la polizia lo trova, lo porta ogni volta in manicomio, dove viene curato come pazzo e non come depresso.

Nel 1914 pubblica i *Canti orfici*, titolo che richiama i misteri antichi e violenti dei seguaci di Orfeo. Muore in manicomio nel 1932.

Il futurismo

Nel 1909, con il *Manifesto* del Futurismo di **Filip-po Tommaso Marinetti** (1876-1944), pubblicato in Francia, il Futurismo esplode nella cultura europea e non riguarda solo la letteratura ma anche l'arte, il cinema, la cucina, la moda, la politica e rimane uno dei punti di riferimento fino alla seconda guerra mondiale. Il Futurismo rifiuta il simbolismo e il rifugio nel mondo intimo e personale, esalta quello che è nuovo e soprattutto la velocità, in testi come quello qui a fronte, oppure nella

Fortunato Depero, *Nitrito in Velocità*, 1922

pittura, dove il mondo è visto da aerei, automobili o biciclette in corsa, o nella scultura, come quella di Boccioni che apre questo capitolo. Il Decadentismo, il Crepuscolarismo, il Sentimentalismo sono cose del passato, secondo questi autori, mentre il futuro è nelle macchine, nel movimento, nella rivoluzione permanente, perfino nella rivoluzione grafica, come vedi nella copertina qui a sinistra di un libro di poesie di Marinetti, del 1912.

Il Futurismo italiano ha grande influenza anche all'estero, in particolare in Russia: dopo la rivoluzione comunista del 1917 cresce un movimento culturale e politico altrettanto rivoluzionario nei temi letterari e artistici, il cui principale esponente è V. Majakovskij, che si suicida nel 1930 quando gli ideali della rivoluzione si trasformano nella burocrazia e nella polizia di Stalin. Marinetti, al contrario, si trova a suo agio nel regime fascista, di cui apprezza la natura violenta (ricordiamo che Marinetti è l'autore di *Guerra, sola igiene del mondo*, del 1915, saggio sul tema della violenza di stato).

Filippo Tommaso Marinetti, *Raccolta di poesie*, 1912

La letteratura futurista

In realtà, più che in letteratura i grandi capolavori futuristi sono nel mondo dell'arte, con le opere di **Umberto Boccioni**, **Giacomo Balla**, **Carlo Carrà** (pag. 178), ma alcuni testi letterari, come quello sulla macchina da corsa di Marinetti, sono importanti per capire la rivoluzione di questi giovani.

La poesia e la prosa futurista rifiutano le regole classiche, quindi rifiutano la metrica, distruggono la sintassi e la punteggiatura, rifiutano aggettivi e avverbi che non parlano di cose concrete ma solo di aspetti superficiali,

Luigi Russolo, *Dinamismo di un'automobile*, 1912-13

usano molte onomatopee (parole che portano nella lingua i rumori e i suoni della realtà), esaltano il concetto di 'parole in libertà', usano in modo particolare le tecniche tipografiche per la loro 'poesia visiva'.

Molti giovani letterati iniziano la loro attività nel periodo futurista, per poi scegliere altre strade: ricordiamo in particolare **Corrado Govoni**, **Aldo Palazzeschi**, **Giovanni Papini** e **Ardengo Soffici**.

Mario Guido Dal Monte, *Il ciclista*, 1927

EDILINGUA

72 Filippo T. Marinetti, *All'automobile da corsa*

Guida alla lettura e alla riflessione

I poeti tradizionali scrivevano 'odi', cioè poesie che si rivolgevano direttamente a una donna, a una grande figura, a un ideale. Marinetti fa un'ode all'automobile da corsa, che in realtà è un'ode alla velocità, ai motori, alla forza meccanica che domina le forze tradizionali della natura, che lo porta (forse) al suicidio pur di provare la velocità pura. Oggi abbiamo viaggiato fino alla luna, le macchine di Formula 1 e i treni viaggiano a 350 Km all'ora, mentre Marinetti si esaltava per automobili che non raggiungevano i 100 Km all'ora... Secondo te, questa sua esaltazione della velocità è superata, dopo più di un secolo, oppure resta ancora viva nella sua 'follia'?

Veemente dio d'una razza d'acciaio,
Automobile ebbrrra di spazio,
che scalpiti e frrrremi[1] d'angoscia
rodendo il morso con striduli denti[2]...
Formidabile mostro giapponese,
dagli occhi di fucina[3],
nutrito di fiamma
e d'olî minerali,
avido d'orizzonti e di prede siderali[4]...
io scateno il tuo cuore che tonfa[5] diabolicamente,
scateno i tuoi giganteschi pneumatici,
per la danza che tu sai danzare
via per le bianche strade di tutto il mondo!...
Allento finalmente
le tue metalliche redini[6],
e tu con voluttà ti slanci
nell'Infinito liberatore!
All'abbaiare[7] della tua grande voce
ecco il sol che tramonta inseguirti veloce
accelerando il suo sanguinolento
palpito[8], all'orizzonte...
Guarda, come galoppa, in fondo ai boschi, laggiù!...
Che importa, mio dèmone bello?
Io sono in tua balìa[9]!... Prrrendimi!... Prrrendimi!...
Sulla terra assordata, benché tutta vibri
d'echi loquaci[10];
sotto il cielo accecato, benché folto di stelle[11],
io vado esasperando la mia febbre

ed il mio desiderio,
scudisciandoli[12] a gran colpi di spada.
E a quando a quando alzo il capo
per sentirmi sul collo
in soffice stretta le braccia
folli del vento, vellutate e freschissime...
Sono tue quelle braccia ammalianti[13] e lontane
che mi attirano, e il vento
non è che il tuo alito d'abisso,
o Infinito senza fondo che con gioia m'assorbi[14]!...
[...] Stelle! mie stelle! l'udite
il precipitar dei suoi passi[15]?...
Udite voi la sua voce, cui la collera spacca[16]...
la sua voce scoppiante, che abbaia, che abbaia...
e il tuonar de' suoi ferrei polmoni
crrrrollanti a prrrrecipizio
interrrrrminabilmente[17]?...
Accetto la sfida, o mie stelle!...
Più presto!... Ancora più presto!...
E senza posa[18], né riposo!...
Molla i freni! Non puoi?
Schiàntali[19], dunque,
che il polso del motore centuplichi i suoi slanci[20]!
Urrrrà! Non più contatti con questa terra immonda!
Io me ne stacco alfine, ed agilmente volo
sull'inebriante fiume degli astri
che si gonfia in piena nel gran letto celeste[21]!

---

1. La ripetizione di *r* qui e anche più avanti, è un'onomatopea (vedi glossario, pag. 241) che riproduce il rumore del motore; *ebbro*: ubriaco; *fremere*: agitarsi per il desiderio di qualcosa. - **2.** La macchina da corsa viene paragonata a un cavallo. I cavalli hanno un *morso*, un'asta di metallo tra i denti, per poterli guidare; qui i denti *striduli*, che fanno un rumore spiacevole, metallico, della macchina, consumano, *rodono*, il morso. - **3.** La fucina è il luogo, pieno di fuoco, dove si lavora il metallo. - **4.** Mostro che vuoi conquistare spazi oltre la terra, spaziali. - **5.** Io libero dalle catene il tuo cuore che batte con grandi colpi, *tonfi*. - **6.** Lascio libere (*allento*) le strisce di cuoio con cui si frenano i cavalli. - **7.** Il rumore del motore è come l'abbaiare di un cane. - **8.** Il sole al tramonto insegue la macchina facendo battere (*palpitare*) più veloce il suo cuore dove c'è una luce rossa come il sangue. - **9.** Sono in tuo possesso, tuo schiavo. - **10.** Prendimi sulla terra che è diventata sorda a causa del tuo rumore, anche se tutta la terra vibra per l'eco del rumore, che dice mille cose. - **11.** Il cielo è diventato cieco, a causa della tua luce, anche se è pieno di stelle. - **12.** Colpendo terra e cielo con la mia spada (la macchina) come se fosse la frusta, la striscia di cuoio con la quale si picchiano gli schiavi e gli animali. - **13.** Seducenti. - **14.** Il vento è un respiro che viene dalla profondità infinita dove io vengo preso, felice. - **15.** *Precipitare* qui indica un passo veloce, ma significa anche 'cadere dall'alto', come un aereo che cade. - **16.** Rotta dalla rabbia. - **17.** Che precipitano, cadono senza potersi fermare. - **18.** Senza fermarsi. - **19.** Non puoi lasciare i freni? Allora rompili. *Schiantarsi* indica anche un drammatico incidente, come una macchina contro un muro. - **20.** Il cuore del motore aumenti di 100 volte la sua velocità. - **21.** Rifiutata la misera vita quotidiana (*questa terra immonda*), il pilota e l'automobile cominciano il volo nel cielo stellato come se fosse un volo in un fiume di stelle in piena che ubriaca, esalta (*inebriante*) e che trascina tutto al suo passaggio.

Gabriele D'Annunzio

Gabriele D'Annunzio ha scritto prosa e poesia, romanzi e racconti, teatro e opera, discorsi politici e articoli di giornale. In tutti i campi ha segnato, come i futuristi, l'allontanamento dal mondo crepuscolare, simbolico, intimista della fine dell'Ottocento – nelle opere, ma anche nella vita che molto si confonde con la sua arte.

Il superamento dei modelli, Carducci e Verga

D'Annunzio poeta inizia imitando il Carducci (pag. 128) delle *Odi barbare*, integrandolo con elementi delle varie letterature europee. Tuttavia, presto aggiunge il suo contributo personale, una sensualità, una fisicità nuove. Negli stessi anni, non ancora ventenne, inizia a scrivere novelle basate sui modelli di Verga (pag. 122), che nel 1902 saranno raccolte in *Le novelle della Pescara*, ambientate nell'Abruzzo contadino; anche in questo caso D'Annunzio aggiunge al verismo elementi sensuali.

Nel 1889 esce primo romanzo *Il piacere*, storia di un uomo privo di morale, schiavo dei sensi, che ricorda molto D'Annunzio; la lingua è molto raffinata, per nulla simile a quella verista delle novelle, e lo stesso accade anche nei due romanzi successivi, *Giovanni Episcopo* e *L'innocente*.

Il superuomo, il poeta 'vate', profeta

Negli anni giolittiani la produzione di D'Annunzio riprende da Wagner e da Nietzsche il mito del 'superuomo', al quale tutto è permesso; è un mito tipico anche dei futuristi, con i quali D'Annunzio condivide l'esaltazione della forza e della tecnologia moderna, ma a differenza di questi suoi contemporanei D'Annunzio esalta la bellezza e l'arte, la sensualità e il piacere raffinato.

La borghesia nazionalista, che crede sempre più nell'Italia 'imperiale', si innamora di questo poeta-vate, poeta-soldato, poeta-aviatore: una figura che il fascismo userà per essere accettato dalla borghesia. Sono 'superuomini' che vivono sopra ogni morale i protagonisti di opere come *La città morta* (1898), *La figlia di Iorio* (1903) e *La fiaccola sotto il moggio* (1905).

Il capolavoro degli anni precedenti la guerra è *Alcyone* (1903), una raccolta di poesie in cui D'Annunzio, essere umano e non più superuomo ed eroe, si immerge nella natura descrivendola con una lingua musicale, che il critico Mario Praz ha definito "amor sensuale della parola".

Eleonora Duse

L'ultima fase

Quando si rende conto che il regime fascista lo ha usato ma poi lo ha in qualche modo isolato, D'Annunzio lascia il personaggio pubblico che si era creato, la sua poesia diventa più malinconica, privata e, in gran parte, autobiografica: è il periodo 'notturno' della sua vita, come lui stesso lo definisce, in cui scrive diari o opere autobiografiche come *Notturno*, ricordi di guerra, e *Le faville sotto il maglio*, uscito in vari volumi tra il 1924 e il 1928.

EDILINGUA

73 Nella belletta

Guida alla lettura

D'Annunzio è davanti a uno stagno, come quello dipinto da Guido Resmi nel 1930: è agosto, fa caldo, c'è umidità, il fango (*belletta*) è pieno di giunchi, canne che stanno marcendo.
Si tratta di un madrigale che ben mostra il D'Annunzio decadente di *Alcyone*, nei primi anni del secolo: tutto è in piena decadenza ma l'esteta si nutre di questa sensazione di morte, di fine.

Nella belletta i giunchi hanno l'odore
delle pèrsiche mézze[1] e delle rose
passe[2], del miele guasto e della morte.

Or tutta la palude è come un fiore
lutulento[3] che il sol d'agosto cuoce,
con non so che dolcigna afa di morte[4].

Ammutisce la rana, se m'appresso.
Le bolle d'aria salgono in silenzio[5].

1. Pesche lasciate aperte a metà. - **2.** Sfiorite, passate. - **3.** Parola creata a partire dal latino: fangoso, sporco. - **4.** Con non so quale aria umida e calda che ha l'odore della morte. *Dolcigna* è un'invenzione dannunziana che modifica 'dolce' con un suffisso negativo, spiacevole. - **5.** Se mi avvicino, la rana tace, ammutolisce; *ammutisce* è una parola dannunziana.

Analisi e riflessione

Questo madrigale è caratterizzato da numerosi *enjambements* (vedi glossario, pag. 241) creando un effetto sonoro di sospensione:

a. *i giunchi hanno l'odore /* ....
   mézze e delle rose / ....

b. *la palude è come un fiore /* ....

Secondo te, il fatto che il verso prosegua al di là della sua conclusione naturale è casuale o ha una funzione precisa, nella sonorità della poesia? Se sì, quale?

Guido Resmi, *Panorama di Mantova*, 1930

Il primo Novecento

Gabriele D'Annunzio (1863-1938)

A 16 anni D'Annunzio pubblica la sua prima raccolta di poesie, *Primo vere*, che ha subito successo. A 18 anni si sposta da Pescara a Roma dove continua a scrivere, frequenta i salotti importanti, ha molte avventure amorose. La sua vita da libertino continua anche dopo il matrimonio e si diffonde la sua immagine di poeta raffinato e sensuale.
Pieno di debiti, lascia la moglie a Roma e va in Abruzzo, poi a Napoli, vivendo anni di povertà, malgrado il successo editoriale. Nel 1895 s'innamora dell'attrice più famosa del tempo, Eleonora Duse: per lei scrive opere teatrali. Ottiene il successo economico e diventa deputato in Parlamento. D'Annunzio e la Duse vivono vicino a Firenze, in maniera lussuosa. Lui la lascia nel 1904 e riprende la sua vita scandalosa, ma ricomincia l'ossessione per i debiti. Ancora una volta scappa, vive cinque anni in Francia e torna in Italia solo all'inizio della guerra: a 52 anni diventa soldato, la sua popolarità è totale, è il poeta 'vate', cioè profeta, è il modello di superuomo eroico, 'futurista' (anche se D'Annunzio non ha mai fatto parte del movimento di Marinetti).
Alla fine della guerra D'Annunzio acquista una villa sul lago di Garda dove passa gli ultimi tristi anni rinchiuso nella sua villa-museo, con pochi amici.

74 *La sera fiesolana*

Guida alla lettura

Siamo a Fiesole, sulle colline vicino a Firenze, e D'Annunzio si rivolge alla sera, che sta per diventare notte, mentre il poeta aspetta... non sappiamo chi o che cosa. Il significato letterale dei versi è molto meno importante delle sensazioni che D'Annunzio richiama con i suoni, i colori, i profumi, un amore per il suono delle parole, che puoi apprezzare solo ascoltando l'audio. Mentre leggi, sottolinea i colori e i rumori in due modi diversi. Quale prevale?

Fresche le mie parole ne la sera[1]
ti sien come il fruscìo che fan le foglie
del gelso ne la man di chi le coglie
silenzioso e ancor s'attarda a l'opra[2] lenta
su l'alta scala che s'annera
contro il fusto che s'inargenta
con le sue rame spoglie
mentre la Luna è prossima a le soglie
cerule[3] e par che innanzi a sé distenda un velo
ove il nostro sogno si giace
e par che la campagna già si senta
da lei sommersa nel notturno gelo
e da lei beva la sperata pace
senza vederla.

Laudata sii[4] pel tuo viso di perla,
o Sera, e pe' tuoi grandi umidi occhi ove si tace
l'acqua del cielo[5]!

Dolci le mie parole ne la sera
ti sien come la pioggia che bruiva[6]
tiepida e fuggitiva,
commiato[7] lacrimoso de la primavera,
su i gelsi e su gli olmi e su le viti
e su i pini dai novelli rosei diti
che giocano con l'aura che si perde,
e su 'l grano che non è biondo ancora
e non è verde,

e su 'l fieno che già patì la falce
e trascolora[8],
e su gli olivi, su i fratelli olivi
che fan di santità pallidi i clivi
e sorridenti[9].

Laudata sii per le tue vesti aulenti,
o Sera, e pel cinto che ti cinge come il salce
il fien che odora[10].

Io ti dirò verso quali reami[11]
d'amor ci chiami il fiume[12], le cui fonti
eterne a l'ombra de li antichi rami
parlano nel mistero sacro dei monti;
e ti dirò per qual segreto
le colline su i limpidi orizzonti
s'incurvino come labbra che un divieto
chiuda[13], e perché la volontà di dire
le faccia belle
oltre ogni uman desire[14]
e nel silenzio lor sempre novelle
consolatrici[15], sì che pare
che ogni sera l'anima le possa amare
d'amor più forte.

Laudata sii per la tua pura morte[16],
o Sera, e per l'attesa che in te fa palpitare
le prime stelle!

---

1. La prima strofa ha solo sensazioni sonore, luminose, di temperatura. Cerca di capire senza fermarti a ogni parola. - **2.** Lavoro lento, paziente. - **3.** È vicina all'orizzonte chiaro, ma non è ancora spuntata. - **4.** Così inizia ogni strofa del *Cantico delle creature* di San Francesco (pag. 13). - **5.** La sera ha gli occhi bagnati dalla pioggia, che ora è finita, tace. - **6.** Faceva un leggero rumore. - **7.** Saluto d'addio. - **8.** Che è già stato tagliato dalla falce e che sta ingiallendo, sta cambiando colore. - **9.** Che con le loro foglie pallide, color argento, rendono sacre e sorridenti le colline. - **10.** La sera ha un vestito con una cintura leggera, come quella di rametti di salice usato per legare a metà i fasci di fieno profumato. - **11.** Regni. - **12.** L'Arno. - **13.** Il profilo delle colline sembra quello di labbra che non possono dire di sì. - **14.** Le rende più belle di ogni desiderio. - **15.** Sempre pronte a consolarci, ad aiutarci. - **16.** La sera muore perché arriva la notte.

Riflessione

San Francesco ha lodato la natura, Foscolo ha scritto un sonetto *Alla sera* (pag. 92). D'Annunzio ha qualcosa in comune con loro? Che cosa? Discutine con i tuoi compagni.
Ascolta la registrazione a occhi chiusi e senti la musica della lingua dannunziana. Ti piace? Confronta la tua risposta con quella dei compagni.

EDILINGUA

75 *I pastori*

Guida alla lettura

Questa poesia è completamente diversa dalle altre due: è il D'Annunzio verista legato al suo Abruzzo, la regione dell'Italia centrale dove è nato. La poesia fa parte dell'ultima sezione della raccolta *Alcyone*, dedicata al mese di settembre. È il mese in cui i pastori emigrano, lasciano i pascoli in alta montagna, per passare l'inverno in pianura.

Settembre, andiamo. È tempo di migrare.
Ora in terra d'Abruzzi i miei pastori
lascian gli stazzi[1] e vanno verso il mare:
scendono all'Adriatico selvaggio
che verde è come i pascoli dei monti.

Han bevuto profondamente ai fonti
Alpestri[2], che sapor d'acqua natìa
rimanga ne' cuori esuli a conforto[3],
che lungo illuda la lor sete in via.
Rinnovato hanno verga d'avellano[4].

E vanno pel tratturo[5] antico al piano,
quasi per un erbal fiume silente,
su le vestigia[6] degli antichi padri.
O voce di colui che primamente
conosce il tremolar della marina[7]!

Ora lungh'esso il litoral cammina
la greggia[8]. Senza mutamento è l'aria.
Il sole imbionda sì la viva lana
Che quasi dalla sabbia non divaria[9].
Isciacquìo, calpestìo[10], dolci romori.

Ah, perché non son io co' miei pastori?

1. Lo *stazzo* è il recinto dove si portano le pecore durante la notte. - **2.** Alle sorgenti di montagna. - **3.** Affinché il sapore dell'acqua dei luoghi dove sono nati conforti i loro cuori che vanno in esilio verso la pianura. - **4.** I bastoni di nocciolo che usano per guidare le pecore. - **5.** Antichi sentieri usati dai pastori per andare alla pianura. - **6.** Le orme, i segni lasciati secolo dopo secolo dai pastori. - **7.** Il mare. Il verso è una citazione da Dante, *Purgatorio*, I, 117. - **8.** Il gregge (il gruppo di pecore) cammina lungo la spiaggia. - **9.** Rende così bionda la lana ancora viva, che quasi non si distingue dalla sabbia. - **10.** *Isciacquio,* invenzione dannunziana a partire da *sciacquio*, rumore dei passi nell'acqua; il *calpestio* è il rumore dei passi sulla terra.

Analisi

D'Annunzio è il poeta della musicalità. Un elemento fondamentale della musicalità è la rima. Ascolta *I pastori* senza leggere e concentrati sulla musica: ci sono rime? Se sì, sono regolari? Adesso segna le rime sul testo: sono regolari? C'è uno schema preciso?
Come vedi, un grande poeta non ha bisogno di schemi.

Riflessione

La poesia è dominata dal ricordo che D'Annunzio, ormai famoso ma lontano, ha delle tradizioni della sua terra. Questi pastori lasciano le loro montagne, diventano esuli, cioè persone lontane dal loro paese. D'Annunzio lascia Pescara a 19 anni per andare a Roma, e anche lui si sente un esule. Individua le parole che usa per descrivere lo stato d'animo degli emigranti, di allora come di oggi, e discuti con i compagni se D'Annunzio, ormai lontano e famoso, descrive in profondità o solo in superficie il dolore dell'abbandono.

Antica foto di pastore.

Luigi Pirandello

Pirandello, siciliano che studia nelle università di Roma e di Bonn, cresce in un mondo di idee positiviste, fiducioso nella scienza, nella tecnica, nel progresso; ma respira anche l'atmosfera del Sud, deluso dalla fine delle illusioni risorgimentali, quando si era creduto che l'Unità d'Italia avrebbe portato giustizia e benessere. In molte novelle di tipo verista e nel romanzo *I vecchi e i giovani* (1913) denuncia la corruzione dell'amministrazione e la decadenza degli ideali risorgimentali.

Pirandello non apprezza la democrazia, come è facile vedere nel suo romanzo più importante, *Il fu Mattia Pascal* (1904), e considera i socialisti come pericolosi ribelli che pensano più al proprio interesse che al bene delle masse. Il mondo non può essere cambiato dai popolari, dai socialisti o dai comunisti (in questo pessimismo Pirandello è d'accordo con i 'vinti' del siciliano Giovanni Verga; pag. 122), ma anche solo *cercare* di cambiarlo rompe l'equilibrio e quindi tutto peggiora.

Pirandello narratore

Fin dal primo romanzo, *L'esclusa* (1893), Pirandello sembra seguire la tradizione verista degli scrittori del Sud. Usa i caratteri più tipici di quel movimento, ma in realtà li tratta in maniera surreale, ironica: Pirandello infatti definisce l'umorismo come "il sentimento del contrario", un gioco in cui ogni fenomeno si descrive sia guardando il modo in cui appare in superficie (procedura realistica) sia mostrandone i meccanismi interni, in modo da far vedere come funzionano davvero le cose del mondo e mostrare il contrasto tra l'essere e il sembrare, tra la sostanza e le apparenze. Questo contrasto fa ridere, sebbene con tristezza. In tutta la sua opera in prosa e per il teatro Pirandello denuncia le bugie della società, non solo per prenderle in giro ma anche per mostrarne la tragicità.

Il suo capolavoro narrativo è *Il fu Mattia Pascal* (1904). Per un errore, Mattia viene creduto morto: lui vive questa notizia come una liberazione, cambia nome, cambia città, ma poi scopre che le convenzioni sociali lo soffocano anche lì. Finge quindi il suicidio, riprende il suo vecchio nome e torna alla sua prima famiglia, ma il suo mondo originario è totalmente cambiato negli anni, per cui alla fine si sente straniero dappertutto. *I vecchi e i giovani* (1913) è una denuncia della corruzione dell'amministrazione dell'ultimo Ottocento. Il titolo del romanzo *Uno, nessuno, centomila* (1926) è una sintesi dell'idea centrale di Pirandello: ciascuno di noi, con tutte le maschere psicologiche (Pirandello aveva studiato bene la psicanalisi) e sociali, è *uno*, ma al tempo stesso è *centomila* persone, quindi non è *nessuno*.

Pirandello ha scritto moltissime novelle, raccolte in gran parte in *Novelle per un anno*, in parte veriste, in parte surreali.

Pirandello uomo di teatro

Pirandello riceve il Premio Nobel per la sua rivoluzione nella teoria del teatro, che in seguito prenderà il nome di 'teatro dell'assurdo' e porterà il Nobel anche a Samuel Beckett e Harold Pinter.

Il teatro pirandelliano è l'opposto di quello naturalista che era stato teorizzato dal francese Zola. Già in un primo dramma, *La ragione degli altri* (1895), la realtà non è più certa, perfino le cose che sono successe e che crediamo di conoscere cambiano con il passare del tempo.

Luigi Pirandello (1867-1936)
Nasce in Sicilia, ad Agrigento, e studia a Roma e poi a Bonn. Dopo il matrimonio si trasferisce a Roma, dove lavora come giornalista, come regista di teatro e come scrittore. Un'azienda nella quale aveva investito i suoi capitali e quelli della moglie fallisce e lo lascia senza rendite; per vivere Pirandello diventa insegnante di italiano. La moglie è colpita dalla depressione e poi da una malattia mentale, per cui nel 1919 viene chiusa in un ospedale psichiatrico. La malattia della moglie spinge Pirandello a studiare la psicanalisi di Freud e Jung, che lo ispireranno in molti suoi capolavori.

Il successo arriva nel 1904 con un romanzo, *Il fu Mattia Pascal*, ma dopo la guerra Pirandello abbandona la narrativa e sceglie definitivamente il teatro, fonda una compagnia teatrale, e gira l'Italia mettendo in scena i propri drammi. Nel 1921 *Sei personaggi in cerca d'autore* gli dà fama prima europea, poi mondiale.

Nel 1934 riceve il premio Nobel per la letteratura.

EDILINGUA

Il berretto a sonagli (1917, in siciliano; 1918, in italiano) e *Pensaci Giacomino!* (1917) mettono in scena il contrasto tra quello che appare e la realtà; questo tema tocca il punto più alto in *Così è (se vi pare)* (1917) dove la verità è impossibile da conoscere: tutti si chiedono chi sia il personaggio centrale, come vedrai nel Testo 76, e alla fine lei stessa si presenta: "io sono colei che mi si crede". Emerge già nell'opera l'idea che ogni persona è insieme 'nessuno' e 'centomila'.

La rivoluzione teatrale avviene in due capolavori: in *Sei personaggi in cerca d'autore* (1921), Pirandello rovescia completamente ogni logica, ci sono i personaggi che parlano e agiscono, ma manca l'autore; in *Enrico IV* (1922), dove il protagonista viene creduto pazzo (ha avuto un incidente e ha battuto la testa mentre in una festa in costume medievale impersonava l'imperatore tedesco Enrico IV), ma in realtà non è affatto pazzo e decide semplicemente di prendersi gioco di tutti, costringendoli per anni a presentarsi a lui vestiti da personaggi medievali e facendo riferimento al XII anziché al XX secolo.

Sebastiano Lo Monaco interpreta *Enrico IV*, regia di Roberto Guicciardini.

Socialisti, Comunisti, Popolari

Finita la guerra, il quadro politico italiano cambia radicalmente: gli operai entrano nei sindacati, il ceto medio capisce che deve creare un movimento o un partito che lo difenda, la borghesia liberale dell'età giolittiana ha sempre più paura che arrivi anche in Italia una rivoluzione come quella russa. Questa borghesia diventa la base del movimento fascista, come abbiamo visto; operai e classe media si riuniscono in altri movimenti.

Il **Partito Socialista** deve scegliere tra la rivoluzione e quella che oggi chiamiamo *socialdemocrazia*. Inizialmente rifiuta ogni collaborazione con i governi borghesi, vuole abolire la leva militare (cioè l'obbligo di tutti i maschi di restare due anni nell'esercito) e promuove il disarmo universale. Poi prevale la corrente più moderata, vicina ai sindacati, e nel congresso di Livorno, nel 1921, un gruppo guidato da Antonio Gramsci, fonda il **Partito Comunista d'Italia**, di ispirazione sovietica, che vuole creare la 'dittatura del proletariato' (i 'proletari' sono i poveri che come unica ricchezza hanno la loro 'prole', i loro figli).

Dalla conquista di Roma nel 1870 i cattolici erano stati fuori dalla politica; nel 1913 decidono che è loro dovere partecipare alla vita pubblica e subito dopo la guerra Papa Benedetto XV autorizza Don Luigi Sturzo a fondare un partito dichiaratamente cattolico, il **Partito Popolare**, che difende la piccola e media proprietà contadina contro i grandi latifondisti, la libertà di insegnamento delle scuole private e chiede il decentramento amministrativo.

Guida alla lettura del Testo 76

In una cittadina di provincia arrivano un funzionario dello stato, il signor Ponza, insieme alla moglie e alla suocera, la signora Frola. Tutti si stupiscono del fatto che quest'ultima sia obbligata a vivere in un appartamentino da sola e gira la voce che lui la obblighi a comunicare con la figlia solo per mezzo di bigliettini. Più Ponza e la moglie cercano di spiegare che non è così, più il mondo piccolo borghese intorno a loro immagina realtà diverse, terribili. Tra queste, c'è chi pensa che in realtà la signora Frola sia la madre della prima moglie di Ponza, che è morta ma che lei continua a considerare viva; Ponza avrebbe quindi sposato una seconda moglie che, per pietà umana, lascia credere alla signora Frola di essere sua figlia, anche se non può farsi vedere da lei per non farle scoprire la verità.

Ma la signora Frola rovescia la situazione, facendo sapere che il pazzo è Ponza, che crede di essersi sposato una seconda volta. Quale è la verità?

Queste sono le ultime due scene del dramma: la moglie, la signora Ponza, viene obbligata a dire chi sia veramente.

Guida alla lettura

Vedi pagina precedente, pagina 163.

Scena ottava

Detti[1], la signora Frola, tutti gli altri

La signora Frola s'introdurrà tremante, piangente con un fazzoletto in mano, in mezzo alla ressa[2] degli altri, tutti esagitati.

Signora Frola: Signori miei, per pietà! per pietà! Lo dica lei a tutti, signor Consigliere!

Agazzi: *(facendosi avanti, irritatissimo)*. Io le dico, signora, di ritirarsi[3] subito! Perché lei, per ora, non può stare qua!

Signora Frola: *(smarrita[4])*. Perché? Perché? *(alla signora Amalia)*. Mi rivolgo a lei, mia buona signora...

Amalia: Ma guardi... guardi, c'è lì il Prefetto[5]...

Signora Frola: Oh, lei, signor Prefetto! Per pietà! Volevo venire da lei!

Il Prefetto: No, abbia pazienza, signora! Per ora io non posso darle ascolto. Bisogna che lei se ne vada! Se ne vada via subito di qua!

Signora Frola: Sì, me n'andrò! Me n'andrò oggi stesso! Me ne partirò, signor Prefetto! per sempre me ne partirò!

Agazzi: Ma no, signora! Abbia la bontà di ritirarsi per un momento nel suo quartierino[6] qua accanto! Mi faccia questa grazia![7] Poi parlerà col signor Prefetto!

Signora Frola: Ah! Sì? E allora, sì... sì, mi ritiro... mi ritiro subito! Volevo dir loro questo soltanto: che per pietà, la finiscano![8] Loro credono di farmi bene e mi fanno tanto male! Io sarò costretta ad andarmene, se loro seguiteranno a far così; a partirmene oggi stesso, perché lui sia lasciato in pace!... Ma che vogliono, che vogliono ora qui da lui? Che deve venire a fare qua lui?... Oh, signor Prefetto!

Il Prefetto: Niente, signora, stia tranquilla! Stia tranquilla, e se ne vada, per piacere!

Amalia: Via, signora, sì! Sia buona!

Signora Frola: Ah, Dio, signora mia, loro mi priveranno dell'unico bene, dell'unico conforto che mi restava; vederla almeno da lontano la mia figliola! *(si metterà a piangere)*

Il Prefetto: Ma chi glielo dice? Lei non ha bisogno di pentirsene[9]! La invitiamo a ritirarsi ora per un momento. Stia tranquilla!

Signora Frola: Ma io sono in pensiero per lui! Per lui, signor Prefetto! Sono venuta qua a pregare tutti per lui; non per me!

Il Prefetto: Sì, va bene! E lei può star tranquilla anche per lui, gliel'assicuro io. Vedrà che ora si accomoderà[10] ogni cosa.

Signora Frola: E come? Vi vedo qua tutti accaniti addosso a lui[11]!

Il Prefetto: No, signora! Non è vero! Ci sono qua io per lui! Stia tranquilla!

Signora Frola: Ah! Grazie! Vuol dire che lei ha compreso...

Il Prefetto: Sì, sì, signora io ho compreso.

Signora Frola: L'ho ripetuto tante volte a tutti questi signori: è una disgrazia già superata, su cui non bisogna più ritornare.

Il Prefetto: Sì, ve bene, signora... se le dico che io ho compreso[12]!

Signora Frola: Siamo contente di vivere così, la mia figliuola è contenta. Dunque... Ci pensi lei, ci pensi lei... perché, se no, non mi resta altro che andarmene, proprio! e non vederla più, neanche così da lontano... Lo lascino in pace, per carità!

A questo punto, tra la ressa si farà un movimento; tutti faranno cenni; alcuni guarderanno verso l'uscio; qualche voce repressa si farà sentire.

Voci: Oh Dio... eccola, eccola!

Signora Frola: *(notando lo sgomento, lo scompiglio gemerà perplessa, tremante)*. Che cos'è? Che cos'è?

Scena nona

Detti, la signora Ponza, poi il signor Ponza

Tutti si scosteranno da una parte e dall'altra per dar passo alla signora Ponza che si farà avanti rigida, in gramaglie[13] col volto nascosto da un fitto velo nero, impenetrabile.

Signora Frola: *(cacciando un grido straziante, di frenetica gioia)*. Ah! Lina... Lina... Lina...[14].

E si precipiterà e s'avvinghierà alla donna velata, con l'arsura d'una madre che da anni non abbraccia più la sua figliuola. Ma contemporaneamente, dall'interno, si udranno le grida del signor Ponza che subito dopo di precipiterà sulla scena.

Ponza: Giulia!... Giulia!... Giulia!...

La signora Ponza, alle grida di lui, s'irrigidirà tra le braccia della signora Frola che la cingono. Il signor Ponza, sopravvenendo[15], s'accorgerà subito della suocera così perdutamente abbracciata alla moglie e inveirà furente[16].

Ponza: Ah! L'avevo detto io! Si sono approfittati così, vigliaccamente[17], della mia buona fede?

Signora Ponza: *(volgendo il capo velato quasi con austera[18] solennità)*. Non temete! Non temete! Andate via.

Ponza: *(piano, amorevolmente alla signora Frola)*. Andiamo, sì, andiamo...

Signora Frola: *(che si sarà staccata da sé, tutta tremante, umile, dall'abbraccio, farà eco[19] subito, premurosa, a lui)*. Sì, sì... andiamo, caro, andiamo...

E tutti e due abbracciati, carezzandosi a vicenda, tra due diversi pianti, si ritireranno bisbigliandosi[20] tra loro parole affettuose. Silenzio. Dopo avere seguito con gli occhi fino all'ultimo i due, tutti si rivolgeranno ora, sbigottiti e commossi, alla signora velata.

Signora Ponza: *(dopo averli guardati attraverso il velo, dirà con solennità cupa[21])*. Che altro possono volere da me, dopo questo, lor signori[22]? Qui c'è una sventura[23], come vedono, che deve restar nascosta, perché solo così può valere il rimedio che la pietà ha presentato[24].

Il Prefetto: *(commosso)*. Ma noi vogliamo rispettare la pietà, signora. Vorremmo però sapere che lei ci dicesse...

Signora Ponza: *(con un parlare lento e spiccato)*. Che cosa? La verità? È solo questa; che io sono, sì, la figlia della signora Frola...

Tutti: *(con un sospiro di soddisfazione)*. Ah!

Signora Ponza: *(subito, come sopra)*. E la seconda moglie del signor Ponza...

Tutti: *(stupiti e delusi, sommessamente)*. Oh! E come?

Signora Ponza: *(subito, come sopra)*. Sì; e per me nessuna[25]! Nessuna!

Il Prefetto: Ah, no, per sé, lei, signora: sarà l'una o l'altra!

Signora Ponza: Nossignori. Per me, io sono colei che mi si crede *(guarderà attraverso il velo, tutti, per un istante; e si ritirerà. Silenzio)*.

Laudisi: Ed ecco, o signori, come parla la verità! *(volgerà attorno uno sguardo di sfida derisoria)*. Siete contenti? *(scoppierà a ridere)*. Ah! Ah! Ah! Ah!

---

1. I personaggi già 'detti' nella scena precedente, già presenti in scena. - **2.** Gran quantità di persone. - **3.** Andare via, tornare a casa sua. - **4.** Confusa. - **5.** Il rappresentante del governo nella città. - **6.** Appartamentino. - **7.** Piacere. - **8.** Finitela, smettete; per molte battute in seguito *loro* è usato ancora al posto di *voi*. - **9.** Sentirsi in colpa. - **10.** Si sistemerà, si metterà a posto. - **11.** Che lo accusate come dei cani arrabbiati. - **12.** Siccome le dico che ho capito, stia tranquilla. - **13.** Vestita di nero, in lutto per qualcuno che è morto. - **14.** La signora Ponza viene chiamata Lina dalla signora Frola e Giulia dal marito. - **15.** Arrivando. - **16.** Urlerà furioso. - **17.** Vi siete approfittati, avete tratto vantaggio, da vigliacchi. - **18.** Severa, maestosa. - **19.** Risponderà ripetendo le stesse parole. - **20.** Dicendosi a bassa voce. - **21.** Triste, oscura. - **22.** Voi. *Loro* è stato usato in tutta la scena come seconda persona plurale. - **23.** Disgrazia, tragedia. - **24.** Solo con il silenzio la medicina offerta dalla pietà può essere valida, può avere effetto. - **25.** E per quanto mi riguarda non sono nessuno.

Analisi

a. Comprendere gli eventi è semplice: basta sapere l'italiano. Comprendere il significato profondo di una frase può essere più difficile. Soprattutto se è una frase di Pirandello. Cosa significa secondo te "io sono colei che mi si crede"?

b. I personaggi di Pirandello sono dissociati, non conoscono neppure la loro identità. Il Prefetto, persona razionale, che rappresenta il buon senso, dice, verso la fine, rispondendo alla signora Ponza che afferma di essere più persone insieme: *Ah, no, per sé, lei, signora:* .... Negli stessi anni, un grande psicanalista, ..., sta affrontando gli stessi temi, a Vienna.

c. Ci sono molte istruzioni in questo testo. Secondo alcuni, Pirandello era un romanziere anche a teatro. Che cosa ne pensi? Potresti togliere le istruzioni di scena senza 'ferire' il testo?

Riflessione

La trama è surreale. Ma, secondo te, Pirandello voleva descrivere la storia di una famiglia un po' strana oppure voleva descrivere, attraverso personaggi strani, il fatto che ciascuno è uno, nessuno, centomila? Una trama 'normale' sarebbe stata altrettanto efficace? Se alla fine la signora Ponza avesse detto chi è, Pirandello sarebbe stato un genio del teatro?

77 *Recisa di netto ogni memoria...,* da *Il fu Mattia Pascal*

Guida alla lettura

Mattia Pascal è stanco della vita con la moglie e con la suocera, le lascia e va via. In un giornale legge che la moglie ed i compaesani hanno creduto di riconoscere lui nel cadavere di un suicida trovato in un suo podere e decide di crearsi una nuova vita, libera da ogni condizionamento sociale. Ma lentamente capisce che le leggi e le convenzioni sociali non gli consentono una reale autonomia. Decide, allora, di simulare il suicidio di Adriano Meis (il nome con cui ha vissuto per due anni, lontano da casa) e di tornare al suo paese: la moglie però si è creata una nuova famiglia e i suoi compaesani quasi non lo riconoscono più.

Questo testo ti mostra il momento in cui Pascal si crea una nuova vita.

Recisa di netto[1] ogni memoria in me della vita precedente, fermato l'animo alla deliberazione[2] di ricominciare da quel punto una nuova vita, io era invaso e sollevato come da una fresca letizia[3] infantile; mi sentivo come rifatta vergine e trasparente la coscienza[4] e lo spirito vigile e pronto a trar profitto[5] di tutto per la costruzione del mio nuovo io. Intanto l'anima mi tumultuava[6] nella gioia di quella nuova libertà. Non avevo mai veduto così uomini e cose; l'aria tra essi e me s'era d'un tratto quasi snebbiata; e mi si presentavan[7] facili e lievi le nuove relazioni che dovevano stabilirsi tra noi, perché ben poco ormai io avrei avuto bisogno di chiedere loro per il mio intimo compiacimento. Oh levità[8] deliziosa dell'anima, serena, ineffabile ebbrezza[9]! La fortuna mi aveva sciolto di ogni intrico[10], all'improvviso, mi aveva sceverato[11] dalla vita comune, reso spettatore estraneo della briga[12] in cui gli altri si dibattevano ancora [...].

Sorridevo. Mi veniva di sorridere così di tutto e a ogni cosa: a gli alberi della campagna, per esempio, che mi correvano incontro con stranissimi atteggiamenti nella loro fuga illusoria[13]; a le ville sparse qua e là, dove mi piaceva d'immaginar coloni con le gote gonfie per sbuffare[14] contro la nebbia nemica degli olivi o con le braccia levate a pugni chiusi contro il cielo che non voleva mandar acqua: e sorridevo agli uccelletti che si sbandavano spaventati da quel coso[15] nero che correva per la campagna, fragoroso; all'ondeggiar dei fili telegrafici, per cui passavano certe notizie ai giornali, come quella da Miragno del mio suicidio nel molino della *Stìa*; alle povere mogli dei cantonieri che presentavan la banderuola arrotolata, gravide[16] e col cappello del marito in capo.

Se non che, a un certo punto, mi cadde lo sguardo su l'anellino di fede[17] che mi stringeva ancora l'anulare della mano sinistra. Ne ricevetti una scossa violentissima: strizzai[18] gli occhi e mi strinsi la mano con l'altra mano, tentando di strapparmi quel cerchietto d'oro, così, di nascosto, per non vederlo più.

Pensai ch'esso si apriva e che, internamente, vi erano incisi[19] due nomi: *Mattia - Romilda*, e la data del matrimonio. Che dovevo farne?

Aprii gli occhi e rimasi un pezzo, accigliato[20], a contemplarlo nella palma della mano.

Tutto, attorno, mi s'era rifatto nero.

Ecco ancora un resto della catena che mi legava al passato! Piccolo anello, lieve per sé[21], eppur così pesante! Ma la catena era già spezzata e, dunque, via anche quest'ultimo anello.

Feci per buttarlo dal finestrino, ma mi trattenni. Favorito così eccezionalmente dal caso[22], io non potevo più fidarmi di esso; tutto ormai dovevo creder possibile, finanche[23] questo: che un anellino buttato nell'aperta campagna, trovato per combinazione[24] da un contadino, passando di mano in mano, con quei due nomi incisi internamente e la data, facesse scoprir la verità, che l'annegato della *Stìa* cioè non era il bibliotecario Mattia Pascal.

"No, no" pensai, "in luogo più sicuro ... Ma dove ?".

Il treno, in quella[25], si fermò a un'altra stazione. Guardai, e subito mi sorse un pensiero, per la cui attuazione provai dapprima un certo ritegno[26]. Lo dico, perché mi serva di scusa presso coloro che amano il bel gesto, gente poco riflessiva, alla quale piace di non ricordarsi che l'umanità è pure oppressa da certi bisogni[27], a cui purtroppo deve obbedire anche chi sia compreso da un profondo cordoglio[28]. Cesare, Napoleone e, per quanto possa parere indegno, anche la donna più bella... Basta. Da una parte c'era scritto *Uomini* e dall'altra *Donne*; e lì intombai[29] il mio anellino di fede.

EDILINGUA

1. Dopo aver tagliato in maniera decisa, definitiva. - **2.** Decisione. - **3.** Nuova gioia. - **4.** Sentivo la coscienza come se fosse vergine e trasparente. - **5.** Avvantaggiarmi, farmi forza. - **6.** Un 'tumulto' è una grande agitazione, una ribellione. - **7.** Sembravano. - **8.** Leggerezza. - **9.** Felicità di chi ha bevuto molto. - **10.** Nodo sociale, 'intrigo'. - **11.** Tagliato fuori. - **12.** Lotta, preoccupazione. - **13.** Una 'fuga' di alberi è una lunga fila, che a chi li vede dal treno danno la falsa impressione di stare fuggendo, correndo via. - **14.** Contadini spazientiti con le guance gonfie, piene d'aria per il continuo soffiare nervoso. - **15.** Scappano spaventati dal treno (un 'coso', una cosa che loro non conoscono). - **16.** Le mogli incinte degli operai che aggiustano una strada alzano una bandierina per fermare chi arriva. - **17.** L'anello, la vera o fede, indica che uno è sposato. - **18.** Strinsi. - **19.** Scritti nell'oro. - **20.** Rimasi a lungo con la fronte aggrottata, contratta. - **21.** Leggero, in realtà. - **22.** Ero stato tanto aiutato dalla fortuna che... - **23.** Perfino. - **24.** Per caso. - **25.** In quel momento. - **26.** Vergogna. - **27.** Bisogno di andare in bagno. - **28.** Dolore. - **29.** Seppellii, come in una tomba.

Analisi

a. Pirandello vuole farci capire che la vita è piena di contraddizioni, e lo mostra anche nella lingua dove usa parole in
contrasto tra loro:

- Nelle prime righe: .... *l'animo
  alla deliberazione di* ....; *[...]*
  io era .... *e* ....; *[...]*
  l'anima mi .... *nella* ....
  di quella nuova libertà.

Pirandello sul set del film tratto dal suo
romanzo nel 1937, con la regia di Pierre
Chenal. Una prima versione cinematografica,
senza sonoro, è del 1926.

- All'inizio del secondo paragrafo: *gli alberi [...]*
  mi .... *incontro [...] nella loro*
  .... *illusoria.*

- Poi scopre l'anello: *Piccolo anello,* .... *per sé, eppur così* ....!

b. Secondo te, il paragone tra Mattia Pascal e Giulio Cesare o Napoleone Bonaparte

○ è esempio di cattivo gusto.

○ rende ancora più tragica la situazione, riportandola ai bisogni comuni e nascosti di tutta l'umanità.

L'ironia non pare la figura retorica più adatta a scrivere di cose drammatiche, ma per Pirandello è il modo per ricordare l'inutilità delle lotte, delle decenze, delle fatiche umane.

Riflessione

La terza versione cinematografica del romanzo di Pirandello è del
1985, con Marcello Mastroianni nel ruolo di Mattia Pascal; la regia
è di Mario Monicelli.

Hai letto la trama, nella guida alla lettura, e poi hai letto questa scena, ambientata in treno. Se il testo fosse scritto in italiano di oggi, il lettore si renderebbe conto che è un libro di un secolo fa?
La situazione potrebbe essere quella di un libro o di un film di oggi?
Come immagini la scena in un film?
Discutine con i tuoi compagni.

Gli Ermetici

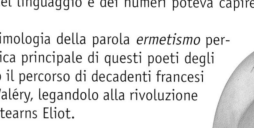

Francesco Flora, un grande critico letterario degli anni Trenta, definì 'ermetici' un gruppo di poeti di difficile comprensione.

Il nome viene dal dio greco Hermes, corrispondente del latino Mercurio, che secondo Platone "è dio interprete, messaggero, ladro, ingannatore nei discorsi e pratico degli affari, in quanto esperto nell'uso della parola; suo figlio è il *logos*", cioè il discorso, la parola. Ma il discorso ermetico è di difficile comprensione.

All'inizio del mondo classico una personificazione leggendaria del dio, Ermete Trimegisto, tre volte grande, fonda la corrente filosofica ermetica: solo chi è a conoscenza dei segreti del linguaggio e dei numeri poteva capire il loro *logos*.

Abbiamo dedicato queste righe all'etimologia della parola *ermetismo* perché essa chiarisce bene la caratteristica principale di questi poeti degli anni Trenta-Quaranta, che continuano il percorso di decadenti francesi come Mallarmé, Rimbaud, Verlaine e Valéry, legandolo alla rivoluzione modernista di Ezra Pound e Thomas Stearns Eliot.

Le principali caratteristiche dell'ermetismo

Gli ermetici sono poeti che parlano della propria vita, sono molto autobiografici, descrivono la solitudine dell'intellettuale in un mon-

La statua di *Hermes del Belvedere*, Roma

do incomprensibile e brutto, fatto di trincee e di guerra, di violenza politica e di disinteresse per la bellezza.

Disprezzano la retorica del superuomo e la lingua estetizzante di D'Annunzio, il sentimentalismo di Pascoli, la rivoluzione fine a se stessa dei Futuristi.

Vogliono una poesia essenziale, non retorica, non sentimentale, non rivoluzionaria, che con la sua semplicità dia voce alla tragica condizione umana dell'uomo tra le due guerre mondiali.

Nella classificazione di poeti ermetici ce ne sono alcuni che non sono affatto di difficile comprensione linguistica, ma che comunque non spiegano nulla del contesto, mettono il lettore di fronte a immagini pulite, senza null'altro che le poche cose che vengono descritte. E quindi sono di difficile comprensione per la loro essenzialità, per il fatto di essere legate a fatti della vita del poeta che solo lui conosce.

Il Ventennio fascista

Il fascismo fu una dittatura particolare, in quanto usò la polizia – ufficiale e segreta – ma si occupò anche di creare un consenso popolare attraverso una grande demagogia, l'uso dei mezzi di comunicazione di massa, il mito dell'impero: temi che attrassero e legarono al partito di Mussolini la piccola borghesia.

Inizialmente il fascismo continuò la politica liberale di Giolitti, spingendola all'estremo, ma poco dopo incominciò ad intervenire direttamente in economia, a guidare le scelte imprenditoriali. La crisi economica del 1929 trasformò lo Stato nella banca della grande industria, che venne sempre più legata agli interessi del partito. I sindacati liberi diventarono un elemento di disturbo e quindi furono sostituiti da un sindacato unico di partito. Dopo la guerra d'Etiopia, nel 1936, gli stati occidentali bloccarono le importazioni dall'Italia e le esportazioni verso il nostro paese, che si chiuse in se stesso sia sul piano economico sia su quello culturale: furono vietati i film stranieri, il jazz, le scuole di lingue straniere e così via.

Nel 1938, quando si cominciò a capire che anche in Italia ci sarebbero state delle leggi razziali come quelle naziste, molti intellettuali e scienziati lasciarono l'Italia, che in tal modo perse ogni contatto con la modernità e si rifugiò nell'illusione della rinascita dell'Impero di Roma.

Nelle loro descrizioni di momenti di conoscenza, di epifanie, diventa fondamentale l'uso dell'*analogia* (similitudini in cui non c'è la parola "come") e della *sinestesia* (associazione tra due parole relative a due sensi diversi, come *bianco silenzio, silenzio verde*). Si allontanano senza problemi dal linguaggio comune, insistono su poche parole, spesso uguali, spesso eliminando l'articolo, con un effetto che ricorda le sentenze e le profezie degli ermetici del mondo classico.

Giuseppe Ungaretti
(1888-1970)

Eugenio Montale
(1896-1981)

Gli ermetici

Molti poeti di questo periodo, sfiniti dalla prima guerra mondiale e delusi dalla società fascista, si rifugiano nella poesia, che diventa un modo per coprire il loro disinteresse politico e, in alcuni casi, un certo conformismo: è una chiusura "ermetica" in se stessi.

Giuseppe Ungaretti, **Eugenio Montale**, **Salvatore Quasimodo** e gli altri poeti ermetici seguono lo stile e la filosofia di questa scuola fino alla seconda guerra, ma la Resistenza e la Liberazione li portano a trattare, sempre con le tecniche tipiche dell'ermetismo, temi sociali di respiro più ampio che non semplice autobiografia.

Oltre ai tre grandi poeti ricordati sopra, di cui due, Quasimodo e Montale, onorati con il Premio Nobel, dobbiamo ricordare

Salvatore Quasimodo
(1901-1968)

Alfonso Gatto (1909-1976), molto autobiografico; **Mario Luzi**, autore anche di testi teatrali; **Vittorio Sereni** (1913-1983) che esprime la desolata esperienza della guerra e della prigionia.

Mario Luzi
(1914-2005)

Gli ermetici visti dal critico Vincenzo Laforgia

Carattere costante [degli ermetici] è la ricerca di una poesia essenziale, nella quale la parola abbia una sua assolutezza nuda[1] e l'espressione rifugga[2] da ogni abbandono alla retorica, alla discorsività, al sentimentalismo, profilandosi come dettata da improvvisa illuminazione[3]. [...] Il poeta ermetico rifiuta la parola come "scambio"[4]. [...] Una tale parola non potrà naturalmente essere inserita in costrutti[5] rispettosi di regole tradizionali. L'aggettivo inoltre non ha valore descrittivo, ma varrà a sfumare l'oggetto[6] in dimensione non realistica con la *sinestesìa* (dal greco = percezione contemporanea), cioè con l'unione di termini appartenenti a campi sensoriali diversi: *voce striata, oscurità melodiosa, bianco silenzio, odore biondo*. I nessi[7] tra le immagini non ripetono quelli della realtà e della logica della lingua parlata; ma insorgono[8] fra le parole rapporti nuovi e invisibili, accostamenti imprevisti, in una successione di forme ellittiche[9].

1. Un senso assoluto, non relativo e interpretabile; un'assolutezza che non è ricoperta di ornamenti stilistici, è nuda, pulita, semplice. - **2.** Stia lontana. - **3.** Presentandosi come se nascesse da una 'epifania', dall'improvvisa comprensione di qualcosa che prima era oscurata e ora viene illuminata. - **4.** Scambio di significati tra chi parla e chi legge. - **5.** Frasi. - **6.** Serve a dare a quello che viene descritto una... - **7.** I collegamenti. - **8.** Si creano, nascono. - **9.** Molto compatte, in cui mancano molte parti del discorso normale.

78 Giuseppe Ungaretti, *Chiaroscuro*

Guida alla lettura

Nel 1919 Ungaretti, che ha combattuto nella prima guerra mondiale, raccoglie le sue poesie in *L'allegria dei naufraghi*, un ossimoro in quanto i naufraghi, le persone che cercano di salvarsi in una nave che sta affondando, non possono provare allegria. La guerra che ci descrive è fatta di trincee come quella della foto, è fatta di freddo, di fango, di amicizie interrotte da una pallottola.

Molto probabilmente qui Ungaretti è in una trincea, o è di guardia (cioè deve passare la notte stando attento che non si avvicini nessun nemico) sul balcone di una casa vicino a un cimitero, mentre arrivano prima la notte e poi l'alba.

Anche le tombe sono scomparse

Spazio nero infinito calato
da questo balcone
al cimitero

Mi è venuto a ritrovare
il mio compagno arabo[1]
che s'è ucciso l'altra sera

Rifà giorno

Tornano le tombe
appiattite nel verde tetro[2]
delle ultime oscurità
nel verde torbido[3]
del primo chiaro[4].

1. Moammed Sheab, che Ungaretti aveva conosciuto in Egitto (vedi la biografia online) e ritrovato a Parigi, dove si suicida, come Ungaretti racconta nella poesia *In memoria*. - 2. Oscuro e pauroso. - 3. Parola che si usa per l'acqua sporca, non trasparente; si può anche parlare di un carattere torbido. Ungaretti lo usa per un colore, in modo del tutto originale. - 4. La prima luce, l'alba.

Analisi

a. Comprendere queste poesie è difficile perché molte informazioni sono date in maniera... ermetica. Ad esempio:
   - riesci a capire dove è Ungaretti?
   - l'amico arabo è venuto a trovarlo di persona? Chi è?

b. Il titolo di questa poesia è *Chiaroscuro*, parola che indica una tecnica pittorica che oppone sezioni di luci e di ombra. Sottolinea le parole 'chiare' e cerchia quelle 'scure'.

c. Le tombe, all'inizio, scompaiono nel buio; passa la notte, con il ricordo dell'amico suicida, e le tombe del cimitero tornano ad essere visibili con l'arrivo del giorno, della luce. Dovrebbe essere un momento di respiro, la fine della paura notturna. È così? Completa gli ultimi versi:
   - *nel verde* .... / *delle ultime oscurità*
   - *nel verde* .... / *del primo chiaro*

C'è qualche speranza in questo giorno che comincia?

Riflessione

La lingua di D'Annunzio, che hai visto a pag. 158, è complessa, fatta di suoni, di colori, di meravigliosa musicalità. Negli stessi anni Ungaretti usa questo italiano di una semplicità dura, aspra. Quale preferisci? Perché? Discutine con i tuoi compagni.

Online per te
Online trovi il **Testo 79**, *In memoria*, e la biografia di **G. Ungaretti**

EDILINGUA

Salvatore Quasimodo, *Uomo del mio tempo*

Guida alla lettura

È una poesia scritta dopo la guerra, nel 1946, una riflessione sulla capacità dell'uomo di essere cattivo, crudele, violento, di piegare la scienza e la tecnica alla volontà di uccidere.

C'è molta differenza tra gli animali della foresta e gli uomini? Tra gli uomini dell'età della pietra, con le loro armi primitive, e questi uomini? I figli di questi uomini possono essere orgogliosi dei loro padri? Sono domande retoriche, che Quasimodo pone solo per poter rispondere "no!".

Sei ancora quello della pietra e della fionda[1],
uomo del mio tempo. Eri nella carlinga[2],
con le ali maligne[3], le meridiane di morte[4],
– t'ho visto – dentro il carro di fuoco[5], alle forche,
alle ruote di tortura. T'ho visto: eri tu
con la tua scienza esatta persuasa allo sterminio[6],
senza amore, senza Cristo. Hai ucciso ancora,
come sempre, come uccisero i padri, come uccisero
gli animali che ti videro per la prima volta.

E questo sangue odora come nel giorno
quando il fratello disse all'altro fratello[7]:
"Andiamo ai campi". E quell'eco[8] fredda, tenace[9],
è giunta fino a te, dentro la tua giornata.
Dimenticate, o figli, le nuvole di sangue
salite dalla terra, dimenticate i padri:
le loro tombe affondano nella cenere,
gli uccelli neri, il vento, coprono il loro cuore.

1. La fionda è uno strumento che permette di lanciare un sasso, quindi un'arma primitiva. - **2.** Parte dell'aeroplano dove sta il pilota. - **3.** Cattive. - **4.** Gli strumenti di misurazione (una meridiana è un antico strumento per misurare le ore, con l'ombra del sole su un muro) che aiutano a portare la morte. - **5.** Il carro armato. - **6.** Così perfetta costretta a diventare strumento di morte. - **7.** Nella Bibbia, Caino invita il fratello Abele ad andare nei campi, dove lo uccide. - **8.** L'eco di quelle parole. - **9.** Che continua, non smette.

Analisi

Ci sono in questo testo le forme tradizionali della poesia: rima, endecasillabi, figure retoriche?
Visto che nulla ricorda la poesia tradizionale, rimane solo il ritmo: prova a leggere la poesia ad alta voce: c'è un ritmo particolare?
È l'italiano di ogni giorno: ma è solo un italiano banale o la sua forza sta proprio nel contrasto tra l'orrore umano descritto e la sua banale quotidianità?

Riflessione

Per migliorare il mondo bisogna "uccidere il padre", sembra dire Quasimodo citando Freud. Che cosa significano, qui, i *padri*? È possibile dimenticare la storia? È un consiglio folle o è l'unica via di salvezza?
Quasimodo e Ungaretti parlano di tombe in questi due componimenti. In che cosa si assomigliano ed in che cosa differiscono questi due poeti? Quale dei due si ribella e quale è privo di speranza? A chi ti senti più vicino?

Online per te
Online trovi il **Testo 81**, *Alle fronde dei salici*, e la biografia di **S. Quasimodo**

Eugenio Montale

Montale, come gli altri ermetici, si oppone alla tradizione poetica di Carducci e D'Annunzio e preferisce una poesia dalla lingua povera, semplice (in apparenza), senza ornamenti e assai poco 'letteraria', ma a un'analisi attenta emerge chiaramente quanto conoscesse Dante, Leopardi, la poesia metafisica europea, Shakespeare (che traduce), i poeti inglesi e americani. Il tema di fondo della sua produzione è la sconfitta dell'uomo nel suo tentativo di conoscere davvero la realtà; l'incapacità di vivere in un momento storico che, dopo gli anni bloccati dal fascismo, nazismo, franchismo, ecc., si è messo in moto velocissimamente, travolgendo tutto; l'impossibilità di essere parte di una società priva di valori profondi.

La poesia non può dare soluzioni a questa incapacità, ma può descriverla con lucidità.

L'unica cosa che può fare il poeta è raccontare come riesce a resistere di fronte alla storia impazzita e alla volgarità del mondo, come continuare a cercare "l'anello che non tiene" in questa catena sociale, culturale, politica, umana che lega tutti, in modo da poterla rompere e fuggire. Ci sono, secondo Montale, solo due vie di fuga: l'amore per una donna, che apre alla possibilità di una fuga verso il futuro, e la memoria, che permette la fuga nel senso opposto, verso il passato. Le figure femminili di Montale sono angeli che aiutano e consolano, sul modello di Petrarca; anche la memoria, il ricordo, hanno il potere di consolare l'uomo che vive dentro la violenza cieca della storia, dentro la mancanza di significato del presente.

L'opera di Montale

Ossi di seppia, pubblicata in prima edizione nel 1925, è tutta dedicata alla Liguria, il cui paesaggio è il simbolo della vita: il mare bellissimo ma che può uccidere, e il paesaggio arido, aspro, roccioso, le illusioni su quello che può esserci al di là delle montagne che chiudono quel mondo. In questo paesaggio si muove l'uomo montaliano, schiacciato dalla fatica della vita, in attesa inutile di qualcosa che possa tirarlo fuori da lì.

Le Occasioni (1939) abbandonano la Liguria e focalizzano momenti, eventi casuali (le "occasioni" del titolo) che fanno rivivere sentimenti e ricordi. Compare in questa raccolta una prima risposta al male di vivere di *Ossi di seppia*, cioè la donna-angelo che porta luce in un mondo buio e pericoloso.

La bufera e altro (1956) porta in primo piano quello che era successo dopo *Le Occasioni*: la guerra, cioè la bufera umana e sociale, frutto e causa, insieme, del dolore degli uomini.

Eugenio Montale nasce a Genova nel 1896; dopo gli studi in un istituto tecnico si interessa alla musica, studia canto e, da autodidatta, si interessa alla letteratura.

Nel 1917 deve andare in guerra; al ritorno inizia a pubblicare le sue poesie, partecipando alla vita intellettuale della città, soprattutto negli ambienti antifascisti. Nel 1925 pubblica *Ossi di seppia*, il cui titolo si riferisce all'osso bianco, fragile, che arriva sulla spiaggia quando una seppia (una specie di piccolo polipo) muore: il simbolismo del titolo è chiaro.

Nel 1927 va a vivere a Firenze, dove resta fino alla fine della seconda guerra mondiale; a causa delle sue idee politiche rimane senza lavoro e quindi per vivere fa molte traduzioni e scrive articoli, soprattutto di critica musicale e operistica; nel 1939 escono *Le Occasioni* e nel 1956 *La bufera e altro*, una raccolta di poesie in sette sezioni, la prima sezione era stata pubblicata clandestinamente nel 1943 con il titolo *Finisterre*.

Dopo la seconda guerra mondiale viene assunto dal *Corriere della Sera* e si trasferisce a Milano, dove vivrà fino alla morte. L'attività di giornalista e critico letterario e musicale lo occupa molto e bisogna aspettare il 1964 per ritrovare Montale nel mondo della poesia, quando scrive *Xenia*, alcune poesie in ricordo della moglie morta l'anno prima, che sarà una sezione della raccolta *Satura*, pubblicata nel 1971. Nel 1967 è nominato senatore a vita, nel 1975 riceve il premio Nobel per la letteratura. Muore nel 1981.

EDILINGUA

Satura (1971), *Diario del '71 e del '72* (1973), *Quaderno di 4 anni* (1977) descrivono in maniera sia amara sia satirica la società di massa che ormai si è imposta nel mondo e che spinge Montale a rifugiarsi nei ricordi, soprattutto in quelli che riguardano la moglie morta. Lo stile si avvicina alla prosa, il lessico accoglie molte parole comuni e termini tecnici, mentre resta sempre raffinato l'uso della metrica.

La lingua di Montale

La lingua di Montale è semplice e lineare, ma è il frutto di un lavoro molto raffinato nella scelta delle parole e nel ritmo del verso.

Dal punto di vista metrico, Montale a volte usa il verso libero, altre i versi tradizionali, ma sempre con una ricerca del ritmo, di rime, di assonanze, di allitterazioni che gli viene dalla sua formazione musicale da giovane e dalla professione di critico musicale da adulto.

Anche la scelta delle parole è particolare, perché Montale affianca parole della tradizione letteraria a parole dell'italiano quotidiano e di quello della tecnologia.

Tutto, nelle poesie di Montale, è simbolico: Montale usa la tecnica dell'inglese T.S. Eliot che, per descrivere un'idea, un sentimento, un pensiero cerca un "correlativo oggettivo", cioè mette in relazione quel pensiero, quell'idea, quel sentimento con un elemento della realtà, quindi oggettivo, che è quel che è, che non è interpretabile in modo soggettivo. Come sempre accade con i poeti ermetici, di cui Montale fa parte nella prima stagione della sua carriera poetica, la correlazione tra il pensiero *soggettivo* e il correlativo *oggettivo* è troppo nascosta, può solo essere intuita, non dimostrata.

Monterosso al Mare, dove Montale aveva il suo *buen retiro*.

La mia poesia

Montale ha concesso questa intervista nel 1951; in queste righe parla del rapporto tra la poesia e la politica, tra l'arte e la storia, dichiarando che la poesia rifiuta le ideologie e si occupa della condizione umana.

L'argomento della mia poesia (e credo di ogni possibile poesia) è la condizione umana in sé considerata; non questo o quell'avvenimento storico. Ciò non significa estraniarsi[1] da quanto avviene nel mondo; significa solo coscienza, e volontà, di non scambiare l'essenziale con il transitorio[2]. Non sono stato indifferente a quanto è accaduto negli ultimi trent'anni; ma non posso dire che se i fatti fossero stati diversi anche la mia poesia avrebbe avuto un volto totalmente diverso. Un artista porta in sé un particolare atteggiamento di fronte alla vita e una certa attitudine formale a interpretarla secondo schemi che gli sono propri. [...]

Avendo sentito fin dalla nascita una totale disarmonia con la realtà che mi circondava, la materia della mia ispirazione non poteva essere che quella disarmonia. Non nego che il fascismo dapprima, la guerra più tardi, e la guerra civile[3] più tardi ancora mi abbiano reso infelice; tuttavia esistevano in me ragioni di infelicità che andavano molto al di là e al di fuori di questi fenomeni, ritengo si tratti di un inadattamento, di un *maladjustement* psicologico e morale che è proprio a tutte le nature[4] a sfondo introspettivo, cioè a tutte le nature poetiche. Coloro per i quali l'arte è un prodotto delle condizioni ambientali e sociali dell'artista potranno obiettare: il male è che vi siete estraniati dal vostro tempo: dovevate optare per l'una o per l'altra delle parti in conflitto. [...]

Rispondo che io ho optato come uomo[5]; ma come poeta ho sentito subito che il combattimento avveniva su un altro fronte, nel quale poco contavano i grossi avvenimenti che si stavano svolgendo.

1. Allontanarsi. - **2.** Le cose stabili da quelle che passano. - **3.** La lotta tra i nazifascisti e i partigiani dopo l'8 settembre del 1943, quando l'Italia passò dall'alleanza con i tedeschi a quella con gli americani. - **4.** Personalità, carattere. - **5.** Montale fu antifascista dichiarato.

82 *Mottetto XII*

Guida alla lettura

I *Mottetti* di Montale sono 20 poesie dedicate alla donna angelo, alla donna salvatrice. Certamente, questa visione della donna ti ricorda la visione di Dante, che trasforma Beatrice in un angelo (pag. 22).

Il *mottetto* è una poesia breve, importata nel Duecento dalla letteratura francese (*mot*, parola); nei secoli successivi, il mottetto è quasi sempre messo in musica per un coro polifonico, come vedi in questo antico spartito francese, con mottetti anche a tre voci.

MOTETS
A I· II· III· VOIX,
AVEC
ET SANS INSTRUMENTS
ET BASSECONTINUE,
Par M. VALETTE DE MONTIGNI.
LIVRE PREMIER.

A PARIS,
Chez CHRISTOPHE BALLARD, feul Imprimeur du Roy
pour la Mufique, rue S. Jean de Beauvais, au Mont-Parnafe.
M. DCC XI.
AVEC PRIVILEGE DE SA MAJESTE.

Ti libero la fronte dai ghiaccioli[1]
che raccogliesti traversando l'alte
nebulose[2]; hai le penne lacerate[3]
dai cicloni, ti desti[4] a soprassalti.

Mezzodì: allunga nel riquadro il nespolo[5]
l'ombra nera[5], s'ostina[6] in cielo un sole
freddoloso; e l'altre ombre che scantonano[7]
nel vicolo non sanno che sei qui.

1. Gocce di ghiaccio. - **2.** Le galassie. - **3.** Le piume delle ali sono rovinate, rotte. - **4.** Ti svegli d'improvviso, come se avessi degli incubi. - **5.** L'ombra dell'albero di nespole si allunga nella finestra. - **6.** Continua, insistentemente. - **7.** Camminano in fretta, svoltando in un vicolo, dentro una via stretta e buia.

Analisi

Montale 'nasconde' anche le cose più elementari di un racconto, che puoi scoprire solo con attenzione, ad esempio:

- il fatto che lei dorma (*ti*.............................*a soprassalti*) ti dice che siamo in camera,
- in quella camera c'è una finestra (*allunga nel*...............................*il nespolo / l'ombra nera*),
- dalla finestra si vedono ....*che scantonano / nel*............................,
- queste persone non sanno che in quella casa c'è un angelo, *non sanno che sei*..........................

Riflessione

La lingua è semplice, la scena descritta è semplice, per quanto resa surreale dalla presenza di un angelo che ha attraversato il freddo delle galassie e ora dorme con difficoltà. In realtà l'angelo è la donna che dorme vicino a Montale.

Dentro la stanza c'è la salvezza; fuori, le persone continuano a correre, diventando ombre e infilandosi in un vicolo, non in una strada larga e soleggiata. Salvezza, dentro, inutile corsa, fuori.

Montale descrive una sua giornata, privata, personale, o una sensazione di distacco felice dal resto del mondo che tutti hanno provato, prima o poi?

È una poesia intima, personale, o assolutamente universale?

Discutine con i compagni.

EDILINGUA

Forse un mattino andando in un'aria di vetro

Guida alla lettura

La poesia fa parte degli *Ossi di seppia*; è stata definita "metafisica", che va cioè al di là delle cose fisiche, reali, in quanto parla dello scontro tra la ragione e la realtà da un lato, e l'irrazionale, la rivelazione improvvisa e non spiegabile, dall'altro.

La seppia è una specie di piccolo polipo; quando muore, il suo corpo si 'scioglie' nell'acqua e il suo osso, molto tenero e fragile, arriva sulla spiaggia: una piccola cosa, inutile, delicata.

Forse un mattino andando in un'aria di vetro,
arida, rivolgendomi[1], vedrò compirsi il miracolo[2]:
il nulla alle mie spalle, il vuoto dietro
di me, con un terrore di ubriaco.

Poi, come s'uno schermo, s'accamperanno di gitto[3]
alberi case colli per l'inganno consueto[4].
Ma sarà troppo tardi; e io me n'andrò zitto
tra gli uomini che non si voltano, col mio segreto.

1. Voltandomi indietro. - **2.** Una magia che, in questo caso, è negativa. - **3.** Compariranno di getto, all'improvviso. - **4.** La solita illusione.

Analisi

La struttura della poesia è perfettamente divisa in 4 sezioni, 2 che parlano di Montale e 2 che descrivono il paesaggio. Indica i versi che le compongono:

- Montale cammina in un'aria arida, priva di vita come il vetro: versi ....
- Montale cammina in silenzio, anche se lui adesso sa la verità: versi ....
- Il panorama è il solito, conosciuto, anche se è solo un'illusione: versi ....
- Il panorama scoperto voltandosi d'improvviso mostra solo il vuoto: versi ....

Riflessione

Come hai visto, la struttura è semplicissima: 2+2+2+2, Montale + paesaggio + paesaggio + Montale. Anche la lingua è semplicissima, ma ci sono assonanze nella prima strofa (*vetro/dietro*, *miracolo/ubriaco*) e rime nella seconda (*gitto*/......................................; *consueto*/......................................). Eppure quello che viene raccontato è un miracolo: la scoperta, l'*epifania*, del fatto che la realtà è illusoria, anche quella che sembra più concreta, *alberi*, ..., ...
Hai mai vissuto momenti in cui d'improvviso capisci, o ti sembra di capire, cose importantissime, senza averci pensato?

84. *Cigola la carrucola del pozzo*

Guida alla lettura

La *carrucola* è la ruota metallica in cui passa la corda che porta su è giù il secchio di un pozzo; fa un rumore metallico, un *cigolio*, mentre sale con il secchio pieno.

Montale immagina che sull'acqua ci sia il riflesso di un volto amato; si avvicina per baciarlo, il riflesso svanisce, il passato che era vivo diventa vecchio. Il secchio torna giù, lui cerca il riflesso nell'acqua del pozzo, ma è troppo lontana.

Cigola la carrucola del pozzo,
l'acqua sale alla luce e vi si fonde[1].
Trema un ricordo nel ricolmo[2] secchio,
nel puro cerchio un'immagine ride.
Accosto il volto a evanescenti[3] labbri:
si deforma il passato, si fa vecchio,
appartiene ad un altro...
Ah che già stride[4]
la ruota, ti ridona all'atro[5] fondo,
visione, una distanza ci divide.

1. L'acqua del secchio si fonde, diventa tutt'uno con la luce. - **2.** Pieno. - **3.** Che svaniscono, scompaiono. - **4.** Fare un rumore metallico, spiacevole come *cigolare*. - **5.** Nero.

Analisi

Il mondo continua a girare, tutto è circolare, viene e se ne va:
- nel verso 1 la carrucola porta il secchio ◯ *verso l'alto* ◯ *verso il basso*
  nell'ultimo la carrucola va ◯ *verso l'alto* ◯ *verso il basso*;
- nel verso 1 la carrucola ◯ *fa un bel rumore* ◯ *fa un brutto rumore*
  nel verso 8 ◯ *fa un bel rumore* ◯ *fa un brutto rumore*
- nel verso 4 l'immagine del volto ◯ *ride* ◯ *svanisce*
  nel verso 5 l'immagine ◯ *ride* ◯ *svanisce*
- nel verso 4 l'acqua è ◯ *pura, luminosa* ◯ *'atra', nera*
  nel verso 9 è ◯ *pura, luminosa* ◯ *'atra', nera*

Riflessione

Nel *Mottetto* Montale scopre d'improvviso che la salvezza è in quella camera con lei, chi è fuori è solo un'ombra; in *Forse un mattino* lui si volta indietro all'improvviso e scopre il nulla al posto delle solite cose; qui, un riflesso immaginato nell'acqua sparisce quando lui cerca di dare un bacio: il tempo passa e cancella le cose, le rende *evanescenti*.

Conosci canzoni, video, film, poesie in cui ci sia questa esaltazione della conoscenza che arriva in un attimo, imprevista, epifanie che ti fanno capire cose fondamentali della vita?

Hai mai provato queste epifanie?

EDILINGUA

L'arte, la musica, il cinema del primo Novecento

L'inizio del Novecento è differenziato: sul piano politico e sociale, fino alla prima guerra mondiale, continuano a funzionare i meccanismi dell'Ottocento; sul piano culturale e artistico, invece, i movimenti di avanguardia iniziano già negli ultimi anni dell'Ottocento.

Un grande contributo all'evoluzione artistica viene anche dalle nuove tecnologie:

a. il costo della carta si abbassa moltissimo e le tecniche di stampa diventano sempre più efficienti: si espande quindi l'editoria a basso costo, che produce libri meno costosi, favorisce la diffusione di riviste e giornali e rende disponibili gli spartiti delle canzoni, che sono di 4 pagine, a bassissimo costo; inoltre, l'aumento dei cittadini scolarizzati fa crescere il pubblico di coloro che acquistano giornali e libri;

b. la fotografia, iniziata alla metà dell'Ottocento, diventa meno costosa e molto più raffinata, con le prime esperienze di colore ancora prima del Novecento: l'arte quindi non ha più bisogno di 'fotografare' la realtà, può sperimentare nuove tecniche – dall'impressionismo e dal divisionismo ottocenteschi alle forme astratte, all'arte prodotta tecnologicamente, alla sfida alla fotografia che può presentare solo due dimensioni mentre il cubismo ne riproduce tre, anche se sempre su una superficie;

c. la fotografia si evolve scoprendo il movimento: nasce il cinema, inizialmente muto, poi sonoro, infine a colori; autori che avrebbero scritto per il teatro preferiscono sperimentare le sceneggiature di film, i musicisti, compresi giganti come Mascagni e Leoncavallo, scrivono colonne sonore. Il cinema rende popolare i drammi che in teatro erano accessibili solo alla classe medio-alta;

d. diventa possibile registrare i suoni: le arie delle opere e le canzoni possono essere acquistate a costi ridotti e quindi la musica colta si fa popolare; si afferma un nuovo genere, che fino all'Ottocento era molto limitato: la poesia cantata, cioè la canzone;

e. infine, la radio porta la musica, la lettura di romanzi, i radiodrammi in ogni casa anche della classe medio-bassa.

Il mondo di coloro che possono avvicinarsi a tutte queste forme di espressione culturale e artistica, limitato alle classi medie e alte nell'Ottocento, si moltiplica cento, mille volte nei primi trent'anni del Novecento.

L'arte futurista

Le varie arti sono trattate separatamente in queste pagine, ma il Futurismo merita uno spazio a sé

Vittorio Corona (1901-1966), pittore futurista palermitano, *Treno + Stazione*, 1921

perché è stato un movimento che non ha coinvolto solo la letteratura, ma ha invaso tutti i campi dell'arte: la pittura e la scultura, la musica e la danza, il cinema e il teatro, l'architettura (pag. 156). In realtà, i risultati più notevoli del Futurismo sono nella scultura e nella pittura, con artisti quali **Umberto Boccioni**, **Carlo Carrà**, **Gino Severini**, **Giacomo Balla**: il *Manifesto tecnico della pittura futurista* viene pubblicato nel 1910, il *Manifesto della scultura futurista* è del 1912. Tra i futuristi c'è anche un giovane architetto, **Antonio Sant'Elia**, che disegna alcuni progetti modernissimi, anche se la sua morte precoce gli impedisce di realizzarli.

In linea con le diverse avanguardie dell'arte contemporanea, rivolte tutte al rifiuto della rappresentazione naturalistica della realtà, anche l'arte futurista propone una diversa idea dello spazio, nel quale si devono cogliere il movimento, l'azione, il flusso della vita; interessante è inoltre l'uso di materiali nuovi, accostati in modo originale, e la scelta di colori vivaci e linee impetuose, nervose, dinamiche.

Giorgio De Chirico, *Le maschere, 1973*

L'arte del primo Novecento

Nel primo Novecento continua, almeno fino alla prima guerra mondiale, il gusto decorativo liberty (pag. 147). In questo periodo la pittura italiana segue due filoni:

a. alcuni si trasferiscono definitivamente a Parigi, dove partecipano ai grandi movimenti del primo Novecento, come ad esempio **Giovanni Boldini** (1842-1931), **Federico Zandomeneghi** (1841-1917) e soprattutto **Amedeo Modigliani** (1884-1920);

b. altri, spesso dopo un periodo francese, tornano in Italia dove danno vita a movimenti originali. Il movimento più importante è la pittura 'metafisica', che due fratelli lanciano in Italia dopo il loro ritorno da Parigi: **Giorgio De Chirico** (1888-1978), pittore e scrittore, e Andrea De Chirico, in arte **Alberto Savinio** (1891-1952), pittore, scrittore e compositore. La pittura metafisica richiama elementi del mondo classico e li inserisce in un mondo contemporaneo, con una tecnica surreale che in parte anticipa Salvador Dalì.

Terminate con la guerra sia la fase liberty sia quella dei grandi palazzi classicheggianti delle banche e delle amministrazioni pubbliche, gli architetti riprendono la logica del *Bauhaus* tedesco, cioè un'architettura razionale, lineare, che trovi ancora oggi in molte stazioni, palazzi delle poste e palazzi di giustizia (tribunali) costruiti nel periodo fascista.

Il capolavoro dell'architettura razionale italiana è il quartiere EUR di Roma, costruito negli anni Trenta per l'Esposizione Universale di Roma (EUR), che non ebbe mai luogo a causa della seconda guerra mondiale.

Il Palazzo della Civiltà italiana, chiamato anche *Colosseo Quadrato*, all'EUR di Roma.

L'inizio del cinema italiano

Il cinema nasce con i fratelli Lumière nel 1887 e fino al 1927 non ha suoni, è 'cinema muto'. In Italia i primi film riguardano eventi ufficiali, oppure sono tratti da drammaturghi celebri, ad esempio Shakespeare, oppure sono ambientati nell'antica Roma.

Rodolfo Valentino, l'attore italiano che fece innamorare il mondo.

Mussolini capisce presto che il cinema è lo strumento più potente per creare consenso popolare e così finanzia alcune case di produzione, fonda l'Unione Cinematografica Educativa (Istituto Luce), perché il cinema deve educare, e nel 1937 viene inaugurata Cinecittà, uno dei complessi produttivi più grandi d'Europa, in concorrenza con Hollywood. Negli anni Trenta i cinema italiani diventano di colpo vecchi, perché non hanno la tecnologia necessaria per i film sonori prodotti dagli americani e dai nordeuropei; anche in questo caso il governo fascista interviene con degli aiuti, ma ha difficoltà perché nel 1936, dopo la guerra d'Etiopia, i paesi stranieri bloccano la vendita di tecnologia all'Italia, che quindi deve produrla autonomamente.

Dalla metà degli anni Trenta i film e la musica straniera vengono proibiti dal Fascismo, per cui il cinema italiano diventa estremamente provinciale, e il governo incoraggia soprattutto film di evasione, ad esempio le storie d'amore del cosiddetto 'cinema dei telefoni bianchi', oppure i film che richiamano la grandezza dell'Impero romano, che Mussolini vuole far rivivere.

La musica colta

Nel capitolo sul secondo Ottocento abbiamo visto l'evoluzione del melodramma, includendo molte opere che in realtà sono state scritte nel primo Novecento. Tra queste, molte opere di Puccini che tuttavia rimane un musicista ottocentesco, lontano dalle rivoluzioni musicali di Schoenberg, Alban Berg e altri musicisti nordeuropei.

L'unico autore di opere significative in questi anni è l'italo-tedesco **Ermanno Wolf Ferrari**, che scrive opere molto classicistiche fino agli anni Quaranta.

La musica popolare

Nella prima metà del XX secolo la musica popolare fiorisce insieme alla rivoluzione tecnologica costituita dal disco a 78 giri.

La canzone nasce dall'evoluzione delle arie d'opera e delle arie scritte per i salotti borghesi. Erano arie che le ragazze suonavano e cantavano per la famiglia, per il fidanzato ed erano molto diffuse: anche D'Annunzio scrive testi di arie, soprattutto per il più famoso compositore di queste 'canzoni', **Francesco Paolo Tosti**. Ma tra i compositori troviamo anche Puccini e Leoncavallo, la cui aria *Mattinata* è ancora molto popolare nel mondo nell'esecuzione moderna di Al Bano.

Mano a mano che le arie escono dai salotti, assorbono la tradizione del canto popolare, spesso usato per ballare nei giorni di festa. Subito dopo la prima guerra, molti immigrati in Argentina rientrano in Italia e portano con sé un nuovo tipo di ballo e di ritmo, il tango. Nei primi anni del Fascismo la musica straniera è ancora permessa, quindi arriva anche il jazz, che poi verrà vietato, anche se ci saranno molti autori italiani che compongono canzoni con i ritmi del jazz.

In questo periodo troviamo canzoni che aspirano ad essere testi letterari e spesso lo sono: hanno una metrica ordinata, usano le figure retoriche tradizionali e, soprattutto, raccontano una storia, sono vere e proprie novelle in versi cantati. Il Testo 82 è opera di uno dei grandi 'parolieri' (autori di testi di canzoni) di quegli anni, Libero Bovio; ma su YouTube puoi ascoltare altre sue splendide arie, come *Come pioveva*, *Vipera*, *Balocchi e profumi*, *Addio Tabarin* e molte altre.

85 Libero Bovio, *Signorinella pallida*

Guida alla lettura e all'ascolto

Scritta nel 1931 da Bovio, musicata da Nicola Valente, questa canzone ha avuto un successo enorme, sia prima sia dopo la seconda guerra mondiale. È una storia semplice, il ricordo di un amore di gioventù, scritta con estrema delicatezza.

Signorinella pallida,
dolce dirimpettaia[1] del quinto piano,
non v'è una notte ch'io non sogni Napoli
e son vent'anni che ne sto lontano.

Al mio paese nevica,
il campanile della chiesa è bianco,
tutta la legna è diventata cenere,
io ho sempre freddo e sono triste e stanco.

Amore mio, non ti ricordi
che nel dirmi addio
mi mettesti all'occhiello una pansè[2]
poi mi dicesti con la voce tremula:
Non ti scordar di me.

Bei tempi di baldoria[3],
dolce felicità fatta di niente.
Brindisi coi bicchieri colmi d'acqua
al nostro amore povero e innocente.

Negli occhi tuoi passavano
una speranza, un sogno e una carezza,
avevi un nome che non si dimentica,
un nome lungo e breve: Giovinezza.

Il mio piccino[4],
in un mio vecchio libro di latino,
ha trovato - indovina - una pansè.
Perché negli occhi mi tremò una lacrima?
Chissà, chissà perché!

E gli anni e i giorni passano
eguali e grigi con monotonia,
le nostre foglie più non rinverdiscono,
signorinella, che malinconia!

Tu innamorata e pallida
più non ricami innanzi al tuo telaio[5],
io qui son diventato il buon Don Cesare,
porto il mantello a ruota e fo il notaio.

Mentre lontana,
mentre ti sento, suona la campana
della piccola chiesa del Gesù,
e nevica, vedessi come nevica
Ma tu, dove sei tu?...

1. Persona che abita 'di rimpetto', di fronte, sullo stesso pianerottolo di un palazzo. - **2.** Mi mettesti nell'asola, il 'buco' nel risvolto della giacca, una viola del pensiero. - **3.** Allegria, feste pazze. - **4.** Figlio piccolo. - **5.** Strumento per tessere, più che per ricamare.

Riflessione

Non c'è nulla da analizzare: la lingua è semplice, l'allegoria della signorinella come simbolo della giovinezza è dichiarata e chiara, tutto è molto comprensibile.

Ma può essere utile riflettere sul fatto che in questi anni scrivevano Ungaretti, Montale, Quasimodo, Pirandello: la loro letteratura 'alta' sembra non avere alcuna influenza sulla letteratura popolare.

Oggi, le sperimentazioni artistiche, letterarie e musicali influenzano la letteratura, il cinema, le canzoni pop(olari)?

Discutine con i compagni.

Carlo Buti fu il primo cantante ad incidere su disco questa canzone.

...attacielo Pirelli, a Milano,
...ruito nel 1956 dall'architetto
...Ponti. Fu per dieci anni
...attacielo più alto d'Europa
...il simbolo della rinascita
...Italia dopo il disastro
...guerra.

Il secondo Novecento

Il Neorealismo

L'Italia è distrutta moralmente ed economicamente. Povertà, disoccupazione, case distrutte, campi bruciati – in questo ambiente nascono la letteratura e il cinema neorealisti ('neo', nuovi, rispetto al verismo ottocentesco), che in gran parte vogliono non solo rappresentare la realtà ma anche educare le persone a prendere il loro destino in mano, favorendo la sinistra socialista e comunista contro i democristiani borghesi. L'intellettuale, in questa prospettiva, deve impegnarsi a favore delle masse di sfruttati. Tra i principali scrittori di questo movimento troviamo **Pavese**, **Vittorini**, **Moravia**, **Pratolini**, **Pasolini**, almeno nella loro produzione tra il 1945-55.

Oltre il Neorealismo

Una svolta importante è rappresentata dalla pubblicazione de *Il Gattopardo* (1958) di **Tomasi di Lampedusa** (pag. 192), che mette in scena un principe siciliano al momento dell'unità d'Italia: nulla di più lontano dal neorealismo di questo romanzo e di quelli di **Carlo Emilio Gadda** (1915-1973), che in *Quer pasticciaccio brutto de via Merulana* (1957) e *La cognizione del dolore* (1963) mostra una capacità di sperimentazione stilistica che ai neorealisti non sarebbe interessata affatto.

Un altro romanzo che segna il superamento del Neorealismo è *Il giardino dei Finzi Contini* (1962) di **Giorgio Bassani** (1916-2000), che racconta la storia di una famiglia alto-borghese di origine ebraica. I suoi romanzi precedenti, lontani da ogni impegno sociale e politico, erano stati *Cinque storie ferraresi* (1955), *Gli occhiali d'oro* (1958) e *Dietro la porta* (1958), tutti centrati sulla psicologia individuale dei personaggi in un contesto avverso, ma non sui problemi sociali.

1955

Nel 1955 inizia la produzione della FIAT 600, il simbolo del miracolo economico italiano che porta un po' di benessere agli operai.

1963

Nel 1963 Aldo Moro guida il primo governo di centrosinistra, la coalizione che governerà fino alla crisi dei primi anni Novanta.

1950

1948

Nel 1948 viene firmata la Costituzione Repubblicana. Nelle elezioni di aprile, la Democrazia Cristiana (un partito di centro) vince contro la sinistra, cioè il fronte unito dei comunisti e dei socialisti. Il capo della DC è Alcide De Gasperi, che governa fino al 1953.

1968

Anche in Italia il 1968 è un anno di rivolte studentesche. Una seconda ondata di rivolte si avrà nel 1977.

EDILINGUA

Il miracolo economico e la necessità di nuove forme

Dalla fine degli anni Cinquanta l'Italia entra in un periodo di crescita economica senza precedenti e la letteratura ha bisogno di superare anche le ultime forme di Neorealismo.

La ricerca trova spazio in riviste quali *Officina* e *Rendiconti*, *Il Menabò* e *Il Verri*; alcuni scrittori delle avanguardie come ad esempio *Gruppo '63* (**Edoardo Sanguineti**, **Umberto Eco**, **Renato Barilli**, **Nanni Balestrini** ed altri) rifiutano qualsiasi ideologia alla base dell'opera letteraria, ponendo la ricerca sul linguaggio al centro del loro lavoro, nel tentativo di trovare nuovi modi per superare l'*incomunicabilità*, la difficoltà di comunicare che è al centro anche dei film di **Michelangelo Antonioni**.

L'ultimo Novecento

I giovani scrittori che emergono in questi anni non hanno avuto alle spalle una solida tradizione di riferimento: da una parte la letteratura non è più maestra di vita, come per i neorealisti, dall'altro le sperimentazioni linguistiche o strutturali (Umberto Eco, ad esempio) non costituiscono una scuola di stile imitabile. Lentamente i grandi nomi smettono di scrivere perché non si riconoscono più nel nuovo mondo o perché l'età avanzata li fa tacere e poi li porta via.

Troveremo questi giovani degli anni Ottanta e Novanta ormai maturi nel capitolo sul XXI secolo. Non abbiamo inserito **Pier Vittorio Tondelli** che, pur se prematuramente scomparso dopo soli dieci anni di attività letteraria, ha fatto "scuola" con i suoi romanzi ed è diventato lo scrittore *cult* di una intera generazione di più giovani autori.

1992

Nel 1992 i magistrati di Milano denunciano la corruzione della classe politica; inizia 'tangentopoli', che cancella quasi tutta la classe politica della 'prima repubblica' democristiana e socialista. Il principale protagonista è il giudice Antonio di Pietro.

1999

Il 1° gennaio del 1999 nasce ufficialmente l'euro, la moneta unica europea. La circolazione monetaria ha inizio il 1° gennaio del 2002 in 12 Paesi dell'Unione. Oggi sono 19 su 28 i Paesi che hanno adottato l'euro.

1994

Il 1994 vede l'inizio della 'seconda repubblica', con la vittoria di Silvio Berlusconi che, per vent'anni, si alternerà al governo con il centro-sinistra, rappresentato soprattutto da Romano Prodi.

2000

Il Neorealismo

Durante il ventennio fascista dominavano la letteratura d'evasione e il cinema 'dei telefoni bianchi', ma almeno in letteratura un filone realistico era rimasto vivo; **Ignazio Silone** pubblica in Svizzera *Fontamara* (1933), che descrive il mondo contadino dell'Abruzzo, mentre la Calabria è l'ambiente di un altro romanzo del 1930, *Gente in Aspromonte*, di **Corrado Alvaro**.

Negli anni dell'immediato dopoguerra vari scrittori e registi cinematografici cominciano a raccontare l'Italia della guerra. Non hanno un progetto comune, non sono una 'scuola' o un 'movimento', sono un insieme di voci che trattano lo stesso tema. A differenza dei veristi italiani, dei naturalisti francesi, dei realisti vittoriani, i neorealisti non 'fotografano' la realtà, ma scavano nelle sue contraddizioni, ne denunciano l'assurdità.

Le voci del Neorealismo meridionale

Oltre a Silone e Alvaro, altri scrittori affrontano temi legati alla realtà di povertà e arretratezza del Sud. Tra questi ricordiamo **Carlo Levi** (1902-1975): antifascista, viene mandato al confino, cioè è obbligato a trasferirsi in un paesino lontano dalla sua città e dai suoi contatti, e racconta questa esperienza in *Cristo si è fermato a Eboli* (1945).

Uno dei primi neorealisti è **Elio Vittorini** (1908-1966), che ambienta le sue storie in Sicilia: in *Conversazione in Sicilia* (1941) il protagonista ritorna nell'isola e la vede con occhi nuovi dopo esserne stato a lungo lontano; un altro romanzo di Vittorini, *Uomini e no* (1945), è invece ambientato nel mondo dei partigiani di Milano.

La Sicilia è al centro anche dei romanzi di **Vitaliano Brancati** (1907-1954), che aggiunge ai temi neorealisti anche problematiche esistenziali venate di erotismo: *Don Giovanni in Sicilia* (1941) e *Il bell'Antonio* (1949) descrivono la borghesia in maniera molto diversa rispetto ai romanzi e ai film amati dal fascismo.

Il Molise è al centro di *Le terre del Sacramento* (1950), di **Francesco Jovine** (1902-1950), che racconta dei braccianti (gli operai dell'agricoltura, assunti e pagati a giornata) che vengono mandati via dalle terre che hanno lavorato per conto di padroni lontani.

Il Neorealismo basato sulla Resistenza

L'8 settembre del 1943 il governo Badoglio, succeduto a quello Mussolini, si allea con le forze occidentali; i precedenti alleati tedeschi presenti in Italia diventano, improvvisamente, nemici. Mussolini crea al Nord una repubblica fascista e si sviluppa il movimento partigiano che resiste ai nazifascisti. Molti scrittori narrano il mondo partigiano.

La lotta contro i nazifascisti è descritta in *Il sentiero dei nidi di ragno* (1947) di **Italo Calvino** (pag. 200), in *L'Agnese va a morire* (1949) di **Renata Viganò** (1900-1976), nei romanzi di **Beppe Fenoglio** (1922-1963), anche lui partigiano. Fra le sue opere,

---

Il Neorealismo, non una 'scuola' ma un gruppo di scrittori simili

Hai trovato questo concetto a pag. 182 e le brevi sezioni sui singoli romanzieri neorealistici ti hanno certamente fatto capire quale fosse la differenza tra loro.

Eccoti una breve citazione da un saggio di Giovanni Getto e Gianni Solari, due importanti critici letterari, che ti dà altre informazioni sul tema.

Accanto e in parte parallela alla corrente che possiamo definire «vittoriniana» e alla letteratura di impegno[1], troviamo altre esperienze non rapportabili[2] ad una comune matrice artistico-culturale-ideologica, nonostante alcuni motivi comuni quali l'antifascismo e il bisogno sofferto di scavare nella realtà per ricuperarne il significato più recondito[3] e restituire dignità all'uomo.

Pertanto un discorso su questi scrittori condotto in astratto comporterebbe forzature[4], mentre solo dall'analisi diretta delle loro opere e del loro mondo artistico e umano può scaturire[5] l'apporto che hanno dato al rinnovamento della narrativa italiana.

---

1. Impegno politico. - **2.** Che non possono essere messe in rapporto. - **3.** Nascosto, difficile da vedere. - **4.** Interpretazioni forzate, non completamente attendibili. - **5.** Emergere, venire a galla.

EDILINGUA

ambientate in Piemonte come i romanzi di Pavese, ricordiamo il romanzo breve *La malora* (1954) e due romanzi pubblicati dopo la sua morte, *Il partigiano Johnny* (1968) e *La paga del sabato* (1969), in cui il neorealismo assume anche un tono ironico.

Il Piemonte è l'ambientazione di molte opere di **Cesare Pavese** (1908-1950), poeta e traduttore dei grandi romanzi del realismo americano oltre che romanziere neorealista. Tra le sue opere ricordiamo i brevi racconti *Dialoghi con Leucò* (1947) che hanno un taglio più psicologico, e i suoi romanzi *Il compagno* (1947), un testo molto politico, *La bella estate* (1949), sul ritorno a casa dopo la guerra, *Prima che il gallo canti* (1948) e *La luna e i falò* (1950), che descrive la solitudine che lo porta al suicidio lo stesso anno.

Un altro piemontese è **Primo Levi** (1919-1987), ebreo, deportato nel campo di concentramento di Auschwitz. Racconta questa esperienza in un capolavoro, *Se questo è un uomo* (1947), il cui seguito, che racconta il ritorno in Italia dopo la prigionia, è *La tregua* (1963). Levi si toglie la vita nel 1987.

Fiorentino è invece **Vasco Pratolini** (1913-1991), che ambienta molte opere nel quartiere di Santa Croce (*Il tappeto verde*, 1941 e *Il quartiere*, 1944). Dopo l'esperienza come partigiano, nascono i due capolavori, *Cronaca familiare* (1947) e *Cronache di poveri amanti* (1947); quest'ultimo è ambientato nella Firenze degli anni venti, all'inizio del Fascismo, ed è seguito dal suo romanzo più famoso, *Metello* (1955).

La Vespa e la Seicento

Negli ultimi anni Quaranta, l'Italia inizia a superare i danni della guerra, ma la rete stradale è ancora molto rovinata e quindi non consente lo sviluppo del mercato automobilistico. Tuttavia, la necessità di mobilità individuale spinge una fabbrica toscana, la Piaggio, a produrre una moto rivoluzionaria, la Vespa: in dieci anni viene prodotto più di un milione di Vespe. La Vespa diviene un successo mondiale che continua ancora dopo settant'anni. A partire dal 1955 la FIAT produce una vettura che diventerà un altro simbolo degli anni '60: la Fiat 600. Ne vengono prodotti vari modelli, tra cui la curiosa seicento multipla che viene usata per decenni come taxi in tutte le città. 900.000 esemplari di Fiat 600 invadono il mercato e rappresentano la vettura dell'italiano medio nell'epoca della motorizzazione di massa, ora possibile grazie ad una rete stradale rinnovata; nel 1958, l'Autostrada del Sole unisce Milano, Bologna, Firenze, Roma e Napoli.

86 Primo Levi, *Se questo è un uomo*

Guida alla lettura

Nel 1943, dopo il cambio di alleanze del governo Badoglio, il giovane Levi, di 24 anni, viene arrestato dalla polizia nazista, come potrai leggere nel Testo 87 online.

Primo Levi (che non devi confondere con Carlo Levi, l'autore di *Cristo si è fermato ad Eboli*) passa un anno e mezzo, fino alla metà del 1945, nel campo di concentramento di Auschwitz, da cui ritorna distrutto nell'anima. Scrive il libro che ha il titolo di questa poesia introduttiva, ma la disperazione lo perseguita per 40 anni e nel 1987 si suicida.

Voi che vivete sicuri
Nelle vostre tiepide[1] case,
Voi che trovate tornando a sera
Il cibo caldo e visi amici:
Considerate[2] se questo è un uomo
Che lavora nel fango
Che non conosce pace
Che lotta per mezzo pane
Che muore per un sì o per un no.
Considerate se questa è una donna,
Senza capelli e senza nome
Senza più forza di ricordare

Vuoti gli occhi e freddo il grembo[3]
Come una rana d'inverno.
Meditate che questo è stato[4]:
Vi comando queste parole.
Scolpitele nel vostro cuore
Stando in casa andando per via,
Coricandovi alzandovi;
Ripetetele ai vostri figli.
O vi si sfaccia la casa[5],
La malattia vi impedisca[6],
I vostri nati torcano il viso da voi[7].

1. Riscaldate. - 2. Chiedetevi. - 3. Il ventre, dove crescono i figli. - 4. Pensate che tutto questo è successo davvero. - 5. (Se non scolpirete queste parole nel vostro cuore, ecc.), vi auguro che la vostra casa si disfi, crolli. - 6. Vi auguro che la malattia vi renda invalidi, vi impedisca di fare quel che volete. - 7. Vi auguro che i vostri figli spostino disgustati gli occhi da voi.

Riflessione

D'Annunzio era stato chiamato 'poeta-vate', cioè profeta che dice la verità. Ma D'Annunzio era solo un esteta raffinato.

Primo Levi ti mostra l'assurda crudeltà della guerra, ma poi diventa davvero vate, profeta, come alcuni dei personaggi della Bibbia che ordinano al popolo di fare qualcosa, altrimenti avranno disgrazie e distruzione. Questi ultimi versi, con la loro carica profetica, ti sembrano esagerati o sono il nucleo del lavoro di Primo Levi?

Primo Levi (1919-1987)

Online per te

Online trovi il **Testo 87**, *Il viaggio*, da *Se questo è un uomo*, che racconta il momento in cui i nazisti arrestano **Primo Levi** per portarlo ad Auschwitz.

Online trovi il **Testo 88**, *Darei dieci anni*, da *Don Giovanni in Sicilia*, di **Vitalino Brancati**.

EDILINGUA

Cesare Pavese,
Ho visto i morti, da *La casa in collina*

Guida alla lettura

Alla caduta del fascismo Corrado si rifugia nei luoghi dell'infanzia, nelle colline a sud di Torino, in Piemonte, mentre i suoi amici partecipano alla lotta partigiana contro i nazifascisti. Tuttavia, Corrado non può sfuggire agli orrori della guerra, della lotta e della morte di uomini. Il mito dell'infanzia scompare di fronte alla realtà storica. Corrado quindi deve riflettere sulla sua vita, vissuta come un lungo isolamento, in confronto alla vita di chi ha qualcosa o qualcuno per il quale vivere e combattere; alla fine questo gli appare come il solo tipo di vita che possa dare un senso perfino alla morte.

È qui che la guerra mi ha preso e mi prende ogni giorno. Se passeggio nei boschi, se a ogni sospetto di rastrellatori[1] mi rifugio nelle forre[2], se a volte discuto con i partigiani di passaggio (anche Giorgi c'è stato coi suoi: drizzava[3] il capo e mi diceva: «avremo tempo le sere di neve a riparlarne»), non è che non veda come la guerra non è un gioco, questa guerra che è giunta fin qui, che prende alla gola anche il nostro passato.

Non so se Cate, Fonso, Dino, e tutti gli altri torneranno. Certe volte lo spero, e mi fa paura.

Ma ho visto i morti sconosciuti, i morti repubblichini[4]. Sono questi che mi hanno svegliato.

Se un ignoto, un nemico diventa morendo una cosa simile, se ci si arresta e si ha paura a scavalcarlo, vuoi dire che anche vinto il nemico è qualcuno, che dopo averne sparso il sangue bisogna placarlo, dare una voce a questo sangue, giustificare chi l'ha sparso.

Guardare certi morti è umiliante. Non sono più faccenda altrui; non ci si sente capitati sul posto per caso.

Si ha l'impressione che lo stesso destino che ha messo a terra quei corpi, tenga noialtri inchiodati a vederli, a riempircene gli occhi.

Non è paura, non è la solita viltà.

Ci si sente umiliati perché si capisce – si tocca con gli occhi che al posto del morto potremmo essere noi: non ci sarebbe differenza, e se viviamo lo dobbiamo al cadavere imbrattato[5]. Per questo ogni guerra è una guerra civile: ogni caduto somiglia a chi resta, e gliene chiede ragione.

Ci sono giorni in questa nuda campagna che camminando ho un soprassalto: un tronco secco, un nodo d'erba, una schiena di roccia mi paiono corpi distesi. Può sempre succedere. Rimpiango che Belbo sia rimasto a Torino. Parte del giorno la passo in cucina, nell'enorme cucina dal battuto di terra[6], dove mia madre, mia sorella, le donne di casa, preparano conserve. Mio padre va e viene in cantina, col passo del vecchio Gregorio.

A volte penso se una rappresaglia, un capriccio, un destino folgorasse[7] la casa e ne facesse quattro muri diroccati e anneriti. A molta gente è già toccato.

Che farebbe mio padre, che cosa direbbero le donne?

Il loro tono è «La smettessero un po'», e per loro la guerriglia e tutta quanta questa guerra, sono risse di ragazzi, di quelle che seguivano un tempo alle feste del santo patrono. Se i partigiani requisiscono[8] farina o bestiame, mio padre dice: «Non è giusto. Non hanno il diritto. La chiedano piuttosto in regalo».

«Chi ha il diritto?» gli faccio.

«Lascia che tutto sia finito e si vedrà» dice lui.

Io non credo che possa finire.

Ora che ho visto cos'è guerra, cos'è guerra civile, so che tutti, se un giorno finisse, dovrebbero chiedersi: «E dei caduti che facciamo? Perché sono morti?».

Io non saprei cosa rispondere.

Non adesso, almeno. Né mi pare che gli altri lo sappiano. Forse lo sanno unicamente i morti, e soltanto per loro la guerra è finita davvero.

Da *La casa in collina, capitolo XXIII*

1. Squadre predisposte alla cattura di persone. - **2.** Piccoli canyon in cui scorre un corso d'acqua. - **3.** Alzava. - **4.** Della Repubblica Sociale Italiana, nel nord dove governava ancora Mussolini dal 1943-45. - **5.** Sporco di sangue e fango. - **6.** Pavimento in terra battuta. - **7.** Colpisse la casa come un fulmine. - **8.** Prendono, 'rubano' per poter mangiare.

Riflessione

«E dei caduti che facciamo? Perché sono morti?». Si tratta di due domande molto importanti anche se di peso diverso. Alla prima è più semplice dare una risposta: dobbiamo rispettarli. Che cosa rispondere alla seconda domanda? Questo neorealista è solo un romanziere o c'è qualcosa di più?

Alberto Moravia e Carlo Emilio Gadda

Intorno agli anni Cinquanta la forza del romanzo neorealista si perde (come puoi approfondire nel testo di Getto e Solari, sotto), mentre il Neorealismo continua ancora per anni nel cinema (pag. 210).

Alberto Moravia

Pseudonimo di Alberto Pincherle, nasce a Roma nel 1907. A dieci anni si ammala gravemente ed è costretto ad una lunga permanenza a letto, durante la quale legge moltissimo. Giovanissimo, nel 1929, pubblica il suo primo lavoro, *Gli indifferenti*, di un realismo psicologico che lo oppone alla retorica di D'Annunzio. Il romanzo viene censurato dal governo che ne proibisce la diffusione. Colpito dalle leggi razziali deve affrontare un periodo di clandestinità.

Tra la fine della guerra e il 1960 Moravia usa i temi e lo stile tipici del neorealismo, mentre nelle opere successive si dedica a romanzi psicologici perdendo gran parte della sua forza.

Nel 1947 pubblica *La romana*, alla quale fanno seguito *Il conformista* (1951), *Il disprezzo* (1954), *Racconti romani* (1954) e *La ciociara* (1957), tutte opere che, insieme a molti dei suoi racconti, sono diventate film, spesso famosi.

Nel 1960 pubblica *La noia*, che segna l'inizio della fase in cui sente l'influsso di Sartre e degli esistenzialisti francesi e scrive opere minori come *Io e lui* (1971), *La vita interiore* (1978), *La cosa* (1983), *L'uomo che guarda* (1985). Dal 1984 al 1989 è deputato al Parlamento Europeo. Muore a Roma nel 1990.

In tutti i suoi romanzi neorealisti e successivi (ma non in *Gli indifferenti* e le opere degli anni Trenta, ancora molto letterarie e tradizionali), Moravia usa una lingua semplice, una sintassi da giornalista che sa farsi leggere, un vocabolario ridotto e moderno, con dialoghi di gusto cinematografico. D'altra parte, per tutta la sua vita Moravia lavora come critico cinematografico.

Un grande salto in pochi anni

Dopo gli anni Cinquanta e fino alla meta degli anni Sessanta, l'Italia passa attraverso una delle più profonde trasformazioni sociali, industriali e politiche di tutta la sua storia: sono gli anni del 'miracolo economico', anni che segnano la crisi e la morte di molti modelli di vita, che neppure la guerra e la Resistenza erano riuscite a intaccare. [...]

Di fronte al mutato panorama sociale ed economico, allo stabilizzarsi, anzi all'ingigantirsi del neocapitalismo industriale, che stritola l'uomo nella sua morsa alienante[1], si consuma[2] definitivamente l'esperienza del Neorealismo, che rivela tutti i limiti del suo ottimistico, ma utopistico e velleitario credo[3] in una possibile fusione tra cultura e società in sviluppo. «È da collocarsi proprio in questo arco di tempo (intorno agli anni Sessanta) – scrive G. Luti – il progressivo affermarsi di una nuova connotazione[4] del romanzo italiano; e questa volta la formula da adottare potrebbe essere quella del romanzo come testimonianza dello smarrimento[5] dell'uomo di fronte al 'labirinto' della società altamente industrializzata».

Tale smarrimento dell'uomo è testimoniato da quel filone[6] della nostra narrativa che, di fronte al non senso della realtà, ne vuole riprodurre l'assurdo[7] attraverso la mediazione[8] del magico, del fantastico, del favoloso: e il caso di Buzzati con *Il deserto dei Tartari*, del Calvino del trittico *I nostri antenati*; oppure ancora attraverso la deformazione linguistica, come nei romanzi di Gadda.

G. Getto, G. Solari

---

1. Termine di origine marxista che descrive l'uomo che si fa altro da se stesso, che lavora per un altro e non per sé, che vende se stesso. - **2.** Finisce. - **3.** Una convinzione molto sentita ma utopica, cioè irrealizzabile perché "velleitaria", basata su dati irreali. - **4.** Il fatto che da lì a poco si impone una nuova idea. - **5.** Perdere l'orientamento, non sapere più dove si è e dove si vuole andare. - **6.** Gruppo di opere che hanno un tema simile. - **7.** Vuole mostrarne l'assurdità. - **8.** Per mezzo di.

EDILINGUA

90 *Non approfondire*, da *Racconti Romani*

Guida alla lettura

Il testo è semplicissimo. Mentre leggi, cerca di cogliere le molte espressioni popolari che Moravia usa.

Agnese poteva avvertirmi invece di andarsene così, senza neppure dire: crepa[1]. Non pretendo di essere perfetto e se lei mi avesse detto che cosa le mancava, avremmo potuto discuterne. Invece no: per due anni di matrimonio, non una parola; e poi, una mattina, approfittando di un momento che non c'ero, se ne è andata di soppiatto[2], proprio come fanno le serve[3] che hanno trovato un posto migliore.

Se ne è andata e, ancora adesso, dopo sei mesi che mi ha lasciato, non ho capito perché.

Quella mattina, dopo aver fatto la spesa al mercatino rionale[4] (la spesa mi piace farla io: conosco i prezzi, so quello che voglio, mi piace contrattare e discutere, assaggiare e tastare[5], voglio sapere da quale bestia[6] mi viene la bistecca, da quale cesta la mela), ero uscito di nuovo per comprare un metro e mezzo di frangia[7] da cucire alla tenda, in sala da pranzo. Siccome non volevo spendere più che tanto, girai parecchio prima di trovare quello che faceva al caso mio[8], in un negozietto di via dell'Umiltà. Tornai a casa che erano le undici e venti, entrai in sala da pranzo per confrontare il colore della frangia con quello della tenda e subito vidi sulla tavola il calamaio[9], la penna e una lettera. A dire la verità, mi colpì soprattutto una macchia d'inchiostro, sul tappeto della tavola. Pensai: "Ma guarda come ha da essere sciattona[10]... ha macchiato il tappeto".

Levai[11] il calamaio, la penna e la lettera, presi il tappeto, andai in cucina e lì, fregando[12] forte col limone, riuscii a togliere la macchia. Poi tornai in sala da pranzo, rimisi a posto il tappeto e, soltanto allora, mi ricordai della lettera. Era indirizzata a me: Alfredo. L'aprii e lessi: "Ho fatto le pulizie. Il pranzo te lo cucini da te[13], tanto ci sei abituato. Addio. Io torno da mamma. Agnese".

Per un momento non capii nulla. Poi rilessi la lettera e alla fine intesi[14]: Agnese se n'era andata, mi aveva lasciato dopo due anni di matrimonio. Per forza di abitudine riposi la lettera nel cassetto della credenza dove metto le bollette e la corrispondenza e sedetti su una seggiolina, presso la finestra. Non sapevo che pensare, non ci ero preparato e quasi non ci credevo. Mentre stavo così riflettendo, lo sguardo mi cadde sul pavimento e vidi una piccola piuma bianca che doveva essersi staccata dal piumino[15] quando Agnese aveva spolverato. Raccolsi la piuma, aprii la finestra e la gettai di fuori. Quindi presi il cappello e uscii di casa.

1. Letteralmente: muori; un po' come dire "va al diavolo". - 2. Di nascosto. - 3. Modo popolare e volgare di definire le cameriere, le donne di servizio. - 4. Il 'rione' è il quartiere. - 5. Modo popolare di dire: toccare per sentire la consistenza. - 6. Parola popolare per 'animale'. - 7. Bordo ornamentale. - 8. Andava bene per i miei bisogni. - 9. La bottiglietta in cui si tiene l'inchiostro. - 10. Chi fa le cose senza attenzione. - 11. Misi via, tolsi. - 12. Parola popolare per dire: strofinare, passare su e giù sul tessuto con qualcosa per pulire. - 13. Tu, da solo. - 14. Capii, compresi. - 15. Una specie di piccola scopa fatta con piume e usata per togliere la polvere dai mobili.

Analisi

Hai segnalo le parole ed espressioni popolari? Ti sono state spiegate nelle note 1, 3, 5, 6, 11, 12.

Riflessione

Moravia è un giornalista che descrive un fatto: non interviene, non commenta, non spiega. Fotografa e racconta. Secondo te, è facile scrivere in questo modo, così 'non letterario'?
Discutine con la classe.

Carlo Emilio Gadda

Figlio di un ricco italiano e di una ungherese, Gadda nasce a Milano nel 1893, ma presto arriva la crisi commerciale della famiglia e la morte del padre, e quindi la necessità di contribuire a mantenere la famiglia. Gadda rinuncia alla letteratura e diventa ingegnere.

Nel 1915 parte volontario per combattere nella prima guerra mondiale, viene fatto prigioniero e portato in Germania, dove scrive *Giornale di guerra e di prigionia*, una specie di diario, pubblicato in forma completa solo dopo la sua morte, nel quale denuncia la stupidità degli ufficiali che guidano l'esercito italiano e la stupidità amara della guerra in sé, che gli ruba anche il fratello pilota.

Negli anni Venti lavora in tutt'Italia e all'estero come ingegnere, ma riprende gli studi di filosofia e comincia a frequentare gli ambienti letterari. Nel 1940 smette definitivamente il lavoro di ingegnere e si dà alla scrittura, con una raccolta di racconti di ambiente milanese, *L'Adalgisa* (1944): l'articolo davanti al nome proprio di una donna, tipico dell'italiano popolare del Nord ma considerato errato dagli italianisti, è la sua prima provocazione linguistica, che culmina con *Quer pasticciaccio brutto de via Merulana* (1957), un romanzo giallo sperimentale ambientato nei primi anni del fascismo, con il titolo in dialetto romanesco. Nel 1963 Gadda pubblica *La cognizione del dolore*, che, come il *Pasticciaccio*, era apparso parzialmente in varie riviste fin dalla fine degli anni Trenta. Gadda muore nel 1973 a Roma.

Visto da Gadda, il mondo è un groviglio, un insieme di fili che si rompono e si annodano, in cui è difficile trovare da dove incominciare per cercare di capire qualcosa: nel *Pasticciaccio brutto* Gadda si limita a descrivere, con umorismo e momenti di vera e propria ferocia satirica, l'incomprensibilità delle reazioni umane, dell'organizzazione sociale, dei pregiudizi della gente; nella *Cognizione del dolore* lo scrittore milanese va oltre la semplice descrizione, riflette spesso con un approccio da filosofo.

La sua lingua si adatta: è complessa, sembra che Gadda faccia continui tentativi di descrivere il suo oggetto, ma che non sia mai soddisfatto, per cui torna indietro, ci riprova...

Il miracolo economico

Il volto della società italiana cambia rapidamente in questi anni: sebbene attraverso mille contraddizioni, l'Italia, soprattutto al Nord, passa da una società prevalentemente agricola ad un paese fortemente industrializzato e capitalista.

Alla fine degli anni '50 il numero degli italiani impiegati nelle industrie supera quello dei lavoratori delle campagne e milioni di contadini del Sud si spostano a Milano e Torino per diventare operai nelle grandi aziende. L'Italia vive il cosiddetto "miracolo economico".

Inizia il periodo noto come "società dei consumi", in cui le abitudini degli italiani vengono cambiate sia dal

mercato sia dalla comunicazione di massa e dalla televisione: nel 1954 iniziano le trasmissioni televisive e nel 1956 Mike Bongiorno, un giornalista italo-americano che aveva collaborato con la Resistenza, diventa con le sue trasmissioni la guida all'italiano semplificato ed elementare degli italiani, cresciuti nel dialetto e costretti dalla mobilità interregionale ad imparare l'italiano.

Milano, Torino e Genova, le aree delle grandi industrie, ma anche Roma e Bologna cambiano volto, soffocate da enormi periferie-dormitorio per i nuovi operai venuti dalla campagna e dal Sud.

EDILINGUA

L'interrogatorio della pupa, da *Quer pasticciaccio brutto de Via Merulana*

Guida alla lettura

Er pasticciaccio brutto, cioè il brutto pasticcio, è l'omicidio di Liliana Balducci il cui corpo è stato trovato dal cugino Giuliano Valdarena, un dongiovanni di cui forse Liliana era innamorata (gli aveva fatto molti regali costosi). In questura non vogliono tanto scoprire la verità, quanto trovare un colpevole da comunicare ai capi e alla stampa – anche se fosse innocente, non conta. Ma il commissario, che in realtà è la personificazione di Gadda, non ci sta.

Il Valdarena, al Collegio Romano[1], era stato sottoposto a ripetuti interrogatori: gli alibi[2] da lui prodotti (ufficio, fattorini d'ufficio) si palesarono[3] validi fino alle 9.20, non oltre. Diceva d'essere andato in giro per la città. In giro dove? da chi? Clienti? Donne? Tabaccaio? Due o tre volte arrossì, come d'una bugia. Aveva messo avanti[4] anche il parrucchiere, ma s'era subito ritratto[5] dall'affermazione: no, c'era stato il dì prima.

In realtà nessuno degli inquilini[6] lo aveva visto, in quell'ora. Soltanto alle 10.35, quando lui chiamò gente[7]. La pupa[8] Felicetti, messagli davanti, negò d'avello[9] incontrato pe[10] le scale: quella ch'annava a dì bongiorno ai Bottafavi ch'aveva incontrato le venditrici de caciotta: «n... o,» disse, con gran pena dei labbri che non arrivava a spiccicare: «questo... nun c'era...»[11]. Poi ammutolì: e stretta da nuove e da rinnovate domande, poi da esportazioni[12] d'ogni genere, chinò il volto in lacrime. Accennò a dir di sì, ma non si risolvette[13]: non aprì bocca. Poi, coi goccioloni a le gote[14], parve a tutti che volesse far segno di no. La sua mamma, inginocchiata là, viso contro viso, le faceva le carezze in testa, di dove vengheno fora le testimonianze[15], le sussurrava dentro un orecchio, baciandola: «Di', di' la verità, cocca mia: dimme un po', sì, si è che l'hai visto, er signorino qua, su le scale, vedi com'è bionno[16]? che pare un angelo? Di', di', pupa mia bella! nun piagne, che co te ce sta mamma tua che te vo tanto bene, tiè[17],» le scoccò du baciozzi «nun te spaventà der dottore. Er dottor Ingarballo nun è un dottore de queli brutti, che so' tanto cattivi, poveretti, de quali che te fanno la bua[18] su la lingua. È un dottore cor vestito nero, ma è tanto bono!»... e le tastò il pancino sotto la vesticciola, come per appurare[19] se fosse asciutta o bagnata: certi numeri del testimoniale[20] non è escluso che accompagnino la testimonianza con adeguate erogazioni[21]. «Dimme, dimme: su, su, cocca mia, ch'er dottor Ingarballo te regala una pupazza, de quelle che movono l'occhi, cor zinale rosa co li fiorellini celesti. Mo vedrai![22] Dillo a mamma tua in un'orecchia...» Lei allora chinò il capo e fece: «Sì...». Giuliano impallidì. «E che faceva er signorino? E che t'ha detto?». Lei ruppe in pianto, strillava disperatamente...

1. La sede della polizia, la questura. - **2.** Fatti, eventi che dimostrano che un sospettato non può aver commesso il crimine perché era da un'altra parte. - **3.** Si dimostrarono. - **4.** Presentato come alibi. - **5.** Aveva ritirato. - **6.** Gli abitanti del palazzo in via Merulana. - **7.** Chiamò aiuto, avendo trovato il cadavere. - **8.** Bambina, in romanesco. - **9.** Averlo, in romanesco. - **10.** Per, in romanesco. - **11.** La bambina era andata a salutare i Bottafavi e aveva incontrato le donne che vendevano formaggio, dice a fatica che lui, Valdarena, non c'era. - **12.** Altri dati che le venivano presentati. - **13.** Non si decise. - **14.** Le lacrime sulle guance. - **15.** Vengono fuori i ricordi, per fare da testimone (parte in romanesco). - **16.** Biondo, in romanesco. - **17.** Tieni (questi due bacioni). - **18.** Ti fanno male. - **19.** Le toccò la pancia sotto il vestitino per controllare. - **20.** Certi modi di raccogliere le testimonianze. - **21.** Uscita di pipì, per la paura. - **22.** Ingarballo ti regala una bambola, di quelle che muovono gli occhi, col grembiulino rosa a fiori celesti. Adesso vedrai!

Analisi e riflessione

Gadda fotografa la scena: trovi un suo commento? Certamente no... ma l'idea che Gadda ti mette in mente mentre leggi è che la bambina sia sincera o venga forzata a dire quello che la polizia vuole sentire? Il dialetto romano (che abbiamo tradotto solo nelle prime note) ti rende impossibile la comprensione oppure dopo un poco lo capisci e lo leggi tranquillamente?

Un maledetto imbroglio, 1959, di Pietro Germi.
Film ispirato al romanzo di Carlo E. Gadda.

Il secondo Novecento

191

Giuseppe Tomasi di Lampedusa

Un uomo di un mondo diverso

Gli scrittori neorealisti descrivevano, come i veristi dell'Ottocento, il mondo 'basso'; molti di loro facevano i giornalisti, quindi avevano l'abitudine alla scrittura veloce, non 'letteraria'.

Niente può essere più diverso da loro di Giuseppe Tomasi (1896-1957), Duca di Palma, Principe di Lampedusa, Barone della Torretta, Grande di Spagna di prima Classe, che fa le scuole elementari con un insegnante privato nel suo palazzo di Palermo. Combatte nella prima guerra mondiale, gli austriaci lo catturano ma lui fugge dal carcere in Ungheria e torna in Italia a piedi. Grande viaggiatore (trova moglie durante un viaggio in Lettonia), dirige le attività agricole della sua tenuta e dopo i 50 anni si avvicina al mondo degli intellettuali palermitani; nel 1954, quasi sessantenne, decide di scrivere un romanzo, *Il Gattopardo* (un piccolo leopardo, simbolo della famiglia del Principe di Salina, il protagonista). Mondadori e Einaudi, due delle principali case editrici italiane, rifiutano il manoscritto, che non ha nulla a che fare con i temi e soprattutto con la lingua dei romanzi neorealisti. Nel 1957 Tomasi muore di tumore e non fa in tempo a vedere la pubblicazione del suo libro, che diventa subito uno dei successi editoriali mondiali più incredibili, successo reso ancora più ampio dal film diretto da Luchino Visconti, nel 1964.

«Se vogliamo che tutto rimanga come è, bisogna che tutto cambi»

È la frase più famosa di questo romanzo che si deve leggere lentamente, gustando sia la preziosità della lingua, sia la quantità enorme di riflessioni profondissime espresse con una semplice frase, come in questo caso. Il Principe di Salina, di fronte alla fine del regno dei Borboni con l'arrivo di Garibaldi e, poi, dei piemontesi, capisce che l'antica nobiltà deve lasciare il passo ai nuovi borghesi, mandarli al Parlamento, allontanarli dalla Sicilia: sono ignoranti, non hanno una visione politica a lungo termine, quindi non saranno capaci di cambiare le cose, e chi ha governato in Sicilia per secoli continuerà a farlo, pur cedendo il ruolo più solenne, cioè quello di senatore del Regno, ai borghesi arricchiti.

Il *Gattopardo* di Luchino Visconti

Questo film capolavoro dovrebbe essere ricordato nelle pagine sul cinema, ma in realtà fa parte della storia letteraria: Visconti ha diretto vari film tratti da opere letterarie, ma mai come in questo caso il rapporto tra romanzo e film è così perfetto, totale, completo. Leggendo un libro dopo aver visto il film o guardando un film dopo aver letto un libro si rimane di solito delusi, nella seconda esperienza: qui no. Libro e film sono la stessa cosa. E il Principe di Salina avrà per tutti e per sempre il viso, la maestà e la forza di Burt Lancaster.

Online per te
Online trovi il **Testo 92**, *Noi Siciliani siamo stati avvezzi…*, da *Il Gattopardo*.

EDILINGUA

93 *Lui, il Principe*, da *Il Gattopardo*

Guida alla lettura

I personaggi sono la prima cosa che torna in mente quando si ripensa a un film, a un romanzo, a un racconto. In *Il Gattopardo*, il personaggio è *lui*, il Principe di Salina. Immenso, solitario perché intorno a lui ci sono solo persone banali – la moglie, le figlie, il figlio e erede che non ha neppure il coraggio di accendersi una sigaretta di fronte al padre. Questa è la prima pagina: intorno a *lui* c'è brusio, rumore indistinto. Poi *lui* si alza e...

"Nunc et in hora mortis nostrae. Amen".[1]

La recita quotidiana del Rosario era finita. Durante mezz'ora la voce pacata[2] del Principe aveva ricordato i Misteri Gloriosi e Dolorosi[3]; durante mezz'ora altre voci, frammiste[4], avevano tessuto un brusio[5] ondeggiante sul quale si erano distaccati i fiori d'oro di parole inconsuete; amore, verginità, morte; e durante quel brusio il salone rococò[6] sembrava avere mutato aspetto...

Adesso, taciutasi la voce, tutto rientrava nell'ordine, nel disordine consueto[7]. Dalla porta attraverso la quale erano usciti i servi, l'alano[8] Bendicò, rattristato dalla propria esclusione, entrò e scodinzolò. Le donne si alzavano lentamente, e l'oscillante regredire delle loro sottane[9] lasciava a poco a poco scoperte le nudità mitologiche[10], che si disegnavano sul fondo latteo delle mattonelle. [...]

Al di sotto di quell'Olimpo[11] palermitano anche i mortali di casa Salina discendevano in fretta giù da quelle sfere mistiche[12]. Le ragazze raggiustavano le pieghe delle vesti, scambiavano occhiate azzurrine e parole in gergo di educandato[13] [...]. I ragazzini si accapigliavano[14] di già per un'immagine di S. Francesco di Paola; il primogenito[15], l'erede, il duca Paolo, aveva già voglia di fumare e, timoroso di farlo in presenza dei genitori andava palpando[16], attraverso la tasca, la paglia intrecciata del portasigari...

Lui, il Principe, intanto si alzava; l'urto del suo peso da gigante faceva tremare l'impiantito[17]; e nei suoi occhi chiarissimi si riflesse, un attimo, l'orgoglio di questa effimera[18] conferma del proprio signoreggiare su uomini e fabbricati. Adesso posava lo smisurato Messale[19] rosso sulla seggiola [...] e un po' di malumore intorbidò[20] il suo sguardo quando rivide la macchiolina di caffè che fin dal mattino aveva ardito[21] interrompere la vasta bianchezza del panciotto[22].

1. È la conclusione dell'Ave Maria, una preghiera che viene ripetuta cinquanta volte nel Rosario. - **2.** Tranquilla. - **3.** Il Rosario è diviso in gruppi di dieci Ave Maria detti "Misteri". - **4.** Mescolate tra loro. - **5.** Si erano incrociate in un rumore, un vociare leggero. - **6.** Stile di gusto barocco, molto decorato. - **7.** Abituale. - **8.** Razza di cani, grandi, enormi ed eleganti. - **9.** Le donne, con le gonne lunghe fino ai piedi, escono: le sottane oscillano seguendo i passi. - **10.** Gli antichi dèi greci e romani, raffigurati nudi, venivano scoperti pian piano sulle mattonelle del pavimento, dove sono rappresentati. - **11.** Nelle righe tagliate, Tomasi descrive il soffitto dove ci sono dèi greci dell'Olimpo. - **12.** Dal momento mistico, religioso. - **13.** Parole delicate (come il color azzurro chiaro), comprensibili solo a chi frequentava la loro scuola ("educandato"). - **14.** Litigavano per un "santino", una piccola immagine. - **15.** Figlio maggiore. - **16.** Toccava il portasigarette di paglia. - **17.** Pavimento. - **18.** Momentanea. - **19.** Libro che contiene i testi per la Messa cattolica. - **20.** Sporcò. - **21.** Aveva avuto il coraggio. - **22.** Gilet, l'indumento che si porta sopra la camicia e sotto la giacca.

Analisi

Tomasi vuol far 'esplodere' il personaggio, *Lui*. Quindi

a. all'inizio presenta un gruppo di figure indistinte, senza personalità; poi arriva il cane del Principe: è un cagnetto normale? Controlla nella nota 8.

b. Infine, si alza *Lui*: *l'urto del suo peso da* .... *faceva tremare l'impiantito; e nei suoi occhi chiarissimi si riflesse, un attimo, l'* .... *di questa effimera conferma del proprio* .... *su uomini e fabbricati. Adesso posava lo* .... *Messale rosso* [...]; *la macchiolina di caffè che fin dal mattino aveva ardito interrompere la* .... *bianchezza del panciotto.*

Riflessione

Come si può rappresentare in un film tale differenza tra *Lui* e gli altri? Guarda su You Tube la scena iniziale del film di Visconti e lo capirai.

La scrittura al femminile

Il verismo aveva presentato una scrittrice importante, **Matilde Serao** (pag. 126) e all'inizio del Novecento c'era stata **Grazia Deledda**, scrittrice sarda che aveva ricevuto il Premio Nobel nel 1926 "per la potenza di scrittrice, sostenuta da un alto ideale, che ritrae la vita nella sua isola natale trattando problemi di interesse umano generale". Tra gli scrittori venuti dalla Resistenza abbiamo visto l'autrice di *L'Agnese va a morire* (1949), **Renata Viganò**. Dagli anni Sessanta il numero delle scrittici aumenta e tra loro vanno ricordate almeno tre grandi personalità.

Elsa Morante (1912-1985)

È stata la prima donna a vincere l'importantissimo Premio Strega, nel 1957, con il romanzo *L'isola di Arturo*. Il suo nome tuttavia è legato a due opere centrate sui bambini come possibili centri di forza per dare senso alla vita, alla storia: *Il mondo salvato dai ragazzini*, 1968, un romanzo-commedia in versi, e il romanzo *La storia*, 1974, capolavoro del neorealismo maturo.

La Morante si era sempre interessata al mondo dei bambini: fin da giovanissima aveva scritto favole e poesie per bambini, collaborando al "Corriere dei piccoli"; nel 1942 scrive e illustra *Le bellissime avventure di Caterì dalla trecciolina*; in *La storia* tutta questa esperienza porta alla figura del piccolo Useppe, un bambino che guarda la storia attraverso gli occhi puliti e ingenui dell'infanzia, una figura indimenticabile.

Natalia Levi Ginzburg (1916-1991)

Il cognome Levi ne mostra l'origine ebraica ed ebreo era anche il marito, Leone Ginzburg. In quanto ebrei e antifascisti i due sono mandati al confino in un paesino in Abruzzo, dal 1940 al 1943, dove lei scrive il primo romanzo usando uno pseudonimo di origine non ebraica, *La strada che va in città*, e che verrà poi ristampato nel 1945 con il nome Ginzburg, in memoria del marito torturato e ucciso dai fascisti nel 1944.

Nel 1952 pubblica *Tutti i nostri ieri*, nel 1957 *Valentino*, nel 1964 il volume *Cinque romanzi brevi*: non c'è più nulla di neorealistico, prevale l'indagine psicologica condotta con una preziosa profondità femminile. La Ginzburg diventa sempre più autobiografica con *Le piccole virtù* (1962) e *Lessico famigliare* (1963) e sul *Corriere della sera* scrive critica letteraria privilegiando ancora una volta il punto di vista femminile.

Dacia Maraini (1936)

Figlia di uno studioso di antropologia, cresce in Giappone dove il padre si è trasferito per le sue ricerche tra il 1939 e il 1945; dopo l'8 settembre 1943, quando l'Italia abbandona l'alleanza con Germania e Giappone, la famiglia Maraini diventa 'nemica' e quindi il governo giapponese la imprigiona in un campo di concentramento – esperienza fondamentale per la giovane Dacia.

I primi romanzi sono *La vacanza* (1962), *L'età del malessere* (1963) e *A memoria* (1967), ma è con *Memorie di una ladra* (1972) e *Donna in guerra* (1975) che si precisa la sua scelta di scrivere da donna sulle donne; inizia il successo, che giunge al massimo con *La lunga vita di Marianna Ucrìa* (1990), storia di una ragazzina che smette di parlare dopo essere stata violentata.

Ha scritto molti romanzi e continua a viaggiare scrivendo ogni settimana un articolo per il *Corriere della sera*, restando in tal modo vicina ai suoi lettori.

94. Elsa Morante, *Useppe*, da *La storia*

Guida alla lettura

La maestra Ida Ramando viene violentata da un soldato tedesco e nasce Giuseppe, che pronuncia il suo nome Useppe, un bambino meraviglioso nella sua innocenza, che viene contrastata dal male di vivere di Nino, il primo figlio di Ida, prima fascista, poi partigiano, alla fine contrabbandiere. Useppe guarda tutto con occhi da angelo, e angelo rimarrà poiché non arriva a crescere, ucciso dall'epilessia quando è ancora bambino.

Non s'era mai vista una creatura più allegra di lui. Tutto ciò che vedeva intorno lo interessava e lo animava gioiosamente. Mirava esilarato i fili[1] della pioggia fuori della finestra, come fossero coriandoli e stelle filanti multicolori. E se, come accade, la luce solare, arrivando indiretta al soffitto, vi portava, riflesso in ombre, il movimento mattiniero della strada, lui ci si appassionava senza stancarsene: come assistesse a uno spettacolo straordinario di giocolieri cinesi che si dava apposta per lui. Si sarebbe detto, invero, alle sue risa, al continuo illuminarsi della sua faccetta, che lui non vedeva le cose ristrette[2] dentro i loro aspetti usuali; ma quali immagini multiple di altre cose varianti all'infinito. Altrimenti non si spiegava come mai la scena miserabile, monotona, che la casa gli offriva ogni giorno, potesse rendergli un divertimento così cangiante, e inesauribile[3].

Il colore d'uno straccio, d'una cartaccia, suscitando innanzi a lui, per risonanza, i prismi e le scale delle luci[4], bastava a rapirlo in un riso di stupore. Una delle prime parole che imparò fu ttelle (stelle). Però chiamava ttelle anche le lampadine di casa, i derelitti[5] fiori che Ida portava da scuola, i mazzi di cipolle appesi, persino le maniglie delle porte, e in séguito anche le rondini. Poi quando imparò la parola dóndini (rondini) chiamava dóndini pure i suoi calzerottini[6] stesi a asciugare su uno spago. E a riconoscere una nuova ttella (che magari era una mosca sulla parete) o una nuova dóndine, partiva ogni volta in una gloria di risatine, piene di contentezza e di accoglienza, come se incontrasse una persona della famiglia. [...]

Ma nessuna cosa aveva potere di rallegrarlo quanto la presenza di Nino. Pareva che, nella sua opinione, Nino accentrasse in sé la festa totale del mondo, che dovunque altrove si contemplava sparsa e divisa: rappresentando lui da solo, ai suoi occhi, tutte insieme le miriadi[7] dei colori, e il bengala dei fuochi[8], e ogni specie di animali fantastici e simpatici, e le giostre dei giocolieri. Misteriosamente, avvertiva il suo arrivo fino dal punto che lui cominciava appena la salita della scala, e sùbito si affrettava più che poteva, coi suoi mezzi, verso l'ingresso, ripetendo: ino ino, in un tripudio quasi drammatico di tutte le sue membra. Certe volte, perfino, quando Nino rientrava di notte tardi, lui, dormendo, al rumore della chiave si rimuoveva appena e in un sorrisetto fiducioso accennava con poca voce: ino.

1. Guardava ridendo le gocce che sembravano fili. - 2. Rinchiuse. - 3. Sempre diverso e che non finiva mai. - 4. Facendo comparire ai suoi occhi i riflessi (i 'prismi' di cristallo dei lampadari) e le variazioni minime nella scala (dal nero al bianco) della luce. - 5. Poveri. - 6. Calzini. - 7. Enormi quantità. - 8. I bengala sono piccoli fuochi artificiali usati per segnalazioni tra soldati o in mare: fanno luce e un fumo colorato.

Riflessione

Nei telegiornali, in rete, nei film vediamo bambini soldato costretti ad uccidere, bambini sperduti nelle guerre civili, bambini di migranti che muoiono in mare, bambini venduti e comprati e violati, come se non fossero pienamente umani. Questa pagina – e tutto il libro – è un inno al bambino che scopre la vita. Anziché tanti discorsi sociologici, tanti manifesti politici sui bambini, non basterebbe far conoscere questa pagina? Discutine con la classe.

La storia, film di Luigi Comencini, 1986, Claudia Cardinale e Andrea Spada

95 Natalia Ginzburg, *Siamo cinque fratelli*, da *Lessico Famigliare*

Guida alla lettura

Lessico famigliare (oggi preferiamo *familiare*), del 1963, racconta in maniera ironica la vita quotidiana della famiglia Levi, dall'arrivo del fascismo agli anni Cinquanta. Non è la solita autobiografia: Ginzburg fa emergere, nel suo racconto, delle cose che tutti hanno vissuto, nelle proprie famiglie. In realtà descrive i rapporti familiari universali, come in questo caso in cui racconta come bastino poche parole per riconoscersi fratelli, al di là degli anni e delle vicende della vita.

Noi siamo cinque fratelli.

Abitiamo in città diverse, alcuni di noi stanno all'estero: e non ci scriviamo spesso.

Quando c'incontriamo, possiamo essere, l'uno con l'altro, indifferenti o distratti.

Ma basta, fra noi, una parola.

Basta una parola, una frase: una di quelle frasi antiche, sentite e ripetute infinite volte, nel tempo della nostra infanzia.

Ci basta dire: "Non siamo venuti a Bergamo per fare campagna" o "De cosa spussa l'acido solfidrico[1]", per ritrovare d'un tratto[2] i nostri antichi rapporti, e la nostra infanzia e giovinezza, legata indissolubilmente[3] a quelle frasi, a quelle parole.

Una di quelle frasi o parole, ci farebbe riconoscere l'uno con l'altro, noi fratelli, nel buio d'una grotta, fra milioni di persone.

Quelle frasi sono il nostro latino, il vocabolario dei giorni andati, sono come i geroglifici degli egiziani o degli assiro-babilonesi, la testimonianza d'un nucleo vitale che ha cessato di esistere, ma che sopravvive nei suoi testi, salvati dalla furia delle acque, dalla corrosione del tempo.

Quelle frasi sono il fondamento della nostra unità familiare, che sussisterà[4] finché saremo al mondo, ricreandosi e risuscitando nei punti più diversi della terra, quando uno di noi dirà "Egregio signor Lipmann" e subito risuonerà al nostro orecchio la voce impaziente di mio padre: "Finitela con questa storia! L'ho già sentita tante di quelle volte!"

1. "Di che cosa puzza l'acido solfidrico?", in dialetto torinese. - 2. D'improvviso. - 3. In modo tale che non possono essere sciolti, separati. - 4. Sopravviverà.

Analisi

La lingua è semplicissima, le parole sono quasi quotidiane, si potrebbe pensare che non ci sia nulla di letterario, nulla di 'artefatto', fatto ad arte. Ma non è così, perché la Ginzburg sa come si costruisce un testo:

a. leggi le prime righe, fino a *distratti*: ti sta dando l'impressione di una famiglia unita? Poi c'è il *coup de th*éâtre, il 'colpo di teatro' che sanno fare i commediografi: *Ma* .... *parola.* D'improvviso, tutto si rovescia, e quindi siamo portati a continuare a leggere per capire;

b. le espressioni familiari su Bergamo, l'acido solfidrico e il signor Lipmann, sono comprensibili solo ai cinque fratelli, non al lettore: ma diventano universali, valide in ogni tempo e in ogni luogo, in *Quelle frasi sono il nostro* ...., *il vocabolario dei giorni andati, sono come i* .... *degli egiziani o degli assiro-babilonesi, la testimonianza d'un nucleo vitale che ha cessato di esistere, ma che* .... *nei suoi testi, salvati dalla* .... *delle acque, dalla* .... *del tempo.*

Riflessione

Hai mai provato a scrivere qualche pagina sulla tua vita, la tua famiglia? Sei riuscito a usare una lingua pulita e semplice come questa? E pensi che quello che hai scritto possa obbligare il lettore ad andare avanti, come fosse un romanzo – cosa che fa la Ginzburg in *Lessico famigliare*?

EDILINGUA

96 Dacia Maraini, *Un padre e una figlia,* da *La lunga vita di Marianna Ucria*

Guida alla lettura

Siamo nel Settecento, in Sicilia. Marianna, figlia del duca Signoretto, è sor-domuta. La madre la fa sposare, ancora ragazzina, ad un vecchio parente. Solo alla fine si capisce che il mutismo di Marianna è la conseguenza della violenza carnale subita, da piccola, proprio da parte del cugino del padre che ha dovuto sposare...

Questa è la prima pagina del romanzo, in cui vedi – e proprio così: 'vedi' – i tre personaggi principali, il padre, la madre e la figlia.

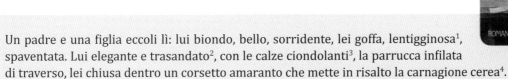

Un padre e una figlia eccoli lì: lui biondo, bello, sorridente, lei goffa, lentigginosa[1], spaventata. Lui elegante e trasandato[2], con le calze ciondolanti[3], la parrucca infilata di traverso, lei chiusa dentro un corsetto amaranto che mette in risalto la carnagione cerea[4].

La bambina segue nello specchio il padre che, chino[5], si aggiusta le calze bianche sui polpacci. La bocca è in movimento ma il suono delle parole non la raggiunge, si perde prima di arrivare alle sue orecchie quasi che la distanza visibile che li separa fosse solo un inciampo[6] dell'occhio. Sembrano vicini ma sono lontani mille miglia.

La bambina spia[7] le labbra del padre che ora si muovono più in fretta. Sa cosa le sta dicendo anche se non lo sente: che si sbrighi[8] a salutare la signora madre, che scenda in cortile con lui, che monti[9] di corsa in carrozza perché, come al solito sono in ritardo.

Intanto Raffaele Cuffa [...] ha raggiunto il duca Signoretto e gli porge una larga cesta di vimine intrecciato su cui spicca[10] una croce bianca.

Il duca apre il coperchio con un leggero movimento del polso che la figlia riconosce come uno dei suoi gesti più consueti: è il moto stizzoso[11] con cui getta da una parte le cose che lo annoiano. Quella mano indolente[12] e sensuale si caccia[13] fra le stoffe ben stirate, rabbrividisce[14] al contatto col gelido crocifisso d'argento, dà una strizzata al sacchetto pieno di monete e poi sguscia fuori[15] rapida. Ad un cenno[16], Raffaele Cuffa si affretta a richiudere la cesta. Ora si tratta solo di fare correre i cavalli fino a Palermo.

Marianna intanto si è precipitata nella camera da letto dei genitori dove trova la madre riversa fra le lenzuola, la camicia gonfia di pizzi[17] che le scivola su una spalla, le dita della mano chiuse attorno alla tabacchiera di smalto.

La bambina si ferma un attimo sopraffatta dall'odore del trinciato al miele[18] che si mescola agli altri effluvi[19] che accompagnano il risveglio materno: olio di rose, sudore rappreso[20], orina secca, pasticche al profumo di giaggiolo.

La madre stringe a sé la figlia con un gesto di pigra[21] tenerezza.

Marianna vede le labbra che si muovono ma non vuole fare lo sforzo di indovinarne le parole. Sa che le sta dicendo di non attraversare la strada da sola perché sorda com'è potrebbe trovarsi stritolata[22] sotto una carrozza che non ha sentito arrivare. E poi i cani, che siano grandi o piccoli, che stia alla larga[23] dai cani. Le loro code, lo sa bene, si allungano fino ad avvolgersi intorno alla vita delle persone come fanno le chimere[24] e poi zac, ti infilzano con quella punta biforcuta che sei morta e neanche te ne accorgi...

1. Le lentiggini sono piccole macchioline della pelle. - 2. Poco curato nel vestiario. - 3. Non ben tirate su. - 4. Un busto di color rosso che stringe il petto e che la fa sembrare color della cera, pallidissima. - 5. Piegato verso il basso. - 6. Errore, passo falso. 7. In siciliano spiare significa guardare. - 8. Affretti. - 9. Salga. - 10. Si vede soprattutto. - 11. Arrabbiato. - 12. Pigra, lenta, che non ama lavorare e fare cose veloci. - 13. Si infila. - 14. Ha un brivido di paura. - 15. Stringe il sacchetto delle monete e poi viene fuori. - 16. Segnale della mano. - 17. Raffinata. - 18. Tabacco forte, profumato con il miele. - 19. Odori. - 20. Secco. - 21. Senza forza. - 22. Schiacciata. - 23. Lontano. - 24. Creature mitiche, figlie dell'inferno, che avevano come coda un serpente, che ha la lingua 'biforcuta', cioè divisa in due.

Riflessione

Nello svolgersi della storia Marianna impara la lingua dei segni, partecipa al movimento illuminista, riconquista la sua vita: lo immagineresti, vedendo il punto di partenza della sua storia, in questa pagina iniziale?

Eduardo de Filippo

Eduardo De Filippo (1900-1984) conosciuto anche come **Eduardo** senza bisogno del cognome, è stato soprattutto un grandissimo attore e regista, autore teatrale e regista cinematografico, poeta e traduttore di Shakespeare in napoletano.

Suo padre era l'attore e commediografo Eduardo Scarpetta, che da una relazione con la nipote ebbe Eduardo, Titina e Peppino: tutti tra i più grandi attori italiani di sempre, i cui figli e nipoti continuano a fare teatro ancor oggi. I De Filippo nascono nella Napoli povera del primo Novecento e, insieme ad attori napoletani come Totò e a molti autori di canzoni napoletane, scelgono di descrivere la loro città in maniera veristica, senza pietà alcuna, ma usando la commedia, la risata, anche quando le trame delle loro opere sono tragiche. Soprattutto, scelgono un italiano molto segnato dal dialetto napoletano, che nelle canzoni di quegli anni produce poesia di alto livello.

Eduardo ha scritto moltissimi testi per il teatro, comici fino circa alla Seconda guerra mondiale e poi sempre più severi, duri, tragici. Ma una tragedia che ha il sapore della malinconia e non della rabbia o della disperazione, anche nei testi più duri.

La commedia che gli dà successo come letterato e non più solo come attore e regista è *Natale in casa Cupiello*, del 1931, ma modificata fino al 1943, che presenta un pranzo di Natale in cui lentamente, al di sotto degli auguri, dei regali e delle gentilezze natalizie, compare la violenza della gelosia, senza che il vecchio Luca Cuppiello, che continua a finire il presepio, si renda conto di nulla. Quando tutto esplode, il vecchio si limita a commentare *ha da passa' 'a nuttata*, aspettiamo che passi questa nottataccia e poi tornerà tutto tranquillo: è la stessa rassegnazione storica, totale, fatalistica dei 'vinti' di Giuseppe Verga e del verismo meridionale.

Durante la guerra i fratelli De Filippo si separano, nel 1948 Eduardo compra un teatro semidistrutto dai bombardamenti e fonda una compagnia, Il Teatro di Eduardo, con la quale metterà in scena i suoi capolavori, *Napoli milionaria!* (1945), *Questi fantasmi!* e *Filumena Marturano* (entrambi del 1946), *Sabato, domenica e lunedì* (1959), *Gli esami non finiscono mai* (1973), quasi tutti diventati film di successo. D'altra parte, fin dal 1932 Eduardo era stato sceneggiatore, attore e registra cinematografico e in tutte le versioni delle sue commedie per il cinema è stato sempre vicino ai registi, per essere certo che non tradissero il suo stile.

Eduardo, Titina e Peppino De Filippo

La sua ultima opera, quando era ormai stato nominato senatore a vita ed era in corsa per il Premio Nobel, è la traduzione in napoletano di *The Tempest* di William Shakespeare, quasi una stretta di mano tra due giganti del teatro.

EDILINGUA

97 *Il monologo del caffè*

Guida alla lettura

Il *Monologo del caffè* è la scena più famosa di *Questi fantasmi!*
Il povero Pasquale Lojacono, il protagonista, cerca un momento di tranquillità in mezzo ai problemi che lo tengono prigioniero, si siede al balcone di casa e si fa il caffè, usando la classica caffettiera napoletana: c'è una parte bassa che contiene l'acqua, sopra c'è uno spazio per la polvere del caffè, con il metallo bucherellato per far passare l'acqua, sopra ancora c'è una parte vuota; quando l'acqua bolle, si rovescia la caffettiera e l'acqua bollente cola nella parte vuota, attraversando la polvere di caffè. Il *percolator* del caffè americano deriva da questa caffettiera.
Lojacono parla con un professore che abita nel palazzo di fronte. Ma ovviamente non esiste, al posto del dirimpettaio ci sono gli spettatori.

Sul becco[1] io ci metto questo coppitello di carta...
Pare niente, questo coppitello, ma ci ha la sua funzione... E già, perché il fumo denso del primo caffè che scorre, che poi è il più carico[2], non si disperde.
Come pure, professo', prima di colare l'acqua, che bisogna farla bollire per tre o quattro minuti, per lo meno, prima di colarla, vi dicevo, nella parte interna della capsula bucherellata[3], bisogna cospargervi[4] mezzo cucchiaino di polvere appena macinata. Un piccolo segreto! In modo che, nel momento della colata, l'acqua, in pieno bollore, già si aromatizza per conto suo.
Professo', voi pure[5] vi divertite qualche volta, perché, spesso, vi vedo fuori al vostro balcone a fare la stessa funzione.
E io pure.
Anzi, siccome, come vi ho detto, mia moglie non collabora, me lo tosto[6] da me.
Pure voi, professo'?...
E fate bene... Perché, quella, poi, è la cosa più difficile: indovinare il punto giusto di cottura, il colore... A manto di monaco[7]... Color manto di monaco. È una grande soddisfazione, ed evito pure di prendermi collera[8], perché se, per una dannata combinazione[9], per una mossa sbagliata, sapete... ve scappa 'a mano 'o piezz' 'e coppa[10], s'aunisce a chello 'e sotto, se mmesca posa e ccafè... insomma, viene una zoza... siccome l'ho fatto con le mie mani e nun m' 'a pozzo piglia' cu' nisciuno, mi convinco che è buono e me lo bevo lo stesso.
Professo', è passato. (Assaggia il caffè) Càspita[11], chesto è ccafè... È ciucculata[12].
Vedete quanto poco ci vuole per rendere felice un uomo: una tazzina di caffè presa tranquillamente qui, fuori... con un simpatico dirimpettaio...

1. La caffettiera ha un beccuccio, dal quale si versa il caffè; ma da lì può uscire il profumo, e allora lui gli mette un *coppitello*, un 'cappellino' di carta proprio per evitare che si disperda l'aroma. - **2.** Carico di caffeina. - **3.** La parte con i buchetti in cui c'è il caffè. - **4.** Mettere, spargendolo con attenzione. - **5.** Anche voi. - **6.** Cucinare il caffè in forno. - **7.** Marrone come il mantello di un frate. - **8.** Arrabbiarmi. - **9.** Per un caso sfortunato. - **10.** La parte della caffettiera con il caffè scappa di mano, scivola, e i fondi del caffè si mescolano con la parte di sotto, mescolandosi con il caffè... insomma, viene una schifezza. E siccome l'ho fatto io, non posso arrabbiarmi con nessuno. - **11.** È un'esclamazione. - **12.** Questo è [vero] caffè, è [denso come] cioccolata.

Analisi

Lojacono incomincia parlando in ...., per rispetto al professore; quando parla della sua emozione per il caffè, parla in ....; alla fine, quando si rivolge di nuovo al dirimpettaio, torna a parlare in ....

Riflessione

Il dialetto è la lingua del cuore, per Lojacono; è così difficile da capire? Forse sì... ma ti basterà guardare la scena famosissima su YouTube e vedrai che Eduardo rende comprensibile tutto, con i gesti, le espressioni. Potrebbe parlare in arabo e il suo viso spiegherebbe tutto comunque.

Il secondo Novecento

Italo Calvino

Calvino (nato a Cuba nel 1923, morto in Italia nel 1985) è stato scrittore, dirigente editoriale, giornalista e critico. Vive una giovinezza partigiana e, per tutta la vita, è impegnato politicamente nella sinistra. Attraversa la cultura italiana per quarant'anni, dal 1945 al 1985, osservandola e descrivendola, guidandola e orientandola.

Il percorso iniziale

Calvino studia a Torino in un liceo frequentato dall'alta borghesia, spesso antifascista; si iscrive all'università a Firenze, senza laurearsi perché comincia a frequentare gli ambienti intellettuali. Dopo l'8 settembre passa alcuni mesi nascosto per non essere arrestato, poi si unisce ai partigiani e questa esperienza è alla base del suo primo romanzo, *Il sentiero dei nidi di ragno* (1947).

Lo stile è quello neorealistico, ma la dimensione fantastica dei pensieri del ragazzino che ne è protagonista anticipa già i romanzi futuri.

Si iscrive a Lettere a Torino, dove diventa amico di Pavese (pag. 187) e inizia a collaborare con la rivista *Il Politecnico*, diretta da Elio Vittorini. Il suicidio di Pavese, nel 1950, lascia Calvino sperduto, privo di un punto di riferimento; inizia un periodo da cui esce lasciando il mondo neorealista e iniziando la pubblicazione dei suoi capolavori.

La trilogia degli antenati

L'interesse per il fantastico trova spazio nel 1956 in *Fiabe italiane*, la riscrittura di antiche fiabe popolari, quasi una ribellione verso la realtà politica del periodo: nello stesso anno l'Unione Sovietica invade l'Ungheria e Calvino lascia il Partito Comunista Italiano, che era stato il suo punto di riferimento.

Nel 1959 pubblica il romanzo *Il cavaliere inesistente*, storia di un cavaliere di Carlo Magno che obbedisce ciecamente alle regole, un robot cavalleresco, un robot come molti uomini del XX secolo. *Il cavaliere inesistente* conclude una trilogia fantastica in cui, descrivendo storie ambientate nei secoli scorsi, Calvino parla dell'uomo d'oggi; i due volumi precedenti erano *Il visconte dimezzato* (1952) che racconta la storia di un visconte, un nobile, che è stato tagliato in due lungo la linea che separa il bene dal male, come l'intellettuale d'oggi, e che non sa da quale parte esistere, e *Il barone rampante* (1957), storia di un ragazzetto che dopo una lite con il padre su un tema insignificante, un piatto di minestra di lumache, si arrampica su un albero e decide che per tutta la vita vivrà sugli alberi, staccato da tutti – come molti intellettuali.

Queste favole per adulti danno a Calvino una fama solida e vasta, che gli consente di viaggiare moltissimo, invitato dalle università di molti paesi.

Le copertine di Emanuele Luzzati per la trilogia degli antenati.

L'ultima fase

Negli anni Sessanta, Calvino progetta una seconda trilogia sulla crisi dell'intellettuale contemporaneo, ma ne pubblica solo alcuni racconti; nel 1964 inizia a pubblicare una nuova serie fantastica, le 'cosmicomiche', che verranno raccolte in un volume del 1965.

Nel 1971 il regista di film di animazione Pino Zac ha tratto un film da *Marcovaldo*.

Ma sono anni in cui il lavoro di critico e di teorico della letteratura prende la parte maggiore del suo tempo. Nel 1966 muore Vittorini e Calvino gli dedica il saggio *Vittorini: progettazione e letteratura*.

Si trasferisce a Parigi dove incontra molti nuovi filosofi e intellettuali, e le sue nuove riflessioni cresciute in ambito internazionale trovano la realizzazione in una serie di romanzi e racconti in cui rompe il modo tradizionale di raccontare. È il cosiddetto periodo 'combinatorio' in cui riprende tecniche narrative di molti tipi diversi e le rimette insieme in maniera sperimentale: in *Il castello dei destini incrociati* (1969) e poi in *La taverna dei destini incrociati* (1973) la successione dei capitoli è affidata all'estrazione casuale di tarocchi, cioè di carte che predicono il futuro; in *Le città invisibili* (1972) riprende il viaggio di Marco Polo, che si inventa le città che ha visitato; *Se una notte d'inverno un viaggiatore* (1979) è la storia di un lettore che cerca di leggere un libro ma viene continuamente interrotto...

Il punto d'arrivo si trova in una raccolta di sei saggi fondamentali per la teoria della letteratura alla fine del XX secolo, *Lezioni americane*, pubblicato dopo la sua morte, nel 1985. Sono sei lezioni basate su sei parole chiave, secondo Calvino, per la letteratura del XX secolo: Leggerezza, Rapidità, Esattezza, Visibilità, Molteplicità e Coerenza. Sono pagine che anche il lettore non esperto di teoria della letteratura può leggere con piacere, come fosse un romanzo.

Marcovaldo è una raccolta di racconti che Calvino scrive nel 1963.
Il sottotitolo *Le stagioni in città* è dovuto al fatto che ogni racconto è abbinato a una delle quattro stagioni dell'anno.

La casa editrice Einaudi

Molta della letteratura di cui parliamo in queste pagine è stata pubblicata da Einaudi, una casa editrice fondata nel 1933 a Torino da Giulio, figlio 21enne di Luigi Einaudi che quindici anni dopo sarebbe diventato il primo presidente della Repubblica Italiana. La Einaudi ha il coraggio di dichiararsi subito antifascista, questo porta il giovane Giulio in carcere e poi al confino.

Tra i collaboratori della Einaudi come redattori e traduttori, e non solo come autori, ricordiamo Cesare Pavese, Giaime Pintor, Massimo Mila, Norberto Bobbio, Elio Vittorini, Italo Calvino, Natalia Ginzburg, Leone Ginzburg, tutti intellettuali politicamente vicini al Partito Comunista Italiano. Nel 1994 la Einaudi è stata acquistata da Mondadori, la casa editrice della famiglia Berlusconi.

98 *La pistola di Pin*, da *Il sentiero dei nidi di ragno*

Guida alla lettura

Il sentiero dei nidi di ragno (1947) è il primo romanzo di Calvino, ancora pienamente neorealista. La drammatica storia della guerra è narrata dal punto di vista di Pin, un ragazzino, che affronta la guerra quasi fosse una fiaba, un gioco. Pin è un bambino. Ma il mondo in guerra non gli permette di vivere la sua infanzia. Vive nel mondo dei grandi che si combattono, cerca di assomigliare a loro senza capirli. Sua sorella fa la prostituta e il marinaio che la frequenta ha una pistola. Vorrebbe rubargliela per poter essere armato anche lui, come un vero partigiano. Ma è solo un bambino che ha paura.

«Di» fa Miscèl «hai visto che pistola ha il marinaio?».

«Un boia[1] di pistola, ha» risponde Pin.

«Ben» fa Miscèl «tu ci porterai quella pistola».

«E come faccio?» fa Pin. «T'arrangi[2]».

«Ma come faccio se la porta sempre appiccicata[3] al sedere. Pigliatela voi».

«Ben, dico: a un certo punto non se li toglie i pantaloni? E allora si toglie anche la pistola, sta' sicuro. Tu vai e gliela prendi. T'arrangi».

«Se voglio».

«Senti» fa il Giraffa «non stiamo qui a scherzare. Se vuoi essere dei nostri ora sai cosa devi fare; se no... »

«Se no?». «Se no... Lo sai che cos'è un *gap*?[4]».

L'uomo sconosciuto dà una gomitata al Giraffa e scuote il capo: sembra sia scontento del modo di fare degli altri. Per Pin le parole nuove hanno sempre un alone[5] di mistero, come se alludessero a qualche fatto oscuro e proibito. Un *gap*? Che cosa sarà un *gap*? «Sì che lo so cos'è» dice.

Ma gli uomini non gli danno retta. Lo sconosciuto ha fatto loro cenno[6] che avvicinino la testa e parla loro a bassa voce, e sembra che li sgridi[7] di qualcosa, e gli uomini fanno cenno che ha ragione. Pin è fuori di tutto questo.

Ora se ne andrà senza dir niente, e di quella storia della pistola è meglio non se ne parli più, era una cosa senz'importanza, forse gli uomini l'hanno già dimenticata. Ma Pin è appena alla porta quando il Francese alza la testa e dice: «Pin, allora per quella storia siamo intesi».

Pin vorrebbe ricominciare a far lo scemo, ma improvvisamente si sente bambino in mezzo ai grandi e rimane con la mano sullo stipite[8] della porta.

«Se no non ti far più vedere» dice il Francese. Pin ora è nel carrugio[9]. È sera e alle finestre s'accendono i lumi. Lontano, nel torrente, cominciano a gracidare le rane; di questa stagione i ragazzi stanno la sera appostati intorno ai laghetti, ad acchiapparle. Le rane strette in mano danno un contatto viscido, sguisciante, ricordano le donne, così lisce e nude. Passa un ragazzo con gli occhiali e le calze lunghe: Battistino. «Battistino, lo sai che cos'è un *gap*?».

Battistino batte gli occhi, curioso: «No, dimmi: cos'è?».

Pin comincia a sghignazzare: «Vallo un po' a chiedere a tua madre cos'è il *gap*! Digli: mamma, me lo regali un *gap*? Diglielo un po': vedrai che te lo spiega!».

Battistino va via tutto mortificato. Pin sale per il carrugio, già quasi buio; e si sente solo e sperduto in quella storia di sangue e corpi nudi che è la vita degli uomini.

---

1. Espressione di ammirazione e paura insieme. - **2.** Troverai tu un modo, è un problema tuo. - **3.** Attaccata. - **4.** Gruppi Armati Partigiani. - **5.** Una luce. - **6.** Un segno con la mano. - **7.** Rimproveri. - **8.** La parte verticale del muro, che si apre verso la porta. - **9.** Un vicolo, in genovese.

Analisi

Al mondo dei grandi si contrappone quello dei ragazzini che cacciano le rane. Come parla Pin per sentirsi grande, come usa la lingua? Sottolinea le espressioni e poi confrontale con i compagni.

Riflessione

La scelta di descrivere la Resistenza attraverso gli occhi di un bambino, colloca il racconto di Calvino in una posizione originale rispetto alla letteratura sulla guerra partigiana. Che cosa può aggiungere questa prospettiva a quanto raccontato dagli storici?

EDILINGUA

Il Gramo e il Buono, da *Il visconte dimezzato*

Guida alla lettura

Durante la guerra tra turchi e austriaci, nel Settecento, il visconte Medardo viene colpito da una palla di cannone che lo taglia in due parti uguali senza ucciderlo. Dopo essere tornate in patria le due parti si comportano in modo opposto; l'una, il Gramo, è cattivo e crudele, mentre l'altra, il Buono, cerca di fare del bene. Alla fine le due parti si sfidano a duello.

Il Gramo si liberò di scatto[1] e già stava perdendo l'equilibrio e rotolando al suolo, quando riuscì a menare un terribile fendente[2], non proprio addosso all'avversario, ma quasi: un fendente parallelo alla linea che interrompeva il corpo del Buono, e tanto vicino a essa che non si capì subito se era più in qua o più in là. Ma presto vedemmo il corpo sotto il mantello imporporarsi[3] di sangue dalla testa all'attaccatura[4] della gamba e non ci furono più dubbi. Il Buono s'accasciò[5], ma cadendo, in un'ultima movenza[6] ampia e quasi pietosa, abbatté[7] la spada anch'egli vicinissimo al rivale, dalla testa all'addome, tra il punto in cui il corpo del Gramo non c'era e il punto in cui prendeva[8] a esserci. Anche il corpo del Gramo ora buttava sangue per tutta l'enorme antica spaccatura: i fendenti dell'uno e dell'altro avevano rotto di nuovo tutte le vene e riaperto la ferita che li aveva divisi, nelle sue due facce. Ora giacevano riversi[9], e i sangui che già erano stati uno solo ritornavano a mescolarsi per il prato. Tutto preso da quest'orrenda vista non avevo badato a Trelawney, quando m'accorsi che il dottore stava spiccando salti di gioia con le sue gambe da grillo, battendo le mani e gridando:
- È salvo! È salvo! Lasciate fare a me.
Dopo mezz'ora riportammo in barella[10] al castello un unico ferito. Il Gramo e il Buono erano bendati strettamente assieme; il dottore aveva avuto cura di far combaciare tutti i visceri e le arterie dell'una parte e dell'altra, e poi con un chilometro di bende li aveva legati così stretti che sembrava, più che un ferito, un antico morto imbalsamato. Mio zio fu vegliato[11] giorni e notti tra la morte e la vita. Un mattino, guardando quel viso che una linea rossa attraversava dalla fronte al mento, continuando poi giù per il collo, fu la balia[12] Sebastiana a dire:
- Ecco: s'è mosso.
Un sussulto di lineamenti stava infatti percorrendo il volto di mio zio, e il dottore pianse di gioia al vedere che si trasmetteva da una guancia all'altra. Alla fine Medardo schiuse gli occhi, le labbra; dapprincipio la sua espressione era stravolta: aveva un occhio aggrottato e l'altro supplice[13], la fronte qua corrugata[14] là serena, la bocca sorrideva da un angolo e dall'altro digrignava[15] i denti. Poi a poco a poco ritornò simmetrico.
Il dottor Trelawney disse:
- Ora è guarito.
Ed esclamò Pamela:
- Finalmente avrò uno sposo con tutti gli attributi[16].
Così mio zio Medardo ritornò uomo intero, né cattivo né buono, un miscuglio di cattiveria e bontà, cioè apparentemente non dissimile da quello ch'era prima di esser dimezzato.
Ma aveva l'esperienza dell'una e l'altra metà rifuse insieme, perciò doveva essere ben saggio.

1. Con un movimento improvviso. - 2. Colpo di spada. - 3. Diventare rosso. - 4. Inizio. - 5. Cadde a terra. - 6. Movimento. - 7. Diede un colpo dall'alto verso il basso. - 8. Cominciava. - 9. Distesi a terra, immobili. - 10. Una specie di lettino nel quale si mettono i feriti per poterli spostare. - 11. Per giorni e notti qualcuno stette vicino. - 12. Donna che ha allattato i bambini del signore, appena nati. - 13. Un occhio arrabbiato e uno supplichevole. - 14. Piena di rughe. - 15. Mostrava i denti per la rabbia. - 16. Gli attributi sono anche gli organi sessuali che producono il seme maschile.

Riflessione

Anche un racconto fantastico e fiabesco può essere descritto con una tecnica realistica. Secondo te, questo brano di Calvino presenta tratti di descrizione realistica? Se pensi di sì, sottolinea nel testo i passaggi che ti sembrano più significativi.
L'ultima affermazione non è una semplice battuta. Secondo te cosa vuol dire Calvino?

Pier Paolo Pasolini

Pasolini (1922-1975) è poeta, scrittore, regista, sceneggiatore, drammaturgo e giornalista. Ha scritto in italiano classico, quasi dantesco, in italiano regionale, in romanesco, in friulano. Ha fatto cinema sofisticatissimo e comico, ma anche cinema violento e durissimo. È stato sempre un militante di sinistra ma anche l'estrema destra lo considera tra i suoi punti di riferimento – una complessità da vero artista rinascimentale.

Figlio di un ufficiale, duro e severo, e di una maestra che lo protegge, sviluppa una natura omosessuale che, in tempi difficili, mostra senza vergogna e che lo porterà ad essere ucciso vicino a Roma in un contesto che non è mai stato chiarito, ma in cui l'arte e la vita sembrano unirsi: Pasolini muore come avrebbe potuto morire un personaggio dei suoi romanzi o dei suoi film.

L'uomo di cinema e il polemista sociale e politico

Pier Paolo Pasolini è famoso sia come polemista sociale e politico, soprattutto con i lunghi saggi che comparivano sul *Corriere della Sera* nei primi anni Settanta (raccolti in *Scritti corsari*), sia come regista cinematografico, anche se la qualità delle sue sceneggiature è di molto superiore alla sua abilità come regista, cosa che in effetti non era...

Pasolini è stato anche un grande poeta e romanziere.

Il letterato

Pasolini inizia come poeta, soprattutto in lingua friulana, ma lentamente passa anche alla poesia in italiano e solo nel 1949 tenta un romanzo, dal titolo in italiano popolare *La meglio gioventù*, pubblicato solo nel 1954. Ma il primo successo, e il primo di una lunga serie di scandali e di processi per oscenità, gli viene dal romanzo neorealista *Ragazzi di vita* (1955), scritto in romanesco con l'aiuto di Sandro Citti, un operaio romano che Pasolini chiamava il suo "dizionario vivente".

Continua a scrivere anche poesie, cura una *Antologia della poesia dialettale del Novecento*, pubblicata nel 1952, e un'antologia della poesia popolare italiana, *Canzoniere italiano* (1955).

Incomincia a scrivere sceneggiature di film, collabora con Fellini e viene introdotto nel mondo del cinema. Nel 1959 viene pubblicato *Una vita violenta*, che lo stesso Pasolini deve censurare se vuole che sia pubblicato.

Dopo i tre romanzi, Pasolini scrive quasi solo poesia e si dedica al giornalismo politico, da un lato, e al cinema, dall'altro. Ma sarà sempre soggetto a processi per oscenità e per offesa alla religione a causa della sua volontà di non nascondere la sessualità umana e le perversità degli uomini, prima ancora che della società.

Un aspetto particolare della sua riflessone sulla letteratura è la trasposizione cinematografica di testi letterari: *I racconti di Canterbury*, *Decameron* e *Le mille e una notte* formano la 'trilogia della vita', allegra e scanzonata, mentre *Edipo Re* e *Medea* mostrano lo sforzo di riportare alla sensibilità dell'uomo del XX secolo due grandi classici, duri e violenti, in cui la crudeltà del destino non lascia spazio agli uomini.

Online per te
Online trovi il **Testo 100**, *Gli italiani*, una poesia 'civile'.

EDILINGUA

101 *A morto de fame!*, da *Ragazzi di vita*

Guida alla lettura

Due ragazzi, di cui sappiamo solo i soprannomi, stanno portando su un carretto due poltrone per venderle al mercato delle cose usate di Porta Portese; a turno uno dei due si riposa seduto su una delle poltrone. È agosto, fa caldo, si fermano a bere e trovano degli amici e l'amicizia dà luce anche a quell'inferno di miseria e fatica.

Accattone, primo film di Pasolini, ha un ambiente simile a quello di questo testo.

«A morto de fame vói venì che te offrimo da beve?». [*Morto di fame, vuoi venire che ti offriamo da bere?*] «Daje». [*Va bene.*] Accettò pronto il Riccetto che s'era stato a guardare la scena senza dir niente dall'alto della sua poltrona.

Balzò giù e aiutato dal Caciotta cominciò a spingere il carretto con le poltrone in mezzo al traffico dietro al carretto dei due stracciaroli[1].

Quelli, senza aggiunger altro, scesero giù dall'altra parte del ponte, verso la Tiburtina, a razzo[2], e si fermarono davanti a un'osteria col pergolato, tra due o tré catapecchie[3], sotto un grattacielo. Entrarono tutti quattro e si bevvero il litro di vino bianco, assetati com'erano per aver spinto tutta la mattinata il carretto: Alduccio e il Begalone poi avevano la gola secca e bruciata, per quelle quattro o cinque'ore che avevano passato al sole a capare in una frana d'immondezza[4] sotto un ponticello della ferrovia.

Dopo ch'ebbero ingollato[5] le prime sorsate erano già tutti attoppati[6], «Annàmise a vende 'e poltrone, a Riccè» [*Andiamo a vendere le poltrone, Riccetto*] fece il Caciotta appioppato contro il banco con le gambe in croce, «e mannamo tutto a ffà 'n...» [*e mandiamo tutti al diavolo*]. «E addò l'annamo a venne» [*E dove le andiamo a vendere?*], fece con aria competente[7] il Riccetto.

«Ma li mortacci tua» [*Ma per la miseria*], disse il Begalone, «annate a Porta Portese, no!» [*Andate a Porta Portese, no?*].

Il Riccetto sbadigliò, e poi guardò il Caciotta con gli occhi assonnati: «Namo, a Caciò?» [*Andiamo, Caciotta?*] fece. L'altro scolò il bicchiere di vino tutto d'un fiato, finì d'ubbriacarsi, e uscendo frettoloso dall'osteria, gridò alzando una mano: «Ve saluto, a cosi brutti». [*Vi saluto, brutta gente*] Il Riccetto finì pure lui di bere bagnandosi tutta la maglietta nera e tossendo e seguì il Caciotta. Da lì a Porta Portese non c'erano di sicuro meno di quattro cinque chilometri di strada da fare. Era un sabato mattina, e il sole d'agosto ubbriacava.

1. Due amici che vendono vestiti e cose vecchie. - **2.** Velocissimi. - **3.** Casupole, baracche. - **4.** Cercare se c'è qualcosa di utile in un mucchio di spazzatura, immondizia. - **5.** Bevuto in fretta. - **6.** Un po' ubriachi. - **7.** Esperta.

Analisi

Pasolini è stato anche regista. Anche se quando scrive *Ragazzi di vita* non ha ancora lavorato nel cinema, la sua scrittura è comunque 'cinematografica', visiva. Se questo fosse il copione di un film, dovresti cambiare molto o, così com'è, sarebbe già pronto per essere filmato?

In un contesto degradato come questo, con ragazzi privi di futuro e che finiranno per prostituirsi, sarebbe facile fare denuncia sociale aperta, dare giudizi, commentare. Pasolini lo fa?

Riflessione

Un inferno di caldo e fatica, di miseria, di mancanza di prospettive future. Ma Pasolini indica la via d'uscita per sopravvivere: l'amicizia. Sei d'accordo? O ti pare che esageri? Discutine con i compagni.

Dario Fo

Dario Fo (1926-2016) è una figura complessa: si diploma in pittura all'Accademia di Belle arti e infatti sarà sempre un buon pittore e scenografo; scrive per il teatro, dove ha fatto l'attore e il regista, insieme alla moglie di una vita, **Franca Rame**, anche lei autrice di drammi e attrice; regista e scenografo di opere liriche; autore di canzoni e di testi per la radio e la televisione, è anche autore di poesie, racconti e soprattutto di interventi e saggi politici, che accompagnano una vita di politica attiva, prima nell'estrema sinistra e poi con il Movimento 5 Stelle, che ha sostenuto con il suo prestigio di vincitore del Premio Nobel (1997).

L'erede della commedia dell'arte

La motivazione di un Nobel che stupì il mondo letterario italiano era: "perché, seguendo le orme dei giullari medievali, prende in giro i potenti e dà dignità alle persone oppresse, sfruttate".
La critica italiana lo aveva sempre considerato un grande attore, un 'giullare' come gli attori-cantanti satirici del medioevo, che giravano di città in città; aveva ignorato il suo lavoro di scoperta del teatro rinascimentale in dialetto, che era stato escluso dalla storia della letteratura italiana perché i dialetti (che sono lingue vere e proprie, separate dall'italiano) venivano considerati insignificanti, incapaci di esprimere una cultura alta.
Nel 1968, l'anno in cui iniziano le grandi proteste studentesche, insieme a Franca Rame fonda una compagnia teatrale che guiderà per tutta la vita, il cui scopo è riportare il teatro alle sue origini popolari e sociali. Nel 1969 mette in scena il suo capolavoro, che lui definisce una 'giullarata', *Mistero buffo*: da solo in scena per ore, con la tecnica della Commedia dell'Arte (pag. 78) mette insieme testi antichi, improvvisazioni con riferimenti al mondo contemporaneo, grammelot medievali (erano testi che 'suonavano' come la lingua del posto in cui venivano eseguiti, ma con parole inventate, in cui il significato era affidato alla mimica dell'attore).
Al 1970 scrive *Morte accidentale di un anarchico*, duro attacco alla polizia, cui seguono altre commedie, come *Settimo: ruba un po' meno*; *Ci ragiono e canto*; *Isabella, tre caravelle e un cacciaballe*; *La signora è da buttare*; *Parliamo di donne*, interpretata dalla sola Franca Rame, e molte altre fino ai primi anni Duemila.

Il Nobel

La critica italiana considerava Fo, come abbiamo detto, solo un grande autore satirico, anche se gli veniva riconosciuta una cultura vastissima. Non solo Fo era troppo anticonformista (cosa che gli metteva contro i critici legati alla tradizione) e anticlericale (e ciò gli metteva contro la critica cattolica), ma veniva accusato di non aver prodotto 'testi' affidabili su cui lavorare, visto che ogni sera l'improvvisazione lo allontanava dal testo scritto e pubblicato.

Dario Fo e Franca Rame

Nel mondo invece Dario Fo veniva messo in scena, invitato, premiato con lauree *ad honorem*. Il Nobel a un autore che in Italia era stato espulso dalle televisioni, portato cento volte in tribunale, fu uno shock. D'altra parte, per tutta la sua lunga vita Dario Fo e Franca Rame avevano shockato l'Italia conservatrice e per bene.

EDILINGUA

102 *Bonifacio VIII*, da *Mistero Buffo*

Guida alla lettura

Mistero buffo è una serie di sketch, brevissime scene legate dal filo conduttore del giullare che racconta le fatiche della gente e le prepotenze dei potenti. Uno dei bersagli preferiti di Fo, ateo e anticlericale, è la Chiesa, qui rappresentata da Bonifacio VIII, il Papa che perfino Dante mette all'inferno per la sua sete di ricchezze e la sua vita scandalosa.

Come sempre, nella prima parte il personaggio è Dario Fo stesso, che in italiano introduce la scena; poi diventa un giullare medievale e parla in 'padano' un misto dei dialetti della Pianura Padana. Non traduciamo la parte in 'padano', che neanche gli italiani madrelingua capiscono, se non per il fatto che Bonifacio parla del giorno del giudizio universale, quando verrà un re vestito di carne mortale (Cristo), ma intanto è meglio continuare a vivere, andare avanti, anche se la mitria (il copricapo dei vescovi) gli sembra molto pesante. Cerca la scena su You Tube e vedrai come l'attore Fo rende comprensibile tutto anche a chi non capisce le parole.

Il secondo Novecento

E arriviamo a Bonifacio VIII, il papa del tempo di Dante. Dante lo conosceva bene: lo odiava al punto che lo mise nell'inferno prima ancora che fosse morto. Un altro che lo odiava, ma in maniera un po' diversa, era il frate francescano Jacopone da Todi, pauperista evangelico[1], un estremista, diremmo oggi. Era legato a tutto il movimento dei contadini poveri, soprattutto della sua zona, al punto che, in spregio[2] alle leggi di prevaricazione[3] imposte da Bonifacio VIII, che era una bella razza di rapinatore, aveva gridato in un suo canto: «Ah! Bonifax, che come putta hai traìto la Ecclesia!» Ahi Bonifacio che hai ridotto la Chiesa come una puttana!

Il giullare recita il personaggio di papa Bonifacio VIII. Mima il gesto di pregare e canta

al jorn del judici
parrà qui avrà fet servici
un rey vindrà perpetual
vestit de nostra carn mortal
del cel vindrà tot certament
al jorn...

Si interrompe e si rivolge ad un immaginario chierico dal quale si fa consegnare la mitria[4]. Riprende a cantare

ans quel judici no serà
un gran señal sa monstrarà
(Mima di togliersi la mitria dal capo) oh! Se ol è pesante questo! No, andemo... devo andare a caminare mi...
(Finge di afferrare un altro copricapo) Eh, questo ol è bon... *(Se lo caccia in capo e riprende a cantare)*

1. Frati che, come San Francesco, predicavano il vangelo e la povertà integrali. - **2.** Contrastando, quasi con disprezzo. - **3.** Violenza del forte sul debole. - **4.** Il copricapo dei vescovi.

Riflessione

Il personaggio Fo parla in italiano, traduce perfino il testo medievale di Jacopone da Todi, un frate del Duecento seguace di Francesco d'Assisi. Quindi vuole essere capito da tutti. Il personaggio del Fo-giullare è incomprensibile, nel suo dialetto, ma riesce a comunicare perfettamente.
Secondo te, il Nobel è andato all'autore o all'attore? Conosci altri autori che abbiano una simile identità tra autore-attore-personaggio?

207

La poesia del secondo Novecento

L'Ermetismo (pag. 168) è un movimento della prima metà del Novecento, ma gli ermetici vivono fino agli anni Settanta, ricevendo addirittura il Nobel con Eugenio Montale: quindi la loro presenza continua a dominare la scena, e molti giovani che nei secoli precedenti sarebbero stati poeti diventano 'cantautori', cioè scrivono testi di canzoni (che cantano spesso malissimo). Ci sono tuttavia alcuni grandi poeti, da **Pier Paolo Pasolini** a **Sandro Penna**, **Edoardo Sanguineti**, **Roberto Roversi**, **Dario Bellezza**, **Paolo Volponi**. Abbiamo scelto tre figure rappresentative.

Giorgio Caproni (1912-1990)

Livornese, cresce a Genova e inizia come violinista; mandato in guerra durante il secondo conflitto mondiale, al ritorno entra nella Resistenza e quell'esperienza è centrale nella raccolta *Il passaggio di Enea* (1956), che include anche tutte le poesie degli anni Trenta. Negli anni successivi continua a pubblicare poesie ma anche traduzioni di poeti francesi.

A differenza degli ermetici, Caproni vuole essere compreso e usa due tipi di struttura: da un lato, un verso libero musicale e privo di vincoli metrici, dall'altro un recupero del sonetto non diviso in strofe, come se fosse un unico blocco di pensiero costretto a restare in 14 versi. Il suo tema è l'incapacità di cogliere il senso della vita se non per illuminazioni improvvise, che però la lingua fa fatica a descrivere e raccontare, perché troppo strutturata.

Andrea Zanzotto (1921-2011)

Poeta provinciale per eccellenza, chiuso nel suo Veneto di campagna e colline, è tra i grandi del secondo Novecento. La sua biografia non ha nulla di eccezionale a parte il periodo nella Resistenza: emigrante in Svizzera come insegnante e poi come barista; insegnante nelle scuole del Veneto; autore di piccole raccolte (fondamentale *La beltà*, del 1968) e di molte poesie sparse tra le principali riviste, nei concorsi letterari; affetto da forme ricorrenti di ansia che spesso diventano mesi e mesi di depressione... sembra essere lui il primo a non prendersi sul serio.

Ma il mondo della letteratura italiana lo apprezza, da Montale, Ungaretti e Quasimodo che gli danno il primo dei suoi tanti premi di poesia, a Pasolini che cerca di convincerlo a gettarsi nel grande mondo intellettuale romano, a Fellini che introduce un suo poemetto (*Filò*, 1976) nel film *Casanova*. È un poeta che continua a riflettere, in una lingua in apparenza semplicissima ma assai raffinata, sul senso delle piccole cose della vita quotidiana, più che sui grandi temi dell'esistenza.

Alda Merini (1931-2009)

Milanese, subito apprezzata (un'antologia del 1950 include già sue poesie) dai grandi della scena culturale milanese, nel 1964 viene rinchiusa nell'ospedale psichiatrico, da cui entra ed esce più volte fino agli anni Ottanta. Racconta la sua esperienza (al centro di molte poesie) nella sua unica opera in prosa, *L'altra verità. Diario di una diversa* (1986), che le cuce addosso l'immagine della poetessa pazza.

In realtà la Merini non è *La pazza della porta accanto*, come dice il titolo di una sua raccolta del 1995, ma solo *Un'anima indocile* (1996) che riflette sulla vita con liriche brevissime, aforismi, talvolta illuminazioni mistiche, in una lingua semplice e diretta. E la sua grandezza è attestata non solo dall'attenzione dei grandi della cultura milanese, ma anche dai movimenti cittadini che la sostenevano economicamente nei tanti momenti di estrema povertà.

EDILINGUA

103 *La luna s'apre nei giardini del manicomio* (1984)

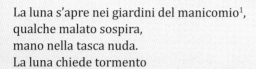

La luna s'apre nei giardini del manicomio[1],
qualche malato sospira,
mano nella tasca nuda.
La luna chiede tormento

e chiede sangue ai reclusi:
ho visto un malato
morire dissanguato[2]
sotto la luna accesa.

1. Ospedale psichiatrico. - **2.** Morire senza una goccia di sangue che si perde da un taglio, da una ferita.

104 *L'altra verità* (1986)

Ai tempi dell'inutile prigione
io amai un compagno
un poveraccio senza santità.
E così da questo amore infelice
sei nata tu

fiore del mio pensiero.
Nessuno in manicomio ha mai dato un bacio
se non al muro che lo opprimeva
e questo vuol dire che la santità
è di tutti, come di tutti è l'amore.

105 *Oro e il ferro corroso* (2002)

Oro era il mio amore per te
e ho avuto l'illusione che tu vedessi
tanti diamanti dentro la mia corona.
Poi, consumata dal gelo,

della tua indifferenza
sono diventata
un ferro corroso[1]
dalla pietra.

1. Arrugginito, deteriorato come se fosse 'mangiato' da un acido, anche se qui è la pietra dei muri, non un acido chimico, che corrode l'anima e l'amore.

Analisi

a. La poesia della Merini ha immagini che esplodono come illuminazioni improvvise, che non hanno un significato razionale ma nascono solo per una spontanea associazione di idee mai realizzata prima. Individua alcune di queste immagini e confronta la tua scelta con quella dei compagni.

b. La poesia della Merini è dissacrante, cioè non vuole rendere sacra alcuna cosa, alcuna azione, alcun pensiero. La vita è quella che è, la vita in sé forse è sacra, ma ad Alda Merini non interessa.

c. Il verso è libero... ma l'orecchio alla tradizione della poesia italiana emerge anche se non si vuole: quante sillabe anno questi versi?:
   - ai tempi dell'inutile prigione   ....
   - un poveraccio senza santità   ....
   - e così da questo amore infelice   ....
   - oro era il mio amore per te   ....
   Si tratta di versi endecasillabi, cioè versi con l'accento sulla decima sillaba.

Riflessione

Dopo gli intellettualismi dell'ermetismo e l'impegno politico dei poeti degli anni Settanta-Ottanta, ti pare strano che queste poesie abbiano conquistato tutti, con la loro capacità di entrare dentro il cuore delle emozioni più forti della vita? Eppure, in apparenza, Alda Merini era solo una poveraccia, una matta, ubriacona, immorale...

Il cinema del secondo Novecento

Nel secondo Novecento il cinema diventa la principale forma di narrativa, sostituendo progressivamente il romanzo e il racconto.

I romanzi possono essere tradotti, i film possono essere doppiati, cioè avere la traduzione dei dialoghi recitata da attori della lingua d'arrivo, o sottotitolati, ma la traduzione culturale è impossibile o quasi, per cui il cinema italiano è assolutamente *italiano* – e come tale spesso è premiato nel mondo, come con l'Oscar a *La grande bellezza* (2013) di **Sorrentino**, dove gli stranieri hanno ritrovato la *loro* immagine dell'Italia. Anche i capolavori di **Sergio Leone**, che usa l'inglese nei suoi film, dalla serie di "spaghetti western" degli anni Sessanta al suo capolavoro, *C'era una volta in America*, sono film assolutamente italiani, con un ritmo e una costruzione che nel cinema americano sono impensabili.

La stagione neorealista

Durante la guerra e nei quindici anni successivi il neorealismo non c'è solo nella letteratura scritta ma anche nel cinema, gli scrittori e i registi spesso lavorano insieme o addirittura si scambiano i ruoli. Sono neorealisti i primi film di **Luchino Visconti** (*Ossessione*, 1943, *La terra trema*, 1948, ispirato a *I Malavoglia* di Verga, *Rocco e i suoi fratelli*, 1960), di **Federico Fellini** (*I vitelloni*, 1953, in cui viene lanciato uno dei grandi attori italiani, Alberto Sordi, *La strada*, 1954, *Le notti di Cabiria*, 1957), di **Roberto Rossellini** (*Roma città aperta*, 1945, *Paisà*, 1946), di **Vittorio De Sica** (*Suscià*, 1946, *Ladri di biciclette*, 1948, *Miracolo a Milano*, 1951) e del giovanissimo **Pier Paolo Pasolini** (*Accattone*, 1961, *Mamma Roma*, 1962).

Sono film quasi sempre in bianco e nero, in cui si raccontano le storie degli ultimi momenti della guerra, della povera gente – dai contadini di *Ossessione* ai sottoproletari di *Accattone* – della profonda provincia italiana, delle metropoli che stanno esplodendo.

La via della sperimentazione

Verso gli anni Sessanta il cinema prende due strade opposte: la più prestigiosa è quella sperimentale, che presenta un gruppo molto vasto di registi di grande livello, che tuttavia sono oscurati da quattro figure chiave della storia del cinema.

Federico Fellini, dopo l'inizio neorealista e il famoso *La dolce vita* (1960), comincia a lavorare a un cinema basato sul sogno, sul totale disinteresse per la realtà della storia narrata, preferendo portare sulla scena gli incubi e le visioni astratte dei suoi personaggi (spesso interpretati da Marcello Mastroianni) in film come *8 ½* (1963), *Roma* (1972), il suo capolavoro *Amarcord* (1973), *La voce della luna*, 1990.

Pier Paolo Pasolini fa film che sono teoremi, spesso riscritture di miti classici, come *Edipo Re*, 1967, *Medea*, 1969, o di grandi cicli narrativi medievali, l'età in cui gli uomini, secondo Pasolini, non erano ancora stati rovinati dalla logica borghese e la vita era naturale, libera, pur nelle miserie di quei secoli. Con il passare degli anni, e prima della morte violenta nel 1975, la sua sperimentazione e le sue provocazioni diventano sempre più forti, culminando nel terribile *Salò o le 120 giornate di Sodoma*, 1975.

Un altro grande degli anni Sessanta-Settanta è **Michelangelo Antonioni**, il cantore del tema dell'incomunicabilità (*La notte*, 1961, *L'eclisse*, 1962) e della falsità del tutto, perfino della fotografia (*Blow up*, 1966), per cui l'unica soluzione è la gigantesca esplosione che chiude *Zabriskie Point*, 1970.

L'altro grande di questa stagione, **Luchino Visconti**, interessato anche alla regia teatrale, diventa con gli anni un perfetto e maniacale ricreatore di atmosfere ottocentesche o del primo Novecento in film come *Morte a Venezia* (1971) o *Il Gattopardo* (1963).

La commedia all'italiana

L'altro grande filone del cinema italiano è dato da quello comico e amaro insieme, impegnato nella

EDILINGUA

denuncia dei mali dell'Italia del boom economico, dell'emigrazione interna, della macchina per tutti: *Il sorpasso* (1962) di **Dino Risi**, tutti i film di **Alberto Sordi** – che porta sullo schermo un personaggio tipico dell'Italia di quei tempi: il poveraccio che cerca di emergere non con l'intelligenza ma con la disperata furbizia – e di registi come **Luciano Salce**, **Elio Petri**, **Mario Monicelli**, **Carlo Verdone** e altri. Sono film spesso di tenue valore cinematografico, fatti da dilettanti di grande talento, ma che non reggono il confronto con il ritmo dei film americani, né hanno la poesia e la forza di quelli sperimentali.

Il cinema di fine secolo

Anche se premiati con riconoscimenti internazionali, i film di **Nanni Moretti** (*Ecce Bombo*, 1978, *Bianca*, 1984, *Caro Diario*, 1993), di **Giuseppe Tornatore** (*Nuovo cinema Paradiso*, 1988, *La leggenda del pianista sull'oceano*, 1998*)*, di **Gabriele Salvatores** (*Mediterraneo*, 1991*)*, di **Roberto Benigni** (*La vita è bella*, 1997), di **Gianni Amelio** (*Il ladro di bambini*, 1992) e di tanti altri tra i registi emersi negli ultimi anni del secolo soffrono il peccato originale di tutto il cinema italiano: quello di essere fatti da registi che si sentono *artisti* (quindi che devono esprimere un pensiero esistenziale, sulla natura della vita umana, oppure politico-sociale) prima che *registi* che devono fare un film.

I film italiani vincitori dell'Oscar come miglior film

Il regista italiano più premiato è stato Fellini, assolutamente il più lontano dal gusto del cinema americano; ma anche gli altri film italiani sono stati premiati proprio per la loro italianità, per il fatto di essere totalmente diversi dal cinema commerciale.

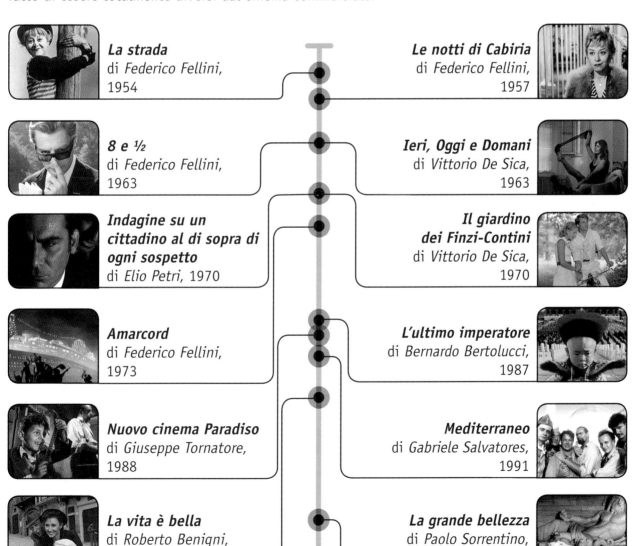

La strada
di *Federico Fellini*, 1954

Le notti di Cabiria
di *Federico Fellini*, 1957

8 e ½
di *Federico Fellini*, 1963

Ieri, Oggi e Domani
di *Vittorio De Sica*, 1963

Indagine su un cittadino al di sopra di ogni sospetto
di *Elio Petri*, 1970

Il giardino dei Finzi-Contini
di *Vittorio De Sica*, 1970

Amarcord
di *Federico Fellini*, 1973

L'ultimo imperatore
di *Bernardo Bertolucci*, 1987

Nuovo cinema Paradiso
di *Giuseppe Tornatore*, 1988

Mediterraneo
di *Gabriele Salvatores*, 1991

La vita è bella
di *Roberto Benigni*, 1997

La grande bellezza
di *Paolo Sorrentino*, 2013

La canzone d'autore

Con "canzone d'autore" si intende quella corrente della musica "leggera" italiana che ha conosciuto un enorme successo (anche commerciale) dalla fine degli anni Cinquanta in poi. Tranne alcuni cantanti che non scrivono le loro canzoni (da Mina, la più grande, ad Andrea Bocelli), il grande pubblico ama i cantautori che, di solito, scrivono i testi e talvolta la musica delle loro canzoni – con l'eccezione di Lucio Battisti, punto di riferimento tra gli anni Settanta e Ottanta, il cui 'paroliere' era Mogol, artista dalla lingua ricca e dalle immagini imprevedibili.

Mina, cantante e non autrice, è la colonna sonora del secondo Novecento. Ha cantato le canzoni di tutti i grandi cantautori.

Caratteristiche principali delle canzoni d'autore sono:
- la qualità stilistica del testo, che diventa il vero punto di forza della canzone;
- un utilizzo, spesso minimalista, della musica per mettere in rilievo le sensazioni e le emozioni trasmesse dal testo;
- l'affidamento dell'interpretazione canora a un "cantautore", vale a dire all'autore dei testi e/o delle musiche, che spesso ha una voce modesta e talvolta canta 'male', ma che interpreta, canta il suo testo con piena partecipazione emotiva, coinvolgendo l'ascoltatore.

Il merito della canzone d'autore è stato sicuramente quello di contrastare e correggere la tradizione della canzone italiana tutta fondata su luoghi comuni (la nostalgia di una persona o di un paese lontano); su figure convenzionali (la mamma amatissima, l'amante crudele); su modi di cantare sdolcinati (la voce singhiozzante, il lungo acuto finale); su una gestualità dei cantanti quasi sempre stereotipata (gli occhi rivolti al cielo, la mano sul cuore).

La prima "ribellione"

La prima frattura ufficiale con i modi e i contenuti tradizionali della canzone italiana ha luogo nel 1958, quando il cantautore **Domenico Modugno** vince il Festival di San Remo con la famosissima canzone *Nel blu, dipinto di blu*, comunemente nota in tutto il mondo con il titolo di *Volare*.

Questa canzone ha uno strepitoso successo, dovuto a un testo insolito e suggestivo, a una invenzione musicale del tutto nuova rispetto ai cliché melodici allora dominanti, a una interpretazione lontanissima dalla tradizione del canto "all'italiana". Oltre a consacrare la fama di Modugno, *Volare* mostrò chiaramente che il gusto era cambiato.

Gli anni Sessanta

Durante gli anni Sessanta si fa sempre più massiccia la presenza dei cantautori i quali, proseguendo sulla via aperta da Modugno, propongono al pubblico canzoni che parlano di una realtà piena di contraddizioni, ma anche di situazioni fantasiose e spesso surreali.

Con il cambiamento dei contenuti abbiamo anche, necessariamente, un mutamento della forma: i testi presentano un mix di registri linguistici che vanno da quello alto, a quello quotidiano e perfino a quello volgare.

Tra i principali artefici di questo rinnovamento della canzone italiana, che contribuiscono non solo ad affinare il gusto musicale degli ascoltatori, ma anche ad allargare il loro orizzonte culturale, possiamo citare innanzitutto gli appartenenti alla cosiddetta "scuola di Genova": **Luigi Tenco**, **Gino Paoli**, **Umberto Bindi**, **Bruno Lauzi**, **Fabrizio De André** i quali si ispirano largamente agli *chansonnier* francesi Brassens, Trenet e Ferré.

Tale modello comune, però, non impedisce ai componenti di questa "scuola" di esprimersi ciascuno con la propria originalità sia sul piano strettamente musicale sia su quello testuale. Particolarmente significative le canzoni di Luigi Tenco, colme di nostalgie e di rimpianti, e quelle di Fabrizio De André (certamente l'artista più rappresentativo della canzone d'autore) che condannano la guer-

Giorgio Gaber e Enzo Jannacci

ra, denunciano l'ipocrisia borghese, mettono in scena vicende passionali in cui il tema amoroso si intreccia strettamente con quello sociale.

Accanto ai "genovesi" vanno anche ricordati i "milanesi" **Giorgio Gaber** e **Enzo Jannacci** che, nelle loro canzoni ricorrono spesso all'ironia, al paradosso e a uno stile recitativo che li fa più artisti di cabaret che cantanti. Notevole il loro impegno civile che li vede battersi per i diritti umani accanto al premio Nobel Dario Fo e al celebre regista teatrale Giorgio Strehler.

Gli anni Settanta

Tra la fine degli anni Sessanta e l'inizio degli anni Settanta, nel clima di contestazione generale presente soprattutto nel mondo giovanile, la canzone d'autore assume, in modo ancora più evidente, i toni della protesta civile e politica. Così, alle denunce della società consumistica nei testi di Fabrizio De André, Giorgio Gaber e Enzo Jannacci, si associano quelle di **Francesco Guccini**, un cantautore emiliano dalla decisa vena popolare.

Francesco Guccini

In quegli stessi anni appare sulla scena un giovane musicista-interprete, **Lucio Battisti** che, abbandonati i temi dell'impegno civile, torna a temi più consueti ispirati quasi tutti alla passione amorosa: una passione che egli canta ora con profondo pudore (come se applicasse a musica e parole una specie di sordina), ora con toni impetuosi.

Interprete sensibilissimo e arrangiatore straordinario, Battisti domina il decennio assieme a **Roberto Vecchioni**, **Francesco De Gregori**, **Lucio Dalla**, **Claudio Baglioni**, **Antonello Venditti**, **Riccardo Cocciante** e a quelli che sono ritenuti i "pionieri" del rock italiano: **Ivano Fossati**, **Franco Battiato**, **Edoardo Bennato**, **Ivan Graziani**.

Angelo Branduardi

Gli anni Ottanta e Novanta

Negli anni Ottanta e Novanta si affermano definitivamente cantautori come **Paolo Conte** che associa testi di sottile ironia a musiche derivanti dal jazz e da ritmi sudamericani; **Ivano Fossati** che abbandona la strada del rock dedicandosi a composizioni di grande raffinatezza e **Angelo Branduardi** che spesso rielabora musiche e testi antichi.

Accanto a questi artisti, vanno ricordati **Pino Daniele**, che unisce nelle sue canzoni la passione per il blues con il grande amore per il dialetto napoletano, i nuovi rocker **Vasco Rossi** e **Luciano Ligabue** oppure **Eros Ramazzotti** che, con il suo stile semplice ed immediato, ha ottenuto un grande successo di pubblico sia in Italia che all'estero.

A questi cantautori che conoscono anche ai nostri giorni un grande successo, si sono aggiunti alcuni autori, ancora giovani in questi anni e poi dominatori nel nuovo secolo, dotati di grandi qualità interpretative e di eccellente tecnica compositiva. Vanno citati **Vinicio Capossela** che, prendendo ispirazione dalla musica jazz e da quella balcanica, rappresenta sicuramente l'esempio più "alto" di questa ultima generazione di cantautori, e **Daniele Silvestri** che, con raffinata ironia, fa di molte sue composizioni un'arma di accusa sociale e politica e crea testi in cui si affiancano spesso più lingue.

213

106 Fabrizio De André, *Via del Campo*

Guida alla lettura

Via del Campo è una strada lunga che incrocia i 'carrugi', i vicoli genovesi, dove si trovano le prostitute. Quindi è un posto 'brutto', malfamato. In questo contesto, la provocazione di De André è totale: il posto si trasforma da squallido in puro, la puttana diventa un diamante pulito, come la *Traviata* di Verdi. L'occhio del poeta che guarda gli umili trasforma tutto. Il bene e la bellezza non stanno nelle cose, ma negli occhi di chi le guarda, sembra dire De André riprendendo Kierkegaard.

Via del Campo c'è una graziosa[1]
gli occhi grandi color di foglia
tutta notte sta sulla soglia[2]
vende a tutti la stessa rosa

Via del Campo c'è una bambina
con le labbra color rugiada[3],
gli occhi grigi come la strada
nascon fiori dove cammina

Via del Campo c'è una puttana
gli occhi grandi color di foglia
se di amarla ti vien la voglia
basta prenderla per la mano

E ti sembra di andar lontano
lei ti guarda con un sorriso,
non credevi che il paradiso
fosse solo lì al primo piano

Via del Campo ci va un illuso
a pregarla di maritare[4]
a vederla salir le scale
fino a quando il balcone è chiuso

Ama e ridi se amor risponde
piangi forte se non ti sente
Dai diamanti non nasce niente
dal letame[5] nascono i fior

1. Ragazza bella e aggraziata, delicata. - 2. Porta della casa. - 3. Gocce d'acqua su fiori e piante al mattino. - 4. Sposarla. - 5. Concime, fertilizzante costituito dagli escrementi, dalla merda delle mucche che sono nella stalla.

Analisi

I colori richiamati da De André sono simbolici:
- il color di foglia non è solo il ...., ma dà il senso della freschezza della natura;
- il .... è quello della strada, ma richiama la professione della ragazza;
- le labbra color .... non si riferiscono a un colore ma al fatto che la rugiada risplende al sole.

Riflessione

a. La grande rivoluzione giovanile è del 1968, questa canzone è del 1967: De André precede la 'moda', i movimenti di massa. Questa considerazione ti aiuta a capire la sua provocazione: per aver scritto *Via del Campo c'è una puttana,* oppure *non credevi che il paradiso fosse solo lì al primo piano,* legando il massimo della volgarità al massimo degli ideali cristiani. Per anni questa canzone non poté essere trasmessa per radio, che allora era il solo modo di far conoscere le canzoni e spingere a comprare i dischi! Avevi pensato al contesto in cui è nata questa canzone? Eppure, se non pensi al contesto, non puoi comprendere la rivoluzione di De André!

b. Abbiamo detto che è una canzone di rivolta, provocatoria. Osserva la sua forma: ci può essere qualcosa di più classico e tradizionale? Questa opposizione tra forma e violenza rivoluzionaria è il grande insegnamento di De André: non serve rompere le forme consacrate da secoli per essere rivoluzionari, bisogna avere *idee* rivoluzionarie.

Online per te
Online trovi il **Testo 107**, *La guerra di Piero*, di Fabrizio De André.

EDILINGUA

108 Vasco Rossi, *Sally*

Guida alla lettura

Questa canzone del 1996 descrive una donna di cui non sappiamo niente all'inizio e neppure alla fine: è un'opera 'aperta', in cui tu, lettore, devi cercare di capire che cosa è successo, perché all'inizio cammina *senza nemmeno guardare per terra* e alla fine *cammina leggera...*

Sally cammina per la strada senza nemmeno
guardare per terra;
Sally è una donna che non ha più voglia
di fare la guerra;
Sally ha patito troppo,
Sally ha già visto che cosa
ti può crollare addosso!
Sally è già stata punita
per ogni sua distrazione o debolezza,
per ogni candida carezza
data per non sentire l'amarezza!

Senti che fuori piove
senti che bel rumore...
Sally cammina per la strada sicura
senza pensare a niente!
Ormai guarda la gente
con aria indifferente,
sono lontani quei momenti
quando uno sguardo provocava turbamenti,
quando la vita era più facile,
e si potevano mangiare anche le fragole...
Perché la vita è un brivido che vola via,
è tutt'un equilibrio sopra la follia,
sopra la follia!

Senti che fuori piove
senti che bel rumore...

Ma forse, Sally, è proprio questo il senso...
il senso del tuo vagare,
forse davvero ci si deve sentire,
alla fine, un po' male!
Forse alla fine di questa triste storia
qualcuno troverà il coraggio
per affrontare i sensi di colpa
e cancellarli da questo viaggio,
per vivere davvero ogni momento,
con ogni suo turbamento,
e come se fosse l'ultimo!

Sally cammina per la strada, leggera;
ormai è sera,
si accendono le luci dei lampioni,
tutta la gente corre a casa
davanti alle televisioni,
ed un pensiero le passa per la testa
"forse la vita non è stata tutta persa",
forse qualcosa s'è salvato,
forse davvero non è stato poi tutto sbagliato,
forse era giusto così!?
eh eh eh eh!... forse, ma... forse, ma sì...

Cosa vuoi che ti dica io...
senti che bel rumore...

Analisi

Una canzone non ha solo bisogno della musica di accompagnamento, ma anche di una sua musicalità interna: le rime sono ⬡ *meno* ⬡ *più* di quanto tu immaginassi? Osserva le allitterazioni, ad esempio nella prima strofa: *per ogni sua* .... *o* .... / *per ogni* ....

I grandi testi dicono anche quello che... non dicono; leggi i primi versi, dove vedi che Sally cammina sotto la pioggia: ha l'ombrello, secondo te? Ovviamente no: ma non è scritto!

Riflessione

A settant'anni Vasco Rossi fa concerti con 100.000 persone. Secondo te, riflessioni come *la vita è un brivido che vola via, / è tutt'un equilibrio sopra la follia* possono spiegare perché gli adolescenti del 2020 vanno ad ascoltare questo cantautore del XX secolo?

Online per te
Online trovi il **Testo 109**, *Viva l'Italia!*, di **Francesco De Gregori**.

L'arte del secondo Novecento

Dopo la repressione artistica del periodo fascista l'arte italiana prende due strade:
- da un lato, quasi a voler riproporre in Italia la logica del realismo socialista, fondendola con il Neorealismo cinematografico, alcuni pittori (il più celebre è **Renato Guttuso**) dipingono la vita quotidiana ed alcuni suoi momenti "eroici";
- dall'altro, arriva in Italia l'ondata di arte astratta dal resto del mondo.

Le esperienze degli anni Cinquanta e Sessanta sono spesso originali, come nel caso dello spazialismo, in altre sono più vicine all'arte

Renato Guttuso, *La stalla*, 1951

Giuseppe Capogrossi, *Sole di mezzanotte*, 1952

Osvaldo Licini, *Angeli primo amore*, 1955

americana, dalle tecniche di *dripping* lanciate da Pollock all'arte povera di Rauschenberg.

I nomi principali sono quelli di **Lucio Fontana**, autore dei tagli sulla tela; **Emilio Vedova**, che fa enormi quadri che mescolano dripping e grandi pennellate; **Giuseppe Capogrossi**, che riempie la tela di una specie di segni magici, geroglifici; **Osvaldo Licini**, che mescola colori,

216

Emilio Vedova, *Tensione N4V*, 1959

cemento, metallo; **Alberto Burri**, che brucia teli di plastica neri appoggiati sulla tela; il video artista **Fabrizio Plessi** – ma molti altri meriterebbero una citazione.

Il luogo principale per l'esposizione di arte italiana contemporanea è la Biennale di Venezia, che con l'esposizione mondiale d'arte porta a Venezia centinaia di migliaia di visitatori e che si interessa anche di espressioni modernissime di teatro, danza, architettura – oltre che di cinema con il famoso festival veneziano di settembre, forse quello che più di tutti i festival internazionali si interessa del cinema di qualità.

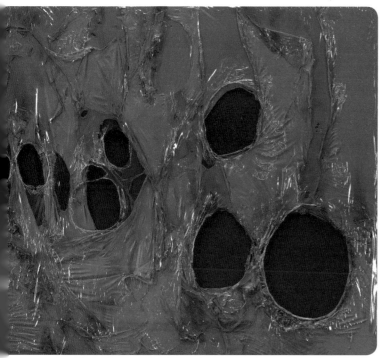
Alberto Burri, *Rosso Plastica*,1963

Lucio Fontana, *Concetto Spaziale - Attese*, 1961

La Biennale di Venezia

Il principale centro di sperimentazione artistica in Italia è La Biennale di Venezia. Nata nel 1895 per fare un'esposizione di pittura ogni due anni (da qui il nome 'biennale'), ormai è diventata una realtà sempre attiva. C'è la Biennale d'Arte tutti gli anni pari e c'è la Biennale Architettura negli anni dispari. Ogni anno ci sono la Biennale Teatro, quella di musica, di danza e – la più famosa – la Mostra di Arte Cinematografica, in cui la parola *arte* significa che l'aspetto commerciale, che è dominante in molti altri festival di cinema, qui è ignorato. Il film considerato migliore dal punto di vista artistico vince il Leone d'Oro, che vedi qui accanto.

Il fumetto come narrazione grafica

Negli ultimi anni del Novecento si è imposto un nuovo genere, che in inglese viene chiamato *graphic novel*: racconti in cui oltre alla lingua, con i dialoghi nei fumetti e qualche breve descrizione, ci sono le vignette, i disegni che presentano i personaggi e le storie. Tra i più famosi autori, che in alcuni casi scrivono racconti a fumetti, in altri vere e proprie sperimentazioni narrative e grafiche, troviamo:

a. **Gianluigi Bonelli**, autore di *Tex*, un ranger del far west, e **Tiziano Sclavi**, il creatore di *Dylan Dog*, un investigatore privato sempre immerso in situazioni da incubo; **Angela** e **Luciana Giussani**, autrici degli oltre 800 volumetti di *Diabolik*, una specie di 007. Le loro storie vogliono far divertire, ma non hanno uno scopo letterario, anche se sono servite a insegnare a milioni di italiani come leggere fumetti che non fossero solo quelli di Walt Disney;

b. **Hugo Pratt**, invece, ha creato un personaggio indimenticabile, *Corto Maltese*, a metà tra Conrad e Rimbaud, sempre insoddisfatto, che gira il mondo non tanto in cerca di avventure quanto di un senso da dare alla sua vita: qui l'integrazione tra disegno e testo è di alto livello;

c. **Milo Manara**, probabilmente il più abile come disegnatore, che descrive i vizi nascosti della borghesia, delle persone 'per bene', che con le loro azioni e richieste 'sporcano' la sensualità accesa ma pura delle bellissime donne disegnate da Manara.

EDILINGUA

Il padiglione dell'Italia all'Expo mondiale a Milano nel 2015. L'Expo ha voluto mostrare l'apertura dell'Italia al mondo e all'internazionalizzazione.

Tra Novecento e Duemila

Tra un secolo e l'altro

Molti degli scrittori che abbiamo visto nelle ultime pagine dedicate al XX secolo hanno, ovviamente, continuato la loro produzione nei primi decenni del Duemila, anche se in queste pagine non avremo lo spazio per riparlare di loro: **Dario Fo** e **Franca Rame** hanno continuato per anni la loro azione drammaturgica e politica insieme, con una scelta che per la cultura italiana è stata significativa, il passaggio dall'estrema sinistra a un Movimento politico che tenta di costruire una democrazia diretta basata sul web. Anche **Dacia Maraini**, **Alda Merini** e **Andrea Zanzotto** sono stati attivi nei primi anni del Duemila.

D'altra parte, molti degli scrittori che vedremo in queste pagine erano già attivi alla fine del Novecento, primo fra tutti **Andrea Camilleri**, che ha iniziato la sua esperienza come scrittore quando le persone comuni vanno in pensione.

Separare quindi il Novecento dal Duemila ha senso sul piano dell'organizzazione di questa storia della letteratura, ma ricordando sempre che questi confini, come quelli tra i secoli nei capitoli precedenti, servono solo a rendere più facile orientarsi nel grande flusso della letteratura italiana, ricordando tuttavia che si tratta di un *flusso*, cioè di un movimento continuo come quello dell'acqua in un fiume.

Tuttavia, sappiamo che il grande flusso della storia, letteraria e non solo, non procede per salti, se non in presenza di elementi nuovi. E forse in questo passaggio di secolo un elemento nuovo c'è: l'arrivo di internet, dei social network, l'integrazione di cinema e libro, per cui lo scrittore è anche regista e viceversa, conduce programmi televisivi, scrive sceneggiature che poi diventano romanzi e viceversa.

Silvio Berlusconi e Romano Prodi sono stati i due simboli della seconda Repubblica, basata sulla contrapposizione molto forte tra centrodestra e centrosinistra, durata dal 1994 al 2018.

Un capitolo diverso

Questo capitolo è diverso dagli altri che hai studiato.

Infatti, non c'è la solita linea del tempo che trovavi negli altri secoli: quello che è successo lo conosci personalmente, o perché lo hai vissuto o perché ne hai lungamente sentito parlare in casa, in televisione, sui giornali. I quattro fatti principali di questo primo ventennio sono:

- la grande crisi economica iniziata in America nel 2008 e arrivata in Italia nel 2011, con un governo di unità nazionale presieduto da un tecnico, Mario Monti; la crisi è durata dieci anni ed ha ridotto il lavoro degli italiani e la loro qualità della vita;

- Expo 2015, l'esposizione mondiale tenuta a Milano, che ha riproposto questa città come una delle capitali europee e, soprattutto, è stata il simbolo del ritorno dell'Italia tra i principali paesi del mondo (ricorda che è la terza economia dell'Unione Europea, l'ottava del mondo);

- il tentativo del governo Renzi di modificare la struttura dello Stato e il sistema elettorale viene

EDILINGUA

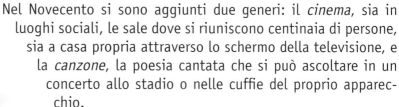

bloccato da un referendum, che di fatto blocca il processo di modernizzazione: tutto si blocca per alcuni anni, fino al 2018;

- le elezioni del 2018 segnano la fine della Seconda Repubblica, cioè il modello basato su due grandi gruppi contrapposti, centrodestra e centrosinistra, modello che aveva caratterizzato l'Italia dal 1994; nel 2018 l'Italia diventata tripolare, con il Movimento 5 Stelle che diventa la prima forza politica del Paese.

Daremo uno 'sguardo'

Nei capitoli precedenti avevi all'inizio un quadro generale dei vari movimenti, poi c'erano delle pagine sui grandi autori seguite da uno o due dei loro testi, per farti vedere che temi trattavano, con quale lingua, quale era il gusto di un certo periodo.

In questo capitolo non possiamo fare la stessa cosa: gli autori attivi sono molti, non sappiamo quali di loro verranno dimenticati e quali entreranno nella storia della letteratura che sarà scritta tra un secolo, quindi daremo uno sguardo, una rapida occhiata ai principali scrittori di questi anni, in modo che, se ti interessano, tu possa cercare le loro opere online o in libreria, su carta o su schermo. Solo di un autore presenteremo un testo, proprio perché la sua più grande invenzione è la lingua italo-siciliana che molti hanno definito 'camillerese', dal nome di Andrea Camilleri, l'autore italiano più venduto in Italia e più tradotto nel mondo degli ultimi trent'anni.

Abbiamo diviso la mappa, per pura comodità, tra scrittori e scrittrici. Siamo convinti che esistano libri belli e libri brutti, indipendentemente dal genere di chi lo scrive. Ma è un dato di fatto che per secoli la letteratura è stata quasi del tutto maschile e quindi mettere in risalto la presenza di scrittrici, che portano nelle loro opere una sensibilità e una visione del mondo diversa da quella dei loro colleghi maschi, serve a far notare come lentamente si sta superando il *gender gap* anche in questo campo.

Abbiamo poi dedicato una sezione ai 'giallisti', cioè gli autori di libri polizieschi o *noir*: non solo i 'gialli' sono i libri più letti in Italia, ma la letteratura *noir* è di fatto la continuazione della grande tradizione realista dell'Ottocento.

I nuovi media e la letteratura

Fino all'inizio del Novecento la letteratura aveva tre canali: la carta, che era il più diffuso, il teatro parlato e quello cantato.

Nel Novecento si sono aggiunti due generi: il *cinema*, sia in luoghi sociali, le sale dove si riuniscono centinaia di persone, sia a casa propria attraverso lo schermo della televisione, e la *canzone*, la poesia cantata che si può ascoltare in un concerto allo stadio o nelle cuffie del proprio apparecchio.

Il Duemila porta internet nei telefoni cellulari, i libri nei lettori elettronici che riproducono le pagine, gli ebook, le canzoni e i film da scaricare o da guardare in streaming. Questo ha cambiato tutto: i cinema e le librerie di quartiere, luoghi sociali di spettatori e lettori, vanno in crisi e chiudono mano a mano che la lettura, la visione, l'ascolto diventano esperienze private.

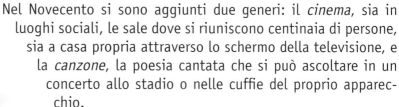

Tra Novecento e Duemila

221

Uno sguardo agli scrittori

Ci sono ovviamente molti più scrittori attivi dei cinque che presentiamo in questo 'sguardo': ma questi ci sembrano in questo momento i più significativi sia per quanto riguarda le loro opere, sia come tipologia di scrittore multitasking, dal giornalista al magistrato, dal promotore culturale all'accademico.

Roberto Saviano
Napoletano, nato nel 1979, giornalista che scrive 'romanzi' con la logica del reportage, dell'inchiesta giornalistica.
Il successo arriva quando ha solo 27 anni, con *Gomorra* (2006), una descrizione della camorra, la mafia napoletana, che ha trasformato quelle terre in Gomorra, la città biblica del peccato, distrutta con il fuoco. La camorra lo ha condannato a morte e da allora, per anni, Saviano è vissuto protetto dalla polizia, con identità false, restando lunghi periodi a New York, insegnando in varie università americane e ricevendo varie lauree *honoris causa*: sono modi del mondo accademico per dimostrare a Saviano la sua solidarietà. Anche decine di Premi Nobel hanno firmato un appello di solidarietà a Saviano.
Gomorra, che in Italia ha superaro i 3 milioni di copie ed è tradotto in più di 50 lingue, ha ispirato anche una serie televisiva prodotta dal circuito Sky e diffusa in tutto il mondo. I dialoghi sono in napoletano molto stretto, quindi difficilmente comprensibili anche per gli italiani. Ma l'uso della lingua del popolo è una caratteristica della letteratura verista e poi neorealista, alla cui tradizione Saviano appartiene, con una vicinanza particolare ai romanzi di denuncia della napoletana Matilde Serao (pag. 126).
Nel 2013 Saviano ha pubblicato *Zero Zero Zero*, poi *La paranza dei bambini* (2016) e *Bacio feroce* (2017). In questi romanzi Saviano prosegue la sua denuncia, ma senza raggiungere la forza di Gomorra.

Alessandro Baricco
Baricco è nato a Torino nel 1958 ed ha iniziato come critico musicale, sia su molti giornali e in un programma di divulgazione dell'opera lirica in televisione, ma anche con il libro *L'anima di Hegel e le mucche del Wisconsin* (1992) che, malgrado il titolo, tratta del senso della musica nell'ultimo secolo. L'anno dopo fonda la più importante scuola di scrittura creativa in Italia, la scuola Holden.
Il suo primo romanzo è *Castelli di rabbia* (1991), al quale ne seguono molti altri: i più significativi sono *Oceano Mare (1993), Tre volte all'alba* (2012), *La sposa giovane* (2015). Nel 2004 ha pubblicato un'interpretazione moderna dell'*Iliade*.
Baricco ha scritto anche opere teatrali, tra cui *Novecento. Un monologo* (1998), che è diventato un grande film di Tornatore (*La leggenda del pianista sull'oceano*).
La critica ufficiale non ama Baricco, che è stato attaccato come 'scrittore-intrattenitore', interessato a divertire il lettore di media cultura con la sua scrittura perfetta, spiritosa, con frasi ad effetto. È visto come un grandissimo divulgatore quando spiega al grande pubblico l'*Iliade* o le opere liriche, ma privo di spessore personale, di riflessione sulla vita e sul mondo. Un grande professionista della scrittura, in altre parole, e non un grande scrittore. Forse il giudizio della critica è troppo severo, perché parte dall'idea che un letterato debba essere un filosofo o un sociologo che esprime il suo pensiero attraverso storie. Ma se consideriamo lo scrittore come colui che scrive storie e mostra un mondo, senza commenti filosofici e sociologici espliciti, allora Baricco merita di essere citato tra gli scrittori a cavallo tra i due secoli.

EDILINGUA

Paolo Maurensig

Nato a Gorizia nel 1943, lontano dalla letteratura fino ai 50 anni, nel 1993 scrive un romanzo che parte da una mossa del gioco degli scacchi, *La variante di Lüneburg*, che malgrado la difficoltà della trama (una partita a scacchi tra personaggi con un passato misterioso) ha un grande successo, confermato tre anni dopo da *Canone inverso*, altro romanzo dalla trama difficile, centrato sul mondo della musica, diventato anche un film. Dopo gli scacchi e la musica, e dopo vari romanzi a cadenza annuale, nel 2009 affronta il mondo dell'arte in *La tempesta. Il mistero di Giorgione*.

La struttura delle trame di Maurensig è tradizionale, ma spesso ama il colpo di scena finale che spiega molte cose delle pagine precedenti. La sua lingua è pulita e tradizionale, perché il suo interesse, a differenza di molti altri scrittori di questi decenni, non è tanto sulla forma del romanzo o della lingua, quanto nell'indagine della psicologia dei suoi personaggi, spesso segnati da problemi inconfessati.

Niccolò Ammaniti

Nato a Roma nel 1966, ha iniziato come biologo ma presto è passato alla letteratura pubblicando *Branchie* (1997) che parte proprio da temi biologici (un malato di tumore) e poi diventa fantastico e quasi surreale. Sono anni in cui nasce un gruppo di giovani scrittori 'cannibali', duri, di cui Ammaniti è uno dei principali esponenti. Dopo alcuni romanzi, arriva il successo letterario con *Io non ho paura* (2001). Ammaniti scrive per il cinema e per la televisione: ha curato per Sky una serie, dal titolo *Il miracolo*, e spesso i suoi romanzi sono diventati film, come ad esempio *Io non paura* (2003) e *Come dio comanda* (2008).

Ammaniti sa raccontare, la costruzione dei suoi romanzi, sia surreali come *Branchie* sia rudi come *Io non ho paura*, storia di un rapimento visto da un bambino, sono macchine narrative perfette, tengono stretto il lettore (o lo spettatore) fino alla fine. La lingua è realistica, ma senza cadere nel dialettalismo: ha il profumo della lingua viva, senza essere una semplice trascrizione del parlato quotidiano.

Alessandro Piperno

Romano, nato nel 1972, a differenza degli altri scrittori in queste pagine che fanno cinema, televisione, giornalismo, Piperno è uno studioso di letteratura francese, che insegna all'Università di Roma Tor Vergata ed è redattore di un'importante rivista letteraria, *Nuovi Argomenti*.

Dopo alcune pubblicazioni critiche su Proust antiebreo e su Baudelaire, l'attività di scrittore creativo è iniziata nel 2005: *Con le peggiori intenzioni* è stata l'opera prima premiata con il Campiello, uno dei più importanti riconoscimenti italiani. Nel 2010 ha pubblicato *Persecuzione* e due anni dopo il suo seguito, *Inseparabili. Il fuoco amico dei ricordi*, premiato con lo Strega, l'altro grande premio letterario italiano.

L'ambientazione delle sue opere è focalizzata sul mondo ebraico italiano, che conosce bene essendo di origini ebraiche. La sua lingua è molto raffinata, con chiare ascendenze dalla letteratura 'alta' di cui si occupa professionalmente a livello accademico.

Online per te

Online trovi il **Testo 110**, *Il monologo di Novecento*, di **Alessandro Baricco**.

Uno sguardo alle scrittrici

Come abbiamo detto introducendo gli scrittori, anche le scrittrici sono molte di più di quelle che possiamo ricordare in queste pagine. Queste, comunque, sono tra le più significative.

Susanna Tamaro

Triestina, nata nel 1957 in una famiglia di origine ebraica, è in realtà molto legata al mondo cattolico e ai suoi valori, che difende in libri e articoli su giornali, tranne per quanto riguarda le posizioni cattoliche e conservatrici sul mondo omosessuale.

Tamaro si forma al Centro Sperimentale di Cinematografia, dove assimila le tecniche di una scrittura rapida e 'visiva' e di una struttura dal montaggio cinematografico, senza punti lenti o inutili digressioni.

Le sue prime opere escono dal 1989 in poi, ma la critica la ignora, anche se intellettuali come Claudio Magris, Alberto Moravia e Federico Fellini l'apprezzano pubblicamente. Uno di quei libri, *Per voce sola* (1990) diventerà famoso solo dopo il grande successo italiano e internazionale di *Va' dove ti porta il cuore*, un romanzo epistolare (cioè composto di lettere) del 1994. Anche in questo caso, malgrado 15 milioni di copie vendute in tutto il mondo, la maggioranza della critica italiana continua a non apprezzare questa scrittrice, mentre un'altra parte della critica la considera una delle grandi scrittrici italiane.

Nel 1998 pubblica *Anima Mundi*, nel 2006 esce *Ascolta la mia voce,* che è il seguito di *Va' dove ti porta il cuore,* e nel 2013 scrive, come Arslan, un romanzo di formazione autobiografico, *Ogni angelo è tremendo.*

Susanna Tamaro ha scritto anche canzoni pop, sceneggiature di fumetti, film come regista, spettacoli teatrali; dai suoi libri sono stati tratti anche dei film.

Elena Ferrante

La sua identità è stata tenuta nascosta per anni ma, dopo che *Time* l'ha inserita tra i 100 artisti più influenti del mondo, è ricominciata la caccia alla sua identità: molti sono infatti convinti che quella della Ferrante (nata a Napoli nel 1943) sia una identità fantasma, che copre un altro autore o autrice.

Nel 1992 esce *Un amore molesto*, ben accolto dalla critica e, soprattutto dopo la versione cinematografica, anche dal pubblico; passano dieci anni prima del secondo romanzo, *I giorni dell'abbandono.* Il terzo volume, *La figlia oscura* del 2006, è un'autobiografia letteraria, racconta il suo lavoro di scrittrice.

Nel 2011 inizia la serie di romanzi che la impongono in tutto il mondo come una delle grandi scrittrici viventi: *L'amica geniale*, al quale segue un anno dopo *Storia del nuovo cognome*, nel 2013 *Storia di chi fugge e di chi resta* e, l'anno dopo ancora, l'ultimo volume della tetralogia *Storia della bambina perduta.*

Il suo successo non ha portato la Ferrante a diventare un personaggio pubblico, anche se ci sono state perfino ricerche accademiche basate sulla linguistica computazionale per individuare chi sia il reale autore dei suoi romanzi. Lei continua a sostenere di essere l'autrice reale, come è ovvio, ma al tempo stesso si rifiuta di diventare un personaggio pubblico. Resta comunque il fatto che i suoi romanzi ricevono l'approvazione del pubblico, che dopo aver letto *L'amica geniale* regolarmente proseguono nella lettura degli altri tre romanzi della tetralogia.

Antonia Arslan

Padovana, nata nel 1938 da famiglia armena, dedica a questo popolo e alle sue vicende la maggior parte dei suoi scritti sia come letterata, sia come saggista (è stata docente di letteratura italiana all'Università di Padova e, tra le sue opere accademiche, ricordiamo *Dame, droga e galline. Il romanzo popolare italiano fra Ottocento e Novecento* e *Dame, galline e regine. La scrittura femminile italiana fra '800 e '900*). Ha anche tradotto dall'armeno volumi di poesie.

Alla fine della sua carriera professionale, come Maurensig o Camilleri, Antonia Arslan pubblica il suo primo romanzo, *La masseria delle allodole* (una masseria è una casa di contadini; le allodole sono uccellini), che ha vinto alcuni premi importanti e si è imposto all'attenzione dei critici e del pubblico.

Negli anni successivi la scrittrice ha pubblicato molte opere; ricordiamo, in particolare, che nel 2009 è uscito *La strada di Smirne*, nel 2015 un romanzo di formazione autobiografico, *Il rumore delle perle di legno*, e nel 2016 *Lettera a una ragazza turca*.

Simonetta Agnello Hornby

Palermitana, nata nel 1945, Agnello ha preso anche il nome del marito inglese: vive infatti a Londra dal 1972, ma scrive in italiano.

Avvocata specializzata nei problemi delle comunità immigrate, presidente dell'organismo giuridico che si occupa di ragazzi con bisogni educativi speciali e disabilità, inizia la carriera letteraria intorno ai cinquant'anni con *La mennulara*, del 2002, un successo mondiale tradotto in moltissime lingue e premiato con riconoscimenti importanti: in siciliano la 'mennulara' è la donna che raccoglie le mandorle e il suo personaggio, Rosalia, è davvero indimenticabile, in una Sicilia che è insieme un luogo antichissimo, con riti e valori quasi incomprensibili agli estranei, e un luogo ossessionato dalla modernità, intesa come ricchezza ad ogni costo.

Dal 2002 Agnello Horny ha scritto un libro ogni due anni, tutti con buon successo, e ha usato questo suo successo per partecipare a trasmissioni televisive dove discutere del tema che più le interessa, la difesa giuridica dei minori, degli immigrati, dei deboli.

Margaret Mazzantini

Nasce nel 1961 in Irlanda, figlia dello scrittore Carlo Mazzantini e di una pittrice irlandese, ma cresce in Italia fin dalla prima infanzia, vicino a Roma; incomincia la sua carriera come attrice di teatro (dove ricevi alcuni premi), di cinema e televisione.

Nel 1994 scrive il suo primo romanzo, *Il catino di zinco*, premiato al Campiello e l'anno dopo mette in scena la sua prima opera teatrale, *Manola*, in cui è anche attrice (la pièce esce come romanzo tre anni dopo). Anche il secondo monologo teatrale, *Zorro. Un eremita sul marciapiede* va prima in scena in teatro e poi viene pubblicato come romanzo (2004).

Ha scritto molti romanzi, i più importanti dei quali, spesso premiati con riconoscimenti nazionali, sono *Non ti muovere* (2002), *Venuto al mondo* (2008) e soprattutto *Nessuno si salva da solo*, del 2011.

Ha scritto anche molte sceneggiature cinematografiche per film diretti da Sergio Castellitto, un autore regista con il quale è sposata dal 1987 e dal quale ha avuto 4 figli.

Uno sguardo ai giallisti

Negli anni Cinquanta, Mondadori lanciò una collana di *pulp fiction* poliziesca che aveva la copertina gialla: 'I gialli Mondadori'. Da allora in Italia i libri polizieschi sono chiamati 'gialli'. Oggi si usa anche la parola francese *noir*, che indica i libri simili ai nostri gialli ma con un tocco forte di 'naturalismo' nel descrivere mondi duri, violenti.

Nella prima parte del Novecento la letteratura gialla/*noir* non trova spazio in Italia: il fascismo non permette di descrivere il mondo del crimine nell'Italia dell'ordine e della disciplina; negli anni Cinquanta i Gialli Mondadori traducono le *detective stories* americane e i *Maigret* di Simenon. Alcuni scrittori italiani, tra i quali **Giorgio Scerbanenco**, scrivono bellissimi gialli, ma non hanno un grande successo.

Negli anni Novanta esplode il fenomeno Camilleri, al quale dedicheremo alcune pagine più avanti. L'Italia è ormai pronta per descrizioni realistiche della società 'bassa', quella cattiva, che non viene presentata nelle serie televisive e nella letteratura ufficiale.

Come il verismo era siciliano e napoletano, come la scapigliatura era milanese, così la letteratura *noir* si regionalizza, non solo nelle ambientazioni ma anche nella lingua, come potrai vedere se leggerai qualche racconto o romanzo di questi giallisti.

Massimo Carlotto

Nasce a Padova nel 1956 e oltre che scrittore è anche autore per il teatro, sceneggiatore cinematografico, giornalista e conduttore televisivo.

Condannato per un omicidio, in carcere si diploma e inizia l'università; tra un processo e l'altro fugge, prima in Francia poi in Messico (queste vicende sono raccontate nel romanzo *Il fuggiasco*, 1995); viene portato in Italia, dove nel frattempo si è diffusa l'idea che il suo sia stato un processo politico, visto che Carlotto era di estrema sinistra; alla fine viene graziato.

Intanto Carlotto diviene uno scrittore di gialli. Il suo personaggio più noto è l'*Alligatore*, cioè l'investigatore privato Marco Buratti, un originale detective nella tradizione americana *hard boiled*, cioè duro, violento, in un sottomondo pauroso, che l'autore ha probabilmente conosciuto di persona. I suoi libri sono tradotti in molte lingue e sono stati alla base di numerosi film.

Giancarlo De Cataldo

Pugliese, nato nel 1956, De Cataldo è un magistrato che scrive gialli e sceneggiature cinematografiche ambientati nel mondo degli avvocati, dei tribunali e, ovviamente, della malavita.

Il suo romanzo più importante è *Romanzo criminale* (2002), dal quale sono derivati sia un film sia una serie televisiva di 22 episodi, distribuita in tutto il mondo e che quindi hai forse potuto vedere. Il seguito del romanzo, *Nelle mani giuste*, è uscito nel 2007. Il personaggio chiave è il Commissario Nicola Scialoja, la cui amante è Patrizia, una ex prostituta.

Il lavoro di magistrato gli ispira molte storie che finiscono nei suoi numerosissimi libri, circa 2 all'anno, e nelle molte sceneggiature per il cinema e la televisione. L'ambientazione è quasi sempre pugliese e va dalla fine degli anni Novanta, ai tempi delle grandi inchieste dei magistrati contro la corruzione, fino ai giorni nostri, anche se uno dei suoi principali romanzi, *I traditori* (2010) è ambientato durante il Risorgimento.

Maurizio De Giovanni

Napoletano, nato nel 1958, ha creato due serie, una ambientata durante il fascismo e una ai giorni nostri.

La serie del Commissario Ricciardi nasce nel 2006 e secondo molti è una mirabile interpretazione della vita durante gli anni Trenta, con le sue paure e le sue speranze; l'italiano di questa serie è standard, anche se c'è qualche accenno di napoletanità. Nel 2012 lancia la seconda serie, quella dei 'bastardi di Pizzofalcone', un commissariato in una zona estremamente popolare, in cui c'erano stati dei poliziotti corrotti ('bastardi', traditori, brutta gente) e ora ci sono poliziotti che nessun altro commissariato vuole perché sono originali, poco rispettosi, ma risolvono i casi più difficili.

Nella serie ambientata oggi, a Pizzofalcone, ci sono anche delle battute in napoletano, ma l'attenzione è più al carattere napoletano che alla lingua – carattere napoletano visto dal protagonista, il Commissario Lojacono, che è un siciliano, quindi un esterno.

De Giovanni, dopo aver raggiunto la fama con le due serie di romanzi polizieschi (*I bastardi di Pizzofalcone* è diventato anche una serie televisiva di successo) ha voluto recuperare la dimensione di scrittore di altri tipi di romanzi, come ad esempio *I guardiani* (2017) e *Sara al tramonto* (2018).

Alessandro Robecchi

Nato a Milano nel 1960, Robecchi è giornalista e autore televisivo, quindi ha un grande senso del ritmo della narrazione e della lingua pulita e senza inutili ornamenti, propria dei giornalisti. Per cinque anni ha curato la trasmissione *Verba volant*, dedicata alla lingua italiana.

Il suo primo volume *noir* è del 2014, *Questa non è una canzone d'amore*, al quale fanno seguito nuovi volumi ogni anno. Il protagonista è sempre Carlo Monterossi, un autore televisivo di programmi trash, che rendono moltissimo alla rete televisiva e quindi anche a lui. Monterossi ha problemi etici, vorrebbe cambiare vita, finisce regolarmente immischiato in casi di malavita milanese e internazionale, ma alla fine il suo desiderio di poter continuare a vivere nel lusso lo porta a non rompere con la rete televisiva che lo rende ricco – e così ritrova la pace con se stesso solo quando aiuta a risolvere casi di malavita.

Carlo Lucarelli

Nato a Parma nel 1960, è giallista e sceneggiatore, ma anche conduttore televisivo di storie vere *noir*. Abbiamo visto in molte di queste schede che gli scrittori sono insieme autori di libri e di film e serie televisive: probabilmente Lucarelli è il più tipico esponente di questa categoria di professionisti della narrazione che si trovano a loro agio in diversi generi.

Nel 1990 pubblica *Carta bianca*, che apre la sua serie di *noir*. Ha scritto romanzi, ma anche fumetti (tra i quali un episodio di Dylan Dog, pag. 218) e le sceneggiature di una serie *noir* televisiva centrata sull'ispettore Coliandro, che è il protagonista di alcuni suoi romanzi degli anni Novanta: anziché il poliziotto tipico dei film americani, forte, attento, perfetta macchina da investigazione, Coliandro è distratto, sempre in ritardo, disordinato – ma la sua comprensione dell'umanità, della psicologia delle persone, lo porta alla fine a scoprire il colpevole.

Lucarelli, insieme ad altri giallisti emiliani e romagnoli, ha creato una scuola di scrittura *noir,* la "Bottega Finzione". Spesso, in televisione, spiega come 'smontare' una narrazione poliziesca e come valutarne la qualità.

Gianrico Carofiglio

Barese, nato nel 1961, è stato magistrato nella Direzione Antimafia e poi parlamentare nella commissione sullo stesso tema; oggi si occupa della cultura musicale a Bari e scrive romanzi di grande successo, in cui l'esperienza di magistrato gli fornisce conoscenze dettagliate sul funzionamento dei gruppi criminali.

Il primo romanzo è *Testimone inconsapevole* (2002), primo *legal thriller* italiano, che come i romanzi successivi di questa serie segue le indagini dell'avvocato Guido Guerrieri, sempre deciso a non lasciarsi coinvolgere in casi impossibili, nei quali immancabilmente finisce coinvolto, spesso a rischio della vita. Il secondo volume, *Ad occhi chiusi* (2003) è stato premiato in Germania come il miglior thriller internazionale dell'anno.

Ha pubblicato anche un graphic novel, *Cacciatori nelle tenebre*, il primo ad entrare nella classifica dei romanzi più venduti. Oltre ai libri della serie dell'avvocato Guerrieri, ha scritto romanzi e saggi, sempre legati al mondo della giustizia.

Antonio Manzini

Romano, nato nel 1964, ha creato una serie ambientata ad Aosta, città dell'estremo nord in cui il commissario Rocco Scaglione, romano autentico, si sente malissimo, in un mondo estraneo. Scaglione è il tipico antieroe: fa indagini brillanti, risolve casi molto complessi, ma non rispetta le regole, fuma marijuana in ufficio, litiga con i giornalisti e in passato ha anche ucciso un criminale che gli ha ucciso la moglie... Più che i casi da risolvere, i lettori di Manzini cercano di seguire la vicenda umana del suo ispettore Scaglione.

Manzini inizia come attore, sceneggiatore e regista, arrivando alla scrittura relativamente tardi, portando con sé la tecnica della narrazione rapida, cinematografica, spesso con parti in romanesco per dare vivezza al racconto. La serie di Scaglione si è aperta nel 2013 con *Pista nera* e da allora, quasi ogni anno, viene pubblicato un nuovo volume.

Marco Malvaldi

Nasce a Pisa nel 1974, si laurea e inizia la carriera come chimico, ma nel 2007 ottiene un enorme successo con *La briscola in cinque*. L'ambientazione è vicino a Pisa, in un villaggio sul mare, dove il personaggio principale (che è clonato su Malvaldi) ha ereditato un bar, il BarLume (gioco di parole: il 'barlume' è una luce debole ma è anche un punto di inizio per cercare la verità), dove passano le giornate quattro vecchietti terribili, che litigano, giocano, fanno battute. C'è un omicidio e il barista, con la sua logica da matematico, scopre l'assassino, 'aiutato' dai quattro vecchi.

Il meccanismo è lo stesso per tutti gli altri romanzi della serie, che escono più o meno ogni due anni.

Malvaldi ha pubblicato anche un giallo intitolato *Odore di chiuso*, il cui protagonista è Pellegrino Artusi, autore del più famoso libro di cucina dell'Ottocento.

Malvaldi ha un umorismo sottile ma irresistibile, amplificato dall'uso sapiente del toscano, ma come in tutti gli scrittori visti finora che spesso usano forme dialettali, queste non servono a caratterizzare un personaggio come 'ignorante', ma per permettere giochi di parole o un'espressione più articolata dei sentimenti.

Andrea Camilleri

La maledizione di Montalbano

Montalbano è un commissario di polizia nel paese immaginario di Vigàta, in cui sono ambientate quasi tutte le opere di Camilleri. Parla in italiano quando è in situazioni formali, ma pensa in siciliano, lingua che usa anche con i suoi collaboratori.

Il nome è un omaggio a Montalban, il grande giallista di Barcellona, e il commissario è una reincarnazione siciliana di Maigret, il commissario parigino di Georges Simenon, il grande autore francese cui Camilleri assomiglia per la quantità enorme di romanzi, per la pulizia della scrittura, per la costruzione di trame perfette, per l'odio verso la borghesia ipocrita, per la simpatia verso i delinquenti che sono arrivati a quel punto portati dalla vita e non dalla volontà di fare del male. Camilleri è simile a Simenon anche nella maledizione di essere associato a un personaggio che, nella sua produzione, è quasi un gioco. Simenon è diventato l'autore di Maigret, Camilleri l'autore di Montalbano, anche se entrambi hanno scritto una grande quantità di romanzi di valore artistico molto più alto.

Luca Zingaretti, l'attore che ha dato il volto al Commissario Montalbano. Camilleri non lo voleva come Montalbano, perché per lui il Commissario ha i capelli neri e ricci e due grandi baffi...

Comunque, se si vuole capire come funziona la mafia, leggere Montalbano è molto più utile di cento libri di sociologia. E più piacevole, visto che sono gialli molto ben costruiti.

I romanzi storici

Camilleri ha un grande interesse per la storia della sua Sicilia e la descrive romanzando la vita di personaggi veri, che gli servono per capire come è nata la 'sicilianità', nel bene e nel male: da un ebreo cresciuto con arabi e convertito al cristianesimo fino a diventare segretario di un Papa rinascimentale; alla vedova di un viceré spagnolo che governa per quattro settimane portando giustizia nella Sicilia corrotta; dagli ultimi giorni di Caravaggio, alla biografia di Pirandello (suo prozio); dalle storie del periodo dell'Unità d'Italia a quelle del fascismo e degli anni del boom economico.

Sono romanzi in cui si uniscono vari atteggiamenti contrapposti che in Camilleri riescono ad integrarsi anziché escludersi a vicenda: dalla considerazione del male umano come naturale al desiderio di

Andrea Camilleri, nato in Sicilia nel 1925, si trasferisce a Roma dopo il liceo per studiare all'Accademia d'Arte Drammatica diretta da Silvio D'Amico, di cui diventerà il successore come docente di regia teatrale: la sua prima regia è del 1942, e da allora ha messo in scena oltre 1200 opere teatrali, incluse le prime rappresentazioni italiane dei grandi del teatro dell'assurdo, da Samuel Beckett a Harold Pinter, da Adamov a Ionesco. Da giovane pubblica poesie e racconti, apprezzati da Ungaretti, ma poi si dedica al teatro e alle sceneggiature per la televisione, che allora era ancora molto simile al teatro: il suo lavoro più importante in questo ambito è la trasposizione televisiva dei *Maigret* di Simenon, negli anni Sessanta.

I primi libri di narrativa passano inosservati e solo nel 1992, quando inizia una collaborazione con l'editore Sellerio, che durerà per tutta la vita, la sua lingua italo-siciliana riesce ad entrare nel gusto dei lettori. Da allora, tutti i suoi libri sono stati grandi successi e, nel caso delle inchieste del commissario Montalbano, sono diventati anche una serie televisiva diffusa in tutto il mondo, con il suo ritmo lento, senza sparatorie e inseguimenti, fatta di passeggiate e di pause al ristorante: il contrario delle serie TV americane.

Negli ultimi anni della sua vita Camilleri è diventato cieco, ma continua a dettare i suoi libri, inclusi quelli che, per sua volontà, potranno essere pubblicati solo dopo la sua morte.

Diversamente da quanto fatto nelle altre schede, non possiamo citare i libri di Camilleri, data la loro quantità.

giustizia come ancora più naturale; dal fatalismo di fronte alla storia, che si ripete all'infinito senza che nessuno impari nulla, alla necessità di conoscere la storia per capire l'oggi e cercare di costruire il domani; dalla stupidità della burocrazia e dei potenti di ogni tempo all'ironia verso chi si crede potente – burocrate, politico, capomafia, nobile, uomo di chiesa – e non sa che tutto è solo apparenza. Se la caratteristica profonda di Camilleri è questa totale comprensione della natura umana, condivisa con Simenon in molti aspetti, l'altra caratteristica di queste opere è la competenza storica, dalla ricostruzione della vita quotidiana, alla storia locale, alla storia nazionale.

Tra tutti, segnaliamo come esempio di questa perfezione di documentazione storica e di capacità di dipingere un periodo *La banda Sacco* (2103), storia autentica di una famiglia socialista che il fascismo, abilmente, porta a diventare briganti e, quindi, colpevoli.

La struttura dei romanzi

La narrazione dei gialli di Montalbano è tradizionale: c'è un crimine, Montalbano indaga, alla fine il colpevole viene assicurato alla giustizia, anche se ogni indagine lascia nell'animo del Commissario tracce, domande, segni psicologici.

Ma Camilleri ha scritto anche romanzi di struttura particolare. *La concessione del telefono* (1998) è un romanzo epistolare, costruito dalle lettere ufficiali di un borghese che chiede la linea telefonica all'inizio del Novecento e dalle risposte della burocrazia, con alcune sezioni di puro dialogo, senza una parola di descrizione; anche *Il nipote del Negus* (2010) è un romanzo epistolare con ridicole lettere tra gli amministratori fascisti e un giovanissimo truffatore.

Il più complesso quanto a innovazione strutturale è *La scomparsa di Patò* (2000), in cui alcuni capitoli sono costituiti da foglietti di un blocco di appunti con disegni dell'investigatore, pagine di giornale, rapporti della polizia e dei carabinieri (con i due rispettivi stili linguistici), scritte su un muro e così via. Alla fine, il piacere di sapere chi è l'assassino passa in secondo piano rispetto al piacere del testo.

Talvolta è la lingua che segna la struttura di un romanzo: in *Il colore del sole* (2010) gli avvocati che chiedono a Camilleri di studiare un diario che sembra di Caravaggio scrivono e parlano in un italiano molto formale; il testo di Caravaggio è in italiano del Seicento; Camilleri, che è un personaggio del romanzo, legge e commenta quei testi pensando in siciliano... in ogni pagina ci sono continui cambiamenti di lingua e registro che alla fine diventano un piacere in se stessi. Così come è un piacere notare che in *Biografia del figlio cambiato* (2000), biografia del suo prozio Pirandello, Camilleri usa il dialetto parlando di Pirandello giovane, poi mano a mano che passano gli anni e Pirandello diventa famoso prevale l'italiano, e poi torna a prevalere il siciliano quando Pirandello invecchia e ritorna con il pensiero alla sua Sicilia.

Il 'camillerese': l'invenzione di una lingua

Gli scrittori della fine del secolo abbandonano le sperimentazioni di Pasolini, Gadda e degli altri autori che usavano i dialetti o quanto meno un italiano molto dialettizzato; spesso, come hai visto, sono giornalisti, registi, personaggi televisivi e quindi la loro scelta è per l'italiano standard. All'inizio degli anni Novanta il fatto che Camilleri scriva – e si veda rifiutare per anni i romanzi – in un misto di italiano, nei discorsi ufficiali, e di siciliano, nei pensieri e nei dialoghi quotidiani, rappresenta una rivoluzione.

Mentre le rivoluzioni di solito innovano, buttano via il vecchio e aprono la strada al nuovo, la rivoluzione di Camilleri (da sempre rivoluzionario in politica come nella regia teatrale) riporta in vita quello che si credeva morto, il dialetto – anche se è rivisto e reinterpretato, quasi reinventato da Camilleri. Nessun editore voleva investire pubblicando libri che, secondo le previsioni, sarebbero stati venduti solo in Sicilia... ma il pubblico italiano era stanco di una letteratura scritta nella stessa lingua dei giornali e della televisione: senza che nessuno capisse come, ci fu un periodo nei primi anni Novanta in cui i primi sei romanzi di Camilleri in 'camillerese' erano ai primi sei posti nella classifica dei libri più venduti.

EDILINGUA

La danza del gabbiano

Guida alla lettura

Il Commissario Montalbano beve il caffè sulla terrazza della sua casa affacciata sul mare, mentre guarda il cielo.

A sinistra trovi il testo originale, a destra trovi il testo in italiano standard. In entrambi i testi mancano delle parole. Tu devi inserirle, sulla base di questi suggerimenti:

a. alcune forme verbali sono diverse: *chiuì* = chiuse; *issato* = alzato; *sintuto* = sentito;

b. in altri casi c'è l'aggiunta di una "*a*" iniziale a verbi che dovresti saper riconoscere:
   abballava = ballava;   *accomenzò* = incominciò;   *addimandava* = domandava;
   addisignava = disegnava;   *addivintò* = diventò;   *addrizzava* = drizzava (alzava diritto);
   arriniscivano = riuscivano;

c. ci sono poi leggere modifiche nella pronuncia, ma il significato ti sarà chiaro e potrai scrivere la parola in italiano standard.

Tutto 'nzemmula il gabbiano chiuì l'ali e (2)............... a picchiare verso la spiaggia. Che aviva visto? Ma quanno arrivò a toccare col becco la pilaja, invece di risollevarsi in alto con la preda, s'afflosciò, (5)............... un immobili mucchietto di pinni calamitate a leggio dal vinticeddro di prima matina. Forse gli avivano sparato, a malgrado che il commissario non aviva (9)............... nisciun colpo di fucile. Ma chi era l'imbecille che potiva mittirisi a sparare a un gabbiano?

L'accedro, che distava 'na trintina di passi dalla verandina, di certo era morto. Ma po', mentre che Montalbano lo stava a taliare, ebbi come un fremito, si rizzò faticanno sulle zampe, s'inclinò tutto da un lato, raprì una sula ala, quella cchiù vicina alla rina, e si mise a firriare su se stesso, mentre la punta dell'ala gli (12)............... un circolo torno torno e il becco stava (13)............... verso il cielo in una posa innaturale che gli faciva il collo tutto storto.

Ma che stava facenno, (16)............... ? Abballava e cantava. Anzi no, non cantava, il sono che gli nisciva fora dal becco era roco, dispirato, pariva che (18)............... aiuto. E ogni tanto, sempri firriando, (20)............... il collo tendendolo in alto fino all'inverosimili e col becco faciva avanti e narrè, parivano un vrazzo e 'na mano che volivano posari qualichi cosa in àvuto e non ci (21) ....

[...] Subito il so firriare principiò a farisi incerto, sempre cchiù traballiante, e alla fine l'acceddro, dopo un sono altissimo che parse umano, perso l'appojo dell'ala, s'accasciò di lato e morì.

D'improvviso il gabbiano (1)............... le ali e incominciò a scendere in picchiata verso la spiaggia. Che cosa (3)............... visto? Ma (4)............... arrivò a toccare col becco la spiaggia, invece di risollevarsi in alto con la preda, s'afflosciò, diventò un immobile mucchietto di (6)............... mosse leggermente dal venticello di prima (7)............... Forse gli (8)............... sparato, malgrado il commissario non avesse sentito nessun colpo di fucile.

Ma chi era l'imbecille che (10)............... mettersi a sparare a un gabbiano?

L'uccello, che distava una trentina di passi dalla veranda, di certo era morto. Ma poi, mentre Montalbano lo stava a guardare, ebbe un movimento improvviso, si alzò a fatica sulle zampe, s'inclinò tutto da un lato, riaprì una (11)............... ala, quella più vicina alla sabbia, e si mise a girare su se stesso, mentre la punta dell'ala gli disegnava un cerchio intorno e il becco stava alzato verso il cielo in una posizione innaturale che gli (14)............... stare il collo tutto storto.

Ma che stava (15)............... , ballava? Ballava e cantava. Anzi no, non cantava, il suono che gli usciva dal becco era roco, disperato, (17)............... che domandasse aiuto. E ogni tanto, (19)............... girando, drizzava il collo tendendolo in alto il più possibile e col becco si muoveva avanti e indietro, sembravano un braccio e una mano che volessero mettere qualche cosa in alto e non ci riuscivano.

Subito il suo girare cominciò a farsi incerto, sempre più traballante (poco sicuro), e alla fine l'uccello, dopo un suono altissimo che parve (sembrò) umano, perso l'appoggio dell'ala, cadde su un fianco e morì.

Cosa fa Montalbano, secondo te? Discutine con i compagni prima di proseguire nella lettura.
Ed eccoti la risposta: lo raccoglie, lo mette in un sacchetto di plastica, si spoglia e in mutande nuota distante dalla riva, dove 'seppellisce' il gabbiano in mare.

La canzone d'autore

Come avrai notato, abbiamo parlato di uomini di teatro e di scrittori di romanzi, sceneggiature, racconti; non di poeti. Ci sono molti festival di poesia in Italia, ci sono molti piccoli editori che pubblicano piccole raccolte di poesie, ma non ci sono più grandi nomi, dopo la morte di Luzi, Caproni, Zanzotto. I poeti d'oggi, almeno in gran parte, scrivono testi per le loro canzoni.

Anche tra i grandi della canzone d'autore molti sono mancati alla fine del Novecento e nei primi anni di questo secolo, da Fabrizio De André a Lucio Battisti, da Domenico Modugno a Lucio Dalla, da Enzo Jannacci a Giorgio Gaber, e gli altri 'padri' dei cantautori italiani sono troppo anziani per continuare a scrivere canzoni e fare concerti, con l'eccezione di Vasco Rossi e di Vinicio Capossela, il più geniale dei cantautori attivi in questi anni.

Vinicio Capossela

Ci sono molti cantautori che continuano in questi anni la loro attività iniziata nel Novecento: tra i più attenti al testo ci sono Lorenzo Cherubini, noto con lo pseudonimo **Jovanotti**, **Daniele Silvestri**, pacifista e impegnato come Jovanotti, e **Max Gazzè**, che oltre ad essere poeta musicale è anche un musicista completo.

Vinicio Capossela

Come nel caso di Fabrizio De André nel secondo Novecento, anche in questo caso un cantautore emerge per il suo contatto continuo con la letteratura, **Vinicio Capossela**.

Ha scritto alcuni romanzi, tra cui lo sperimentale *Non si muore tutte le mattine* (2004), ma è nelle sue canzoni che gli influssi letterari sono presenti, da quello della letteratura surreale alla letteratura sacra, fino all'esempio più letterario della storia della canzone italiana, *Santissima dei naufragati* (2006), dove riscrive e recita, più che cantare, la *Rime of the Ancient Mariner* di Coleridge.

I suoi testi sono comunque tutti di qualità molto alta, spesso ermetici, densi di riferimenti letterari, di figure retoriche, di giochi di parole.

EDILINGUA

Le nuove leve

Dopo il 2010 si sono affermati molti cantautori nuovi, attenti al valore formale del testo delle canzoni che scrivono per sé e per altri cantanti. Tra questi ricordiamo: **Alessandro Mannarino**, **Renzo Rubino** e **Calcutta**, e in particolare:

Dente, pseudonimo di Giuseppe Peveri, è un cantautore emiliano nato nel 1976 i cui testi sono pieni di giochi di parole, di indovinelli, un puro gioco linguistico che spesso si scopre dopo aver ascoltato molte volte le sue canzoni. Ha scritto anche colonne sonore e brani per altri cantanti.

Brunori Sas, il cui vero nome è Dario, è calabrese ed è nato nel 1977. È uno dei cantautori che ha ricevuto il maggior numero di premi di qualità, sia per canzoni sia per colonne sonore. I suoi testi riguardano le paure quotidiane, sintomi del male di vivere in un mondo senza certezze.

Ermal Meta ha una storia particolare: immigrato in Italia dall'Albania a 13 anni, con un padre violento poi rifiutato (e cantato in una canzone, *Vietato Morire*), vincitore del Festival di Sanremo 2018 con una canzone sugli attentati terroristici, affronta nei suoi testi temi duri, che canta con rabbia e dolcezza insieme. È autore di molte canzoni anche per altri cantanti ed ha vinto molti premi della critica.

Alessandro Mannarino è nato a Roma nel 1979. Ha cominciato a cantare giovanissimo, ma il successo è arrivato nel 2006, quando ha cominciato a collaborare con la televisione, accompagnando con le sue canzoni programmi di satira politica e sociale. Il suo tema, che in parte richiama anche la sua esperienza umana, è quello della rabbia (*Bar della rabbia* è un album del 2009) e dà voce al malessere di molti adolescenti e giovani.

Renzo Rubino è un cantautore pugliese, nato nel 1988. Con *Il postino (amami uomo)*, del 2013, è stato uno dei primi a cantare l'amore gay e lo ha fatto dal palco del Festival di Sanremo, la massima manifestazione di musica leggera italiana. Da allora ha partecipato ad altri festival sempre con canzoni che all'inizio sembrano semplice pop, ma poi rivelano molta cura per il testo.

Calcutta è il maggior rappresentante italiano dell'Indie pop, ma malgrado il nome d'arte non è indiano: si chiama Edoardo d'Erme, è nato nel 1989 a Latina, vicino a Roma, e ora vive a Roma, città da sempre centrale per il mondo della canzone d'autore. Le sue canzoni sono forti, dure, spesso sperimentali sia nel testo sia nella musica.

Tra Novecento e Duemila

Il teatro, il cinema, la televisione

Il titolo di questa pagina indica tre canali di produzione culturale audio-visiva che in questi anni stanno diventando un'unica cosa: i film hanno sempre meno spettatori nei cinema e vengono guardati in televisione – che spesso non è televisione nel senso classico ma lo schermo di un computer. Un numero sempre maggiore di film viene girato pensando specificamente alla televisione o al computer, al loro schermo così piccolo in confronto al cinema, e spesso non vengono neppure proiettati nei cinema ma vengono venduti direttamente via internet.

L'altra parola presente nel titolo è teatro. Nelle grandi città i teatri sono frequentati, ma ci sono pochi testi nuovi e il pubblico va a teatro per vedere o i classici (Shakespeare, Ibsen, Pirandello, Goldoni, ecc.) o perché c'è un attore reso famoso dalla televisione o dal cinema. Ma non perché c'è un drammaturgo moderno di grande livello, anche se ce ne sono, come ad esempio **Stefano Massini** ed **Emma Dante**.

Scrittori-drammaturghi-registi-sceneggiatori

Abbiamo visto nelle pagine precedenti che il confine tra queste diverse professioni letterarie è diventato ormai molto fluido, completando un percorso che era cominciato ai tempi del neorealismo. Molti letterati sono anche uomini di spettacolo e molti registi, ad esempio Sorrentino, ogni tanto scrivono romanzi. E lo fa anche un cantante come Vinicio Capossela.

Non è possibile dire se questa unione/confusione di professionalità sia un vantaggio o un limite, se gli scrittori diventati personaggi pubblici, invitati ai dibattiti televisivi su qualsiasi tema, cambieranno la natura del 'letterato', del 'drammaturgo', del 'poeta'. Ma possiamo e dobbiamo porci il problema e imparare a guardarci intorno con attenzione e curiosità per vedere come si evolve la figura del 'letterato'.

I film-romanzo, le serie televisive-letterarie

Parlando degli scrittori, delle scrittrici, dei giallisti, di Camilleri, una costante è stata la frase: "da cui è stato tratto un film" oppure "una serie televisiva". In realtà, l'abbiamo detto molto meno di quanto sarebbe stato necessario: in una banca dati come Wikipedia, che per le liste delle opere

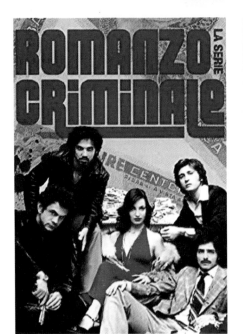

degli scrittori è affidabile in quanto c'è il controllo degli editori, puoi vedere facilmente quanti romanzi dei singoli autori siano diventati film e anche quali film siano diventati romanzi; lo stesso vale per le serie dei giallisti, quasi tutte tradotte in serie televisive.

EDILINGUA

I registi

Se vuoi cercare di capire attraverso il cinema questi primi vent'anni del Duemila, puoi cercare i film di **Silvio Soldini**, che raggiunge il successo nel 2000 con *Pane e tulipani*; **Gabriele Muccino**, autore di *L'ultimo bacio* nel 2001, seguito da *Ricordati di me* (2003) e *A casa tutti bene* (2018); **Ferzan Ozpetek**, di origine turca, che ha descritto con estrema eleganza il mondo omosessuale in *Le fate ignoranti* (2001), *La finestra di fronte* (2003), *Un giorno perfetto* (2008), *Mine vaganti* (2010), *Napoli velata* (2017), anche se negli ultimi anni

si dedica più alla regia di opere liriche che al cinema; **Paolo Sorrentino** ha ottenuto un successo mondiale ricevendo l'Oscar per *La grande bellezza* (2013), ma aveva girato altri film interessanti come *Le conseguenze dell'amore* (2004) e *Il divo* (2008); Sorrentino è anche autore di un romanzo importante, *Hanno tutti ragione* (2010); **Matteo Garrone** è autore della trasposizione di *Gomorra* di Saviano (2008), il suo ultimo film è *Dogman* (2018). Alcuni registi consolidati alla fine del Novecento hanno continua-

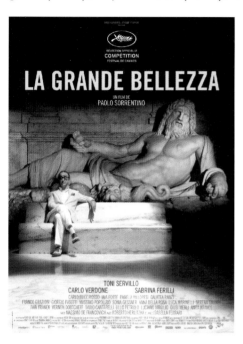

to anche in questi anni, come **Nanni Moretti** con *La stanza del figlio* (2001) e *Il caimano,* su Silvio Berlusconi, nel 2006; **Marco Bellocchio** con *L'ora di religione* (2002) e *Buongiorno notte* (2003); **Marco Tullio Giordana** con *I cento passi* (2000) e *La meglio gioventù* (2003); **Carlo Verdone** con *Il mio miglior nemico* (2006) e *Grande, grosso e... Verdone* (2008).

Il passato dei verbi in italiano

Una storia della letteratura racconta dei fatti, la letteratura in molti casi racconta delle storie. Un sinonimo di *raccontare* è *narrare* e quindi i testi che raccontano una storia sono chiamati *testi narrativi*. La principale caratteristica linguistica dei testi narrativi è la complessità dei tempi verbali.

Cosa devi sapere del passato per leggere questo libro?

Devi saper riconoscere e comprendere i passati. Questo non è un manuale di lingua italiana, non devi fare esercizi sul passato – quelli li fai nelle ore di lingua. Qui devi solo vedere come funziona questo aspetto dell'italiano per saperlo comprendere.

Azioni momentanee e azioni continuate

È un argomento che hai trovato fin dall'A1, ad esempio:

Mentre stava leggendo / Mentre leggeva, si è spenta la luce.

Ci sono due azioni, una che continua nel tempo, leggere, e una che avviene in un momento, spegnersi. I due tempi che usi sono l'**imperfetto** (che conosci fin dall'A2) e il **passato prossimo**.

Il problema con la letteratura e con molti testi narrativi è che si usano più tempi verbali che nell'italiano di ogni giorno:

Italiano di ogni giorno

Mentre leggeva, si è spenta la luce.

Può essere successo un'ora fa, ieri, tanto tempo fa.

Lo dice un personaggio del quale l'autore, trascrive le parole.

Italiano letterario

Mentre leggeva, si spense la luce.

Lo dice l'autore che sta raccontando quello che è avvenuto.

Il tempo verbale fondamentale dei testi letterari per indicare azioni passate è il **passato remoto**, che ripasseremo tra poche righe.

Azioni che avvengono in momenti diversi del passato

La narrazione racconta le cose che succedono, segue gli eventi raccontandoli uno dopo l'altro:

Il cavaliere arrivò, salutò gli altri cavalieri, il re lo chiamò e lui dovette lasciare gli amici.

Una narrazione con questo tipo di elenco di azioni è noiosa, quindi un autore potrebbe dire, più elegantemente:

Il cavaliere era arrivato da poco e aveva appena salutato gli altri cavalieri

quando il re lo chiamò e lui dovette lasciare gli amici.

Trapassato prossimo

Nel passato prossimo usiamo *l'ausiliare al presente + il participio passato*, "la luce si è spenta".

Qui usiamo *l'ausiliare all'imperfetto*.
Usiamo il trapassato quando un'azione è avvenuta prima di altre azioni, che sono raccontate al passato (passato prossimo, passato remoto, imperfetto).
I verbi intransitivi (*arrivare*) e riflessivi (*spegnersi*) hanno l'ausiliare *essere*, i transitivi (*chiamare*) usano invece *avere*.

Passato remoto

Come abbiamo visto, è il tempo della narrazione storica e letteraria. Nell'italiano comune, si usa pochissimo al Nord e molto di più al Sud, soprattutto in Sicilia, anche se il suo uso diminuisce sempre di più.
Se c'è un verbo modale (*potere, volere, dovere*), è questo verbo che va al passato, mentre il verbo principale rimane sempre all'infinito, in qualunque tempo verbale.

C'è un altro caso in cui le azioni nel passato avvengono in due momenti diversi:

a. sopra hai visto che una cosa (l'arrivo del cavaliere) era avvenuta *prima* dell'azione principale (la chiamata del Re);

b. c'è una seconda possibilità, cioè che una cosa avvenga *dopo* l'azione principale, cioè un "futuro nel passato", come in questo esempio:

Mentre il cavaliere si allontanava, un amico gli disse: "quando avrai finito con il Re, torna da noi!"

Futuro anteriore

Come vedi, l'ausiliare è al futuro e il verbo principale al participio passato. Nell'italiano parlato si usa poco, e si direbbe: "quando hai finito, torna..."

Il discorso indiretto

Gli scrittori spesso riportano le parole dei personaggi senza metterle tra virgolette. È il *discorso indiretto*, che crea qualche difficoltà. Torniamo all'esempio del cavaliere:

Mentre il cavaliere si allontanava, un amico gli disse: "Quando avrai finito con il Re, torna da noi!".
Il cavaliere rispose: "Tornerò (torno) subito da voi, aspettatemi!"

Mentre il cavaliere si allontanava, un amico gli disse che quando avesse finito / dopo aver finito / finito con il Re, tornasse / doveva tornare da loro.
Il cavaliere rispose che sarebbe tornato subito da loro, che lo aspettassero.

EDILINGUA

Ci sono almeno tre tipi di trasformazione, che devi imparare a riconoscere per leggere romanzi, racconti, narrazioni:

a. il futuro anteriore *Quando avrai finito con il Re* ha tre possibili versioni indirette. La più semplice è *dopo aver finito con il Re* o, semplicemente, *finito con il Re*.

Per la stessa ragione, se avesse detto "Ci vediamo domani", chiarissimo tra persone che stanno parlando oggi, il narratore avrebbe scritto "disse che si sarebbero visti il giorno dopo".

> **Il futuro nel passato nel racconto**
> In un discorso indiretto, usiamo l'ausiliare al condizionale e il participio passato del verbo principale.

b. l'imperativo *torna!, aspettatemi!* diventa un *congiuntivo imperfetto* (*tornasse, lo aspettassero*), ma la forma più usata, per non complicare le cose, è *dovere + infinito* (*doveva tornare, lo dovevano aspettare*).

c. cambiamenti di punto di vista: nel dialogo, si usano i pronomi personali dal punto di vista di chi sta parlando: gli amici dicono *noi* e il cavaliere dice *voi*; parlando di sé, poi, il cavaliere dice *mi*. Nel racconto, il punto di vista è esterno, è quello del narratore, quindi gli amici sono *loro*, terza persona, e lo stesso avviene con la terza persona *lo*.

Come riconoscere il passato remoto e il participio passato

Nella narrazione si usano soprattutto la terza persona singolare e la terza plurale:
- la terza persona singolare spesso finisce con una vocale accentata:
  amare ➜ **amò**, parlare ➜ **parlò**, finire ➜ **finì**, capire ➜ **capì**. Molti verbi in -*ere* sono invece irregolari;
- la terza persona plurale ha l'accento sulla terz'ultima sillaba:
  amare ➜ **amarono**, parlare ➜ **parlarono**, finire ➜ **finirono**, capire ➜ **capirono**.

La forma completa dei verbi regolari delle tre coniugazioni è:

		Passato remoto	*Participio passato*
1ª	am**are**	*amai, amasti, amò, amammo, amaste, amarono*	*amato*
2ª	pot**ere**	*potei, potesti, poté, potemmo, poteste, poterono*	*potuto*
	tem**ere**	*temetti, temesti, temette, tememmo, temeste, temettero*	*temuto*
3ª	dorm**ire**	*dormii, dormisti, dormì, dormimmo, dormiste, dormirono*	*dormito*

Alcuni verbi molto frequenti sono **irregolari**:

	Passato remoto	*Participio passato*
essere	*fui, fosti, fu, fummo, foste, furono*	*stato*
avere	*ebbi, avesti, ebbe, avemmo, aveste, ebbero*	*avuto*
volere	*volli, volesti, volle, volemmo, voleste, vollero*	*voluto*
dire	*dissi, dicesti, disse, dicemmo, diceste, dissero*	*detto*
fare	*feci, facesti, fece, facemmo, faceste, fecero*	*fatto*

Di solito le forme irregolari sono solo 3, come in *avere*, e il participio passato ha la stessa irregolarità.

io	tu	lui, lei	noi	voi	loro	participio passato
☹	☺	☹	☺	☺	☹	☹

Ci sono delle famiglie di verbi irregolari. Queste sono famiglie che derivano da un verbo irregolare (ti indichiamo solo le persone irregolari):

Infinito	Passato remoto	Participio passato
correre, occorrere, soccorrere, ecc.	*corsi, corresti, corse, corremmo, correste, corsero*	*corso*
mettere, ammettere, commettere, promettere, smettere, trasmettere, ecc.	*misi, mettesti, mise, mettemmo, metteste, misero*	*messo*
muovere, commuovere, promuovere, rimuovere	*mossi, muovesti, mosse, muovemmo, muoveste, mossero*	*mosso*
porre, comporre, contrapporre, esporre, imporre, proporre, sottoporre ecc.	*posi, ponesti, pose, ponemmo, poneste, posero*	*posto*
tenere, appartenere, contenere, mantenere, ottenere, ritenere, sostenere ecc.	*tenni, tenesti, tenne, tenemmo, teneste, tennero*	*tenuto*
trarre, attrarre, contrarre, distrarre ecc.	*trassi, traesti, trasse, traemmo, traeste, trassero*	*tratto*
venire, avvenire, convenire, divenire, intervenire ecc.	*venni, venisti, venne, venimmo, veniste, vennero*	*venuto*

Infine, ci sono alcune famiglie di verbi che finiscono nello stesso modo:

Infinito	Passato remoto	Participio passato
...cìdere: decidere, incidere, uccidere, ecc.	*decisi, decidesti, decise, decidemmo, decideste, decisero*	*deciso*
...durre: condurre, introdurre, produrre, ridurre, tradurre	*condussi, conducesti, condusse, conducemmo, conduceste, condussero*	*condotto*
...èdere: accedere, concedere, procedere, succedere	*concessi, concedesti, concesse, concedemmo, concedeste, concessero*	*concesso*
...èndere: accendere, apprendere, attendere, comprendere, difendere, dipendere, offendere, prendere, rendere, scendere, sorprendere, spendere, ecc.	*presi, prendesti, prese, prendemmo, prendeste, presero*	*preso*
...dere: confondere, deludere, diffondere, escludere, fondere, esplodere, illudere, includere, ecc.	*confusi, confondesti, confuse, confondemmo, confondeste, confusero*	*confuso*
...ogliere: accogliere, cogliere, raccogliere, sciogliere, togliere, ecc.	*tolsi, togliesti, tolse, togliemmo, toglieste, tolsero*	*tolto*

Ci sono altre famiglie, ma sono meno numerose, e quindi ti verrà indicato in nota l'infinito del verbo quando compaiono in un testo.

EDILINGUA

Glossario essenziale dei termini letterari

Allegoria
Un simbolo che si estende per una lunga sezione di testo, a differenza della **similitudine** (→ **metafora**) che è breve. Ad esempio, c'è una poesia a pag. 157 di Marinetti, un futurista, che descrive una macchina da corsa, che domina la strada, cambia il modo di vedere il paesaggio, ecc.: è un'allegoria della modernità.

Allitterazione
Più parole vicine che iniziano con la stessa consonante o che comunque la ripetono più volte: De Andrè, un cantante-poeta che trovi a pag. 214, racconta di un ragazzo che viene ucciso e non ha neppure il tempo di *chieder **p**erdono **p**er ogni **p**eccato*, una allitterazione sul suono **p**.

Anacoluto
Un errore di grammatica voluto dall'autore, per i suoi scopi espressivi.

Autore
La persona che produce il testo letterario.
L'autore può coincidere con il **narratore** (→), che quindi usa la prima persona e dà informazioni viste attraverso i suoi occhi, quindi dubbie, oppure può essere onnisciente, cioè un autore che sa tutto quel che avviene, sia nella storia sia nella mente dei suoi personaggi.
In alcuni casi l'autore può intervenire direttamente nella narrazione, con commenti e riflessioni.
L'autore di testi in versi è un **poeta**, se scrive per il teatro è un **drammaturgo** o anche un **commediografo**, se scrive narrazioni in prosa è uno **scrittore** o **romanziere**, se scrive **trattati** (→) o saggi è un trattatista, un saggista.

Ballata
Una narrazione in versi, divisa in strofe, ma non lunga come un **poema** o un **poemetto** (→). Molte ballate sono accompagnate da musica.

Cantautore
Un cantante che è anche autore delle parole, e spesso della musica, delle canzoni che interpreta. Si tratta, in questo caso, di **canzoni d'autore**, che vogliono essere veri e propri testi letterari, a differenza delle canzoni pop che vogliono solo divertire.

Cantica, canto
Come un romanzo è diviso in "capitoli", un poema è diviso in "canti". La *Divina Commedia* di Dante è divisa in tre "cantiche" (*Inferno*, *Purgatorio*, *Paradiso*) ciascuna di 33 canti (tranne il *Paradiso* che ne ha 34, in modo che il totale dei canti sia 100).

Commedia
Un testo teatrale allegro, talvolta comico, in cui la storia finisce bene, con tutti i personaggi felici. Spesso in italiano si usa "commedia" per indicare qualunque tipo di opera teatrale, anche se il termine usato negli studi letterari è **dramma** (→).

Distico
Strofa (→) di 2 versi in rima. È un tipo di strofa comune nel Medioevo ed è diventato la base metrica del rap moderno.

Dramma
Un testo scritto per essere recitato; nel cinema, si usa il termine "sceneggiatura"; il testo stampato, quello su cui lavorano il **regista** (→) e gli attori, si chiama "copione".
A seconda di come va a finire la storia, un dramma può essere una **commedia** (→) o una **tragedia** (→), quindi la letteratura drammatica include, commedie e tragedie; in italiano corrente, l'aggettivo "drammatico" significa "tragico", ha solo un significato negativo. Un dramma accompagnato dalla musica è un **melodramma** (→) o un'opera (lirica). Un autore di drammi si chiama **drammaturgo**, ma spesso è detto **commediografo** anche se scrive tragedie.
Un dramma è diviso di solito in "atti" e può avere un "prologo" all'inizio e un "epilogo" alla fine. Se non ci sono divisioni, è un "atto unico".

Endecasillabo
È il verso principale della letteratura italiana. È composto da almeno 10 sillabe, con l'accento sempre sulla decima sillaba; siccome la maggior parte delle parole italiane è "piana", cioè ha l'accento sulla penultima sillaba, l'endecasillabo tipico è di 11 (*endeca* in greco) sillabe. Se la parola è "sdrucciola", quindi ha due sillabe dopo quella accentata (come *mèdico*, ad esempio), l'endecasillabo ha 12 sillabe.

Enjambement

Si ha quando, per ottenere un effetto di sospensione, il poeta separa su due versi parole che logicamente vanno insieme. Leopardi è un maestro dell'enjambement, spezza i versi in modo che l'ultima parola di un verso rallenti la lettura, si allunghi, come in *A Silvia* (pag. 100):

> *Sonavan le quiete*
> *stanze e le vie d'intorno*

in cui il silenzio mentre l'occhio passa da un verso all'altro dà il senso di "quiete", calma, tranquillità; allo stesso modo, in questi altri due versi, Silvia è "intenta" a fare i suoi lavori da donna, cioè è concentrata, attenta, e l'enjambement te lo dice con il suo silenzio:

> *allor che all'opre femminili intenta*
> *sedevi, assai contenta*

Fabula

In una narrazione la fabula (che si pronuncia *fàbula*) è il racconto di una storia così come è avvenuta in realtà: si narrano per prime le cose che sono avvenute per prime e poi quelle che vengono dopo. Ciò spesso non succede nelle opere letterarie (→ **intreccio**).

Figura retorica

Sono forme tipiche della letteratura e servono per arricchire la forza della narrazione, per dare delle sensazioni emozionali al lettore, andando oltre il significato letterale delle parole che vengono usate.

La letteratura, nei suoi 3000 anni, ha creato una tradizione di figure retoriche che tutti gli autori usano, dai poemi epici alle canzoni pop: ad esempio **metafora** (→), **similitudine** (→), **ossimoro** (→), **sinestesia** (→), **iperbole** (→), ecc.

Genere letterario

Tipo di testo specifico della letteratura; esistono i *generi superiori*, cioè generali, come la **poesia** (→), la **prosa** (→), il **dramma** (→), cioè il teatro, la biografia, il **trattato** (→), e dei *sottogeneri*: ad esempio, la poesia può essere "epica" se racconta eventi in cui compaiono grandi eroi (*Iliade*, *Orlando furioso*, ecc.), "civile" quando interviene sulla vita di una società, "lirica" quando esprime sentimenti personali, "canzone" quando è accompagnata da musica, ecc.

Oltre che dal contenuto, come nei casi visti so-pra, un sottogenere può essere caratterizzato anche dalla forma: tra i vari tipi di poesia, il **sonetto** (→), ad esempio, ha 14 versi, di solito con lo schema di **rime** (→) ABBA ABBA CDE CDE.

Intreccio

Il modo in cui una storia (→ **fabula**) è raccontata in una narrazione.

Talvolta l'intreccio non segue l'ordine degli eventi, ma se ne anticipano alcuni che avverranno in seguito o, soprattutto, si raccontano eventi precedenti (*flashback*) interrompendo la fabula.

Iperbole

Esagerazione nella descrizione di una persona o di un'azione.

Laude

È una forma poetica medievale, il cui nome deriva dal latino *laus, laudis*, da cui viene anche l'italiano *lode*. Una lauda è in effetti una lode a Dio, a Gesù, a qualche santo. Spesso le laudi hanno forma dialogica e possono avere anche un coro: erano infatti recitate in chiesa e il popolo, che non sapeva leggere, le imparava a memoria facilmente, perché avevano rime baciate e ritmo molto accentuato. Erano uno strumento di istruzione popolare.

Lettore implicito ed esplicito

Un **autore** (→) o un **narratore** (→) possono rivolgersi dichiaratamente, in modo esplicito, ad un lettore, altri invece no; ma ogni autore ha sempre in mente un lettore (o ascoltatore, o spettatore) implicito, per il quale scrive: può essere una persona specifica, una classe sociale, un gruppo di intellettuali, ecc.

Libretto

Il testo di un **melodramma** (→), di un'opera lirica.

Madrigale

Breve poesia, di solito di argomento amoroso, oppure ambientata nel mondo mitico dell'antichità, tipico del Cinque-Seicento.

Spesso i madrigali venivano musicati.

Melodramma

Spesso chiamato **opera** (→), è una rappresentazione teatrale in cui i testi vengono cantati anziché essere recitati.

L'opera può essere "buffa", cioè comica, o "lirica", che in origine significava "tragica", ma oggi la parola *opera* si riferisce a qualunque tipo di melodramma.

Il *grand opéra*, al maschile, è l'opera di origine francese, con grandi scenografie, balletti, ecc. Un'*operetta* non è un'opera breve, ma è una variante dell'opera molto diffusa nei primi anni del Novecento, in cui ci sono sia dialoghi sia arie cantate; dall'operetta deriva il *musical* americano.

Un'opera è divisa in "atti" e può avere un "prologo" all'inizio e un "epilogo" alla fine. Se non ci sono divisioni, è un "atto unico".

Metafora, Metonimia

Consiste nel mettere insieme due parole (o azioni, o qualità) che hanno in comune un aspetto: *quella donna è un angelo* mette insieme la donna e le qualità di purezza, di bellezza, di dolcezza di un angelo; se si fosse detto *quella donna è pura come un angelo* sarebbe stata una **similitudine**, in cui veniva stabilita chiaramente la relazione.

Spesso fusa alla metafora è la metonimia, in cui le due cose messe a confronto hanno un elemento in comune: *beviamoci un bicchiere*, sottinteso *di vino*. Spesso si indica una parte per il tutto (**sineddoche**): *le vele attraversano l'oceano*, in cui attaccata alle vele c'è la nave.

Narratore

La persona che racconta la storia; talvolta può coincidere con l'**autore** (→), altre volte è un personaggio dell'opera stessa, che può scrivere in prima o in terza persona; un narratore può essere onnisciente, cioè sapere tutto quel che avviene, i pensieri dei personaggi, le loro motivazioni, oppure può avere un punto di vista limitato, per cui racconta solo quel che vede e non entra nella mente dei personaggi.

Novella

Una narrazione più breve di un romanzo (che in inglese si chiama, invece, *novel*); in origine una novella era un racconto, come nel *Decameron* di Boccaccio (pag. 30), ma oggi si riferisce a un racconto lungo.

Onomatopea

Uso di parole che hanno un suono simile a quanto viene descritto, ad esempio "zanzara", che ricorda il rumore che producono le ali dell'insetto.

Opera

Ha tre significati principali:
- un testo, un romanzo, un film, ad esempio: La dolce vita *è l'opera principale di Fellini*;
- la produzione di un autore, ad esempio: *L'opera di Fellini* è l'insieme dei suoi film;
- un **melodramma** (→), cioè un testo per il teatro (*dramma*) accompagnato da musica (*melos*).

Ossimoro

È un'antitesi, cioè un contrasto molto compatto, ridotto ai due termini in contrasto tra di loro: *questo piccolo grande amore*.

Ottava

Strofa (→) di 8 versi, tipica del poemi rinascimentali (pag. 55), di solito con lo schema di rime ABABABCC.

Poema

Una narrazione, di solito lunga, in versi, come l'*Odissea* o *Orlando furioso*. Un poema breve si chiama **poemetto.**

Quartina

Strofa (→) di 4 versi, con due possibili schemi di rime: ABAB e ABBA; talvolta trovi quartine con lo schema AABB, ma si tratta in realtà di due **distici** (→) uniti.

Regista

L'**autore** (→) principale di un film; per lui o con lui lavorano lo sceneggiatore, che scrive il copione (o sceneggiatura), i fotografi, i costumisti, l'autore della colonna sonora. Ma è il regista colui che firma il film.

Rima

La ripetizione delle stesse sillabe alla fine di due o più versi, come in questa strofa di Dante Alighieri:

> *Tanto gentile e tanto onesta p**are***
> *la donna mia quand'ella altrui sal**uta***
> *ch'ogne lingua deven tremando m**uta**,*
> *e li occhi no l'ardiscon di guard**are**.*

Se chiamiamo *A* la desinenza *-are* e *B* la desinenza *-uta*, lo schema diventa ABBA; ci possono essere altri schemi, ad esempio AA BB, oppure ABA BCB CDC, e così via.

Talvolta la rima è imperfetta ed allora si parla di assonanza, ad esempio *Apr**ile**, dolce dorm**ire**.*

Ritmo

È dato dal numero di accenti forti in un verso. Il verso classico italiano, l'**endecasillabo** (→) ha di solito 3 accenti, di cui l'ultimo è sulla decima sillaba:

Nel mèzzo del cammìn di nostra vìta
Mi ritrovài in una sélva oscùra.

Romanzo

Una narrazione in prosa più lunga di una novella (anche se in inglese il romanzo si chiama *novel*) e di un racconto; questi ultimi narrano di solito un evento, mentre un romanzo ricostruisce periodi ampi, anche l'intera vita di un personaggio. Dal Settecento, il romanzo è la forma narrativa più diffusa in tutte le letterature.

Il *romanzo storico* inserisce l'**intreccio** (→) in un periodo del passato, curando i fatti storici che fanno da sfondo agli avvenimenti che riguardano i personaggi; una *biografia romanzata* è la biografia di una persona raccontata come un romanzo; il *romanzo giallo* o *noir* o *poliziesco* descrive la caccia ad un criminale, che di solito alla fine viene catturato; il *romanzo rosa* è una storia d'amore; il *romanzo di fantascienza* narra storie ambientate nel futuro.

Similitudine

È la figura retorica più usata, in cui due parole sono unite da *come*; è una **metafora** (→) resa esplicita: *i suoi capelli sono come l'oro* è una similitudine, *i suoi capelli d'oro* è una metafora.

Sineddoche → Metafora, Metonimia

Sinestesia

Metafora (→) in cui l'elemento comune tra le due parole che la compongono coinvolge due sensi diversi, quindi sono coppie di parole che non hanno senso logico ma solo analogico, di associazione mentale: in *uscì dalla stanza e fu colpito dall'urlo del sole*, la violenza della luce viene presentata come la violenza del suono, della voce.

Sonetto

Poesia di 14 versi **endecasillabi** (→), che nella forma classica, o "petrarchesca", è divisa in quattro strofe con questo schema di **rime** (→): ABAB ABAB CDC DED.

Il sonetto shakespeariano ha invece una struttura diversa: ABAB CDCD EFEF GG.

Strofa

Gruppo di **versi** (→); le strofe tradizionali prendono il nome dal numero di versi:
- il **distico** ne ha due, di solito con **rima** (→) AA;
- la **terzina** ha tre versi, tradizionalmente ABA BCB CDC ecc.;
- la **quartina** ha quattro sillabe e di solito ha lo schema ABAB o ABBA;
- l'**ottava**, di otto sillabe, è la strofa classica dei **poemi** (→) epici italiani, e lo schema delle rime è di solito ABABABCC.

Nella poesia novecentesca le strofe, se ci sono, hanno spesso lunghezza diversa nella stessa poesia.

Terzina → Strofa di 3 versi

Tragedia

Un **dramma** (→), cioè un testo teatrale, o un **melodramma** (→) in cui la fine è tragica, drammatica come diciamo in italiano quotidiano, cioè si conclude con la morte di un protagonista, o con la fine di un amore, ecc.

Trattato

Oggi lo chiamiamo *saggio* se è breve, o *studio*, *ricerca*, talvolta anche *trattato* se è lungo; nei secoli scorsi i trattatisti scrivevano più spesso quelli che oggi chiameremmo saggi, cioè brevi trattati.

Verso

Una poesia è tale perché è scritta in versi, cioè in segmenti brevi visibili sulla pagina perché alla fine di ogni verso si va a capo; nella tradizione italiana i versi principali sono l'**endecasillabo** (→), con undici sillabe e l'accento obbligatorio sulla decima, il *quinario*, il *senario*, il *settenario* e il *novenario*.

Nella poesia novecentesca prevale il *verso libero*, basato cioè sul ritmo che l'autore vuole dare alla sua poesia e non su un numero prefissato di sillabe.

Copertina: https://vineyardusa.org/library/; **Pag. 9:** https://it.wikipedia.org/wiki; **Pag. 10:** https://i0.wp.com/www.venetostoria.com (*1204*), shutterstock_25778 1478 (*1222*), shutterstock_3152829 (*1266*); **Pag. 11:** httpsi.pinimg.comoriginalsf0bd72f0bd72e17f55c552deea9fe51882e219.jpg (*1309*), www.ilportaledelsud.org (*1343*), https://3.bp.blogspot.com (*1348*), shutterstock_510635470 (*1381*); **Pag. 12:** https://upload.wikimedia.org; **Pag. 13:** https://upload.wikimedia.org; **Pag. 14:** www.siciliafan.it (*Giacomo da Lentini*), http://www.bildarchivaustria.atPreview77 30599.jpg (*Guittone d'Arezzo*); **Pag. 15:** https://it.wikipedia.org; **Pag. 16:** www.lanuovabq.itstorageimgsfi1_6-large.jpg; **Pag. 17:** https://upload.wikimedia.org; **Pag. 18:** https://www.4live.it (*San Mercuriale*), http://archivio.fuorisalone.it (*Sant'Ambrogio, esterno*), https://i.pinimg.com (*Sant'Ambrogio, interno*); **Pag. 19:** https://it.wikipedia.org/wiki/Cimabue (*in alto*), http://appuntidistoriadellarte.blogspot.it (*in centro*), www.donbosco-torino.it (*in basso*); **Pag. 20:** https://upload.wikimedia.org; **Pag. 21:** archivio edilingua; **Pag. 24:** https://upload.wikimedia.org; **Pag. 27:** https://d3d00swyhr67nd.cloudfront.net; **Pag. 29:** www.giovannifighera.it; **Pag. 30:** https://upload.wikimedia.org; **Pag. 34:** www.icvilla.gov.it (*in alto*), www.sienanews.it (*in basso*); **Pag. 35:** www.beniculturali.it (*in alto*), http://4.bp.blogspot.com/ (*in centro a sinistra*), www.milanolife.it (*in centro a destra*), https://it.wikipedia.org (*in basso*); **Pag. 36:** shutterstock_634005947; **Pag. 37:** https://bur.regione.veneto.it; **Pag. 38:** https://upload.wikimedia.org (*1406*), https://upload.wikimedia.org (*1454*), https://upload.wikimedia.org (*1457*), www.vesuviolive.it (*1458*), www.artribune.com (*1492*); **Pag. 39:** www.storico.org (*1495*), http://2.bp.blogspot.com (*1527*), www.basilicadisanpetronio.org (*1550*), http://4.bp.blogspot.com (*1571*); **Pag. 40:** https://upload.wikimedia.org (*in alto* e *in basso*); **Pag. 44:** shutterstock_337520672 (*in alto*), https://upload.wikimedia.org (*in basso*); **Pag. 45:** https://cyarthistory.wikispaces.com; **Pag. 46:** shutterstock_674595496 (*in alto*), www.riccardopiroddi.it (*in basso*); **Pag. 47:** www.studiarapido.it; **Pag. 48:** https://cdn.studenti.stbm.it/; **Pag. 49:** www.bristravel.com; **Pag. 50:** https://it.wikipedia.org; **Pag. 52:** www.giovannidallorto.com (*Berni*), https://sheroesofhistory.files.wordpress.com (*Stampa*), www.oresteparise.it (*di Tarsia*), www.sartle.com (*Buonarroti*); **Pag. 56:** https://upload.wikimedia.org (*in alto* e *in basso*); **Pag. 57:** http://restaurars.altervista.org (*in alto*), shutterstock_32486428 (*in centro a sinistra*), www.francescomorante.it (*in centro a destra*); **Pag. 58:** https://i.pinimg.com; **Pag. 59:** shutterstock_192321776; **Pag. 60:** www.studentville.it (*1600*), www.alessandrianews.it (*1618*), www.leccocittadeipromessisposi.it (*1628*), https://blogstorianapoli.files.wordpress.com (*1647*), www.tempostretto.it (*1674*); **Pag. 61:** https://upload.wikimedia.org (*1720, 1794, 1797*), www.analisidellopera.it (*1796*); **Pag. 62:** https://upload.wikimedia.org; **Pag. 63:** https://cdn.globalauctionplatform.com (*in alto*), shutterstock_1059008306 (*in centro*), www.letteraturaitalia.it (*in basso*); **Pag. 64:** http://padovacultura.padovanet.it (*in alto*), https://upload.wikimedia.org (*in centro* e *in basso*); **Pag. 66:** https://upload.wikimedia.org; **Pag. 67:** https://3.bp.blogspot.com; **Pag. 68:** shutterstock_72033346 (*in alto*), https://upload.wikimedia.org (*in basso*); **Pag. 69:** https://www.orff.de/; **Pag. 70:** https://restaurars.altervista.org (*in alto*), https://cdn.thinglink.me/api/image (*in basso*); **Pag. 71:** https://cultura.biografieonline.it; **Pag. 72:** www.liberliber.it (*in alto*), https://upload.wikimedia.org (*in basso*); **Pag. 73:** www.fondiantichi.unimore.it; **Pag. 74:** http://www.redbaron.info; **Pag. 77:** https://upload.wikimedia.org; **Pag. 78:** https://upload.wikimedia.org (*in alto*), www.teatridibari.it (*Arlecchino, Balanzone, Pulcinella*), https://upload.wikimedia.org (*Pantalone*); **Pag. 79:** www.turismoletterario.com; **Pag. 82:** https://upload.wikimedia.org (*in alto*), www.unipopvercelli.it (*in centro*); **Pag. 83:** http://2.bp.blogspot.com (*a sinistra*), https://d3fr1q02b1tb0i.cloudfront.net (*a destra*); **Pag. 84:** shutterstock_99849758 (*in alto*), http://caserta.italiani.it (*in basso*); **Pag. 85:** www.analisidellopera.it (*in alto*), https://upload.wikimedia.org (*in basso*); **Pag. 86:** www.luccaimprese.it; **Pag. 87:** www.geometriefluide.com; **Pag. 88:** www.studenti.it (*1815*), www.ibs.it/ (*1818*), https://i.ebayimg.com (*1821*), www.carboneria.it (*1820-40*), www.visitgenoa.it (*1831*), www.novacivitas.info/ (*1848*); **Pag. 90:** https://cdn.studenti.stbm.it (*in alto*), https://upload.wikimedia.org (*in basso*); **Pag. 91:** www.10cose.it; **Pag. 93:** https://upload.wikimedia.org; **Pag. 95:** www.comunicati.net; **Pag. 96:** www.tuttomondonews.it (*in alto*), https://it.wikipedia.org (*in basso a destra*), https://ffiumara.files.wordpress.com (*in basso a sinistra*); **Pag. 98:** https://fai-website.imgix.net; **Pag. 100:** http://campus.unibo.it/; **Pag. 104:** https://upload.wikimedia.org; **Pag. 105:** https://upload.wikimedia.org; **Pag. 108:** https://upload.wikimedia.org; **Pag. 109:** www.parmacityofgastronomy.it; **Pag. 111:** http://carlogoldoni.visitmuve.it; **Pag. 112:** https://upload.wikimedia.org (*in alto*), https://restaurars.altervista.org (*in basso*); **Pag. 113:** shutterstock_393247666 (*in alto*), http://paradiseofexiles.com (*in basso*); **Pag. 114:** https://upload.wikimedia.org; **Pag. 115:** www.artribune.com; **Pag. 116:** https://cdn.nybooks.com (*in alto*), https://st.ilfattoquotidiano.it (*1850*), https://upload.wikimedia.org (*1859*), http://1.bp.blogspot.com (*1860*), http://www.intoscana.it (*1861*), www.ilgiornale.it (*1866*), http://hotelromaroom.com (*1870*); **Pag. 117:** www.europinione.it (*1878*), www.socialismoitaliano1892.it (*1892*); **Pag. 118:** https://archiviodelverbanocusioossola.files.wordpress.com; **Pag. 119:** https://upload.wikimedia.org; **Pag. 121:** www.galileumautografi.com (*a sinistra*), https://cdn.studenti.stbm.it (*a destra*); **Pag. 122:** https://upload.wikimedia.org; **Pag. 123:** https://upload.wikimedia.org (*De Amicis*), www.liberliber.it (*Gallina*), www.siciliaedonna.it (*De Roberto*), www.apice.unimi.it (*Pinocchio*); **Pag. 126:** www.ilmattino.it; **Pag. 128:** https://upload.wikimedia.org; **Pag. 129:** www.comune.pietrasanta.lu.it (*in alto*), www.flickr.com (*in basso*); **Pag. 130:** www.adnkronos.com (*Carducci*), https://restaurars.altervista.org (*Pirandello*) https://upload.wikimedia.org (*Montale*), www.cuoredellasardegna.it (*Deledda*), https://i0.wp.com/www.ultimavoce.it (*Quasimodo*), https://upload.wikimedia.org (*Fo*); **Pag. 131:** http://informa.comune.bologna.it/ (*in centro*), shutterstock_669649624 (*in basso*); **Pag. 132:** www.apemusicale.it (*in alto*), www.leoncavallo.ch (*in basso*); **Pag. 133:** https://biografieonline.it; **Pag. 134:** https://gallica.bnf.fr (*in alto*), www.primapaginachiusi.it (*in basso*); **Pag. 135:** www.galileumautografi.com (*in alto*), https://img.discogs.com (*in basso*); **Pag. 136:** https://upload.wikimedia.org; **Pag. 137:** https://i.ytimg.com/vi/ (*a sinistra* e *in alto a destra*), https://media.mutualart.com (*in basso a destra*); **Pag. 138:** www.archiginnasio.it (*a sinistra*), https://upload.wikimedia.org (*a destra*); **Pag. 139:** https://rosalbaangiuli.files.wordpress.com (*in alto*), www.corriere.it (*in basso*); **Pag. 141:** https://filecdn.tempi.it; **Pag. 142:** www.taccuinistorici.it; **Pag. 143:** https://upload.wikimedia.org (*Manon Lescaut*), https://cultura.biografieonline.it (*Tosca*), www.copia-di-arte.com (*Madama Butterfly*), https://images-na.ssl-images-amazon.com (*Turandot*), www.ebay.it (*La fanciulla del West*), www.italianways.com (*Suor Angelica*); **Pag. 145:** https://upload.wikimedia.org; **Pag. 146:** https://upload.wikimedia.org; **Pag. 147:** www.libertaearte.com (*in alto a destra*), www.pinterest.it (*in centro a destra* e *a sinistra*), https://upload.wikimedia.org (*in basso*); **Pag. 148:** https://it.wikipedia.org; **Pag. 149:** www.tate.org.uk; **Pag. 150:** https://filosofiapagano.files.wordpress.com (*in alto*), www.lastampa.it (*1900*), www.educational.rai.it (*1915*), https://it.wikipedia.org (*1921, 1922*); **Pag. 151:** https://cdn.nybooks.com (*1929*), http://guerrecontro.altervista.org (*1936*), https://upload.wikimedia.org (*1943*), https://babilonia.files.wordpress.com (*1946*); **Pag. 152:** https://it.wikipedia.org (*in alto*), https://photoinventory.fr (*in basso*); **Pag. 153:** www.artspecialday.com (*Svevo*), www.rampadova.it (*Buzzati*), www.bastiaoggi.it (*Silone*); **Pag. 154:** https://upload.wikimedia.org; **Pag. 155:** https://d1hq101wxhnxzk.cloudfront.net; **Pag. 156:** www.museidigenova.it (*in alto*), www.archimagazine.com (*in centro a sinistra*), https://megannewtonwkc.files.wordpress.com (*in centro a destra*), www.gestionalinopera.it (*in basso*); **Pag. 158:** https://d3hp8xnxb3lun4.cloudfront.net (*in alto*), https://pbs.twimg.com (*in basso*); **Pag. 159:** www.comune.bozzolo.mn.it; **Pag. 161:** http://cultura.biografieonline.it; **Pag. 162:** https://upload.wikimedia.org; **Pag. 163:** https://i.pinimg.com; **Pag. 167:** https://upload.wikimedia.org (*in alto*), www.filmtv.it (*in basso*); **Pag. 168:** https://1.bp.blogspot.com; **Pag. 169:** https://media.wsimag.com (*Ungaretti*), www.faredecorazione.it (*Montale*), www.radiortm.it (*Quasimodo*), www.lacasadellapoesiadimonza.it (*Luzzi*); **Pag. 170:** http://blog02.ilsole24ore.com; **Pag. 171:** www.barbadillo.it; **Pag. 172:** https://cdn.studenti.stbm.it; **Pag. 173:** shutterstock_135685412; **Pag. 174:** https://it.wikipedia.org; **Pag. 175:** shutterstock_733797994; **Pag. 176:** shutterstock_124449988; **Pag. 177:** www.italianways.com; **Pag. 178:** www.beniculturali.it (*in centro*), https://image.jimcdn.com (*in basso*); **Pag. 179:** https://4.bp.blogspot.com; **Pag. 180:** https://images.findagrave.com; **Pag. 181:** shutterstock_119174600 8; **Pag. 182:** www.tusciaweb.eu (*1948*), www.mycarheaven.com (*1955*), www.cultura.rai.it (*1963*), www.dna.trentino.it (*1968*); **Pag. 183:** https://lk.shbcdn.com (*1992*), https://l43.cdn-news30.it (*1994*), shutterstok_548850244 (*1999*); **Pag. 185:** www.vespaclub.com (*in centro*), http://cdn.corrieredellosport.it (*in basso*); **Pag. 186:** https://i2.wp.com/cityjournal.it; **Pag. 188:** https://static.wixstatic.com; **Pag. 189:** https://premiostrega.it; **Pag. 190:** www.sienanews.it (*in alto*), http://sinchieste.repubblica.it (*in basso*); **Pag. 191:** https://img.reelgood.com; **Pag. 192:** www.brundisium.net; **Pag. 194:** https://biografieonline.it (*Morante*), www.artslife.com (*Ginzburg*), http://francofortenews.com (*Maraini*); **Pag. 195:** http://2.bp.blogspot.com; **Pag. 197:** https://pictures.abebooks.com; **Pag. 198:** www.broadwayplaypub.com (*in alto*), http://cdn-static.dagospia.com (*in basso*); **Pag. 200:** https://i1.wp.com/www.cinziamalaguti.it (*in alto*), www.siblogga.it (*in basso*); **Pag. 201:** www.giffonifilmfestival.it (*in alto*), archivio edilingua (*in centro*), https://lk.shbcdn.com (*in basso*); **Pag. 204:** www.lastampa.it; **Pag. 205:** www.larena.it; **Pag. 206:** https://upload.wikimedia.org (*in alto*), www.ilmessaggero.it (*in basso*); **Pag. 207:** https://info.arte.tv; **Pag. 208:** https://upload.wikimedia.org (*Caproni*), www.lellovoce.it (*Zanzotto*), https://biografieonline.it (*Merini*); **Pag. 211:** http://storiedibambini.org (*1954*), https://lorenzociofani.files.wordpress.com (*1957*), https://pad.mymovies.it (*1963-Fellini*), https://it.wikipedia.org (*1963*), https://quinlan.it (*1970- Petri*), www.cosebellemagazine.it (*1970*), https://i0.wp.com/www.villasorra.it (*1974*), https://edoardoferrario.files.wordpress.com (*1987*), www.cinematographe.it (*1988*), www.newsers.it (*1991*), https://upload.wikimedia.org (*1997*), http://it.imageservice.sky.com (*2013*); **Pag. 212:** www.gossipetv.com; **Pag. 213:** https://i0.wp.com/www.sdnovarese.it (*in alto*), https://upload.wikimedia.org (*in centro*), www.ilgiornale.it (*in basso*); **Pag. 214:** https://st.ilfattoquotidiano.it; **Pag. 215:** www.strettoweb.com; **Pag. 216:** http://lacapannadelsilenzio.it (*in alto*), www.artribune.com (*in basso a sinistra*), www.artslife.com (*in centro a destra*); **Pag. 217:** www.collezionedatiffany.com (*in alto*), www.arte.it (*in centro a sinistra*), www.artslife.com (*in centro a destra*), www.filmforlife.org (*in basso*); **Pag. 218:** www.2dgalleries.com, https://cdn.comicon.it, http://oubliettemagazine.com, http://www.arkosacademy.com (*a destra dall'alto in basso*), www.staynerd.com, https://img.gqitalia.it, http://i38.tinypic.com/25kslti.jpg (*a sinistra dall'alto in basso*); **Pag. 219:** www.amc-archi.com; **Pag. 220:** shutterstock_794043757 (*a sinistra*), shutterstock_320294048 (*a destra*); **Pag. 221:** shutterstock_363321521; **Pag. 222:** shutterstock_1118725040 (*Saviano*), shutterstock_1190448877 (*Baricco*); **Pag. 223:** www.paolomaurensig.it (*Maurensig*), https://i.ytimg.com/vi (*Ammaniti*), www.mosaico-cem.it (*Piperno*); **Pag. 224:** https://dileidemosite.files.wordpress.com (*Tamaro*), www.saltinaria.it (*Ferrante*); **Pag. 225:** www.ilgazzettino.it (*Arslan*), www.educational.rai.it (*Agnello Hornby*), shutterstock_145014283 (*Mazzantini*); **Pag. 226:** https://upload.wikimedia.org (*Carlotto*), www.repstatic.it (*De Cataldo*); **Pag. 227:** www.ildenaro.it (*De Giovanni*), https://viaggionelloscriptorium.files.wordpress.com (*Robecchi*), https://i.pinimg.com (*Lucarelli*); **Pag. 228:** https://st.ilfattoquotidiano.it (*Carofiglio*), https://images.wired.it (*Manzini*), http://tuttosesto.net (*Malvaldi*); **Pag. 229:** https://gdsit.cdn-immedia.net (*in alto*), www.nandodallachiesa.it (*Camilleri*); **Pag. 232:** https://ziomuro.com; **Pag. 233:** https://upload.wikimedia.org (*Dente*), https://upload.wikimedia.org (*Brunori Sas*), www.push-play.it (*Ermal Meta*), http://3.citynews-milanotoday.stgy.ovh/ (*Mannarino*), www.leonardo.it (*Rubino*), https://cdn.rtl.it (*Calcutta*); **Pag. 234:** https://i1.wp.com/www.lanouvellevague.it (*in centro*), https://scontent-sea1-1.cdninstagram.com (*in basso a sinistra*), https://img.ibs.it (*in basso a destra*); **Pag. 235:** http://film.cinecitta.com (*a destra in alto*), www.loccidentale.it (*a destra in basso*), http://valecenter.it (*a sinistra in alto*), www.lospettacolo.it (*a sinistra in basso*)

Indice testi di approfondimento online

EDILINGUA

Capitolo 6 | *Il primo Novecento*

Capitolo 7 | *Il secondo Novecento*

Capitolo 8 | *Tra Novecento e Duemila*

I testi di approfondimento sono disponibili sul sito della casa editrice: www.edilingua.it

Indice CD audio

Le tracce audio sono disponibili anche sul sito della casa editrice: www.edilingua.it